Biblioteca temática en esquemas y síntesis

Imago

*Literatura española
y universal*

Santillana

Dirección: Sergio Sánchez Cerezo
Edición: Mercedes Rubio
Original y maqueta: Sergio de Otto Comunicación, S. L.
Diseño de cubierta: Pep Carrió y Sonia Sánchez
Dirección de arte: José Crespo
Selección de ilustraciones: Maryse Pinet, Nieves Marinas
Coordinación de realización: José García
Dirección de realización: Francisco Romero

© De esta edición: 1999, Grupo Santillana de Ediciones, S. A.
Torrelaguna, 60. 28043 Madrid

Aguilar, Altea, Taurus, Alfaguara, S. A. Beazley, 3860. 1437 Buenos Aires

Aguilar, Altea, Taurus, Alfaguara, S. A. de C. V. Avda. Universidad 767, Col. Del Valle

México, D. F. C. P. 03100

Editorial Santillana, S. A. Carrera 13, n.° 63-39, piso 12 Santafé de Bogotá - Colombia

Aguilar Chilena de Ediciones, Ltda. Avda. Pedro de Valdivia, 942 Santiago - Chile

Ediciones Santillana, S. A. Javier de Viana, 2350 11200 Montevideo - Uruguay

Santillana Publishing Co. 2105 NW. 86th Avenue Miami, FL 33122

Fotografías:
Algar; A. Castellanos; ARXIÚ MAS; ATENEO DE MADRID; BIBLIOTECA COLOMBINA, SEVILLA; BIBLIOTECA DE LA UNIVERSIDAD DE SALAMANCA; BIBLIOTECA DEL MONASTERIO DE EL ESCORIAL; BIBLIOTECA NACIONAL DE FRANCIA; BIBLIOTECA NACIONAL DE MONTEVIDEO, URUGUAY; BIBLIOTECA NACIONAL, MADRID/ Laboratorio Biblioteca Nacional; CASTILLO DE VIÑUELAS, COL. DUQUE DEL INFANTADO; CENTRO DRAMATICO NACIONAL TEATRO MARIA GUERRERO; COLITA; CONTIFOTO/SYGMA/Bernard Annebicque, D. Sauveur, KEYSTONE, L'ILLUSTRATION, S. Bassouls, G. Schachmes, James Andanson; COVER/CONTACT; COVER/Jordi Socias, Miguel González, Sigfrid Casals; EDISTUDIO; EFE/Julián Martín, M. H. De León; EFE/SIPA-PRESS; EFE/UNITED PRESS EUROPIX/John Eggitt; EFE; E. Limbrunner; ESTUDIO MUSEO ALFONSO; ESTUDIOS CRUZ; EUROPA PRESS; F. Ontañón; F. Po; Francisco X. Rafols; FUNDACIÓN SANTILLANA; GALERÍA DE LA ACADEMIA, FLORENCIA; GALERÍA NACIONAL DE JEU DE PAUME, PARÍS; GALERÍA NACIONAL, OSLO; GOYENECHEA; HEMEROTECA NACIONAL, MADRID; IBEROAMERICANA DISTRIBUCIÓN; INSTITUTO VALENCIA DE D. JUAN, MADRID; J. Algarra; J. E. Casariego; J. Gómez de Salazar; J. V. Resino; J. Vendrell; José Latova; Juancho; KEYSTONE-NEMES; L. Agromayor; L. Olivenza; M. Moreno; MUSEO ARQUEOLÓGICO NACIONAL, NÁPOLES; MUSEO ARQUEOLÓGICO NACIONAL/«Archivo Fotográfico. Museo Arqueológico Nacional.»; MUSEO DE AMÉRICA, MADRID; MUSEO NACIONAL CENTRO DE ARTE REINA SOFÍA; MUSEO DE ARTE MODERNO, NUEVA YORK; MUSEO DE BELLAS ARTES DE BILBAO; MUSEO DE SANTA CRUZ, TOLEDO; MUSEO DEL BARDO, TÚNEZ; MUSEO DEL LOUVRE, PARÍS; MUSEO DEL TEATRO DE ALMAGRO; MUSEO D'ORSAY, PARÍS; MUSEO LÁZARO GALDIANO, MADRID; MUSEO MUNICIPAL DE SAN TELMO, SAN SEBASTIÁN; MUSEO MUNICIPAL, MADRID; MUSEO NACIONAL DE HISTORIA Y ANTROPOLOGÍA DE MÉXICO; MUSEO NACIONAL DEL PRADO/Laboratorio del Museo del Prado/© MUSEO DEL PRADO-MADRID-DERECHOS RESERVADOS. PROHIBIDA LA REPRODUCCION TOTAL O PARCIAL; MUSEO NACIONAL DEL TEATRO (ALMAGRO) MINISTERIO DE EDUCACION Y CIENCIA; MUSEO NAVAL, MADRID; MUSEO ROMÁNTICO, MADRID; MUSEO ZULOAGA, ZUMAIA, GUIPUZCOA; NATIONAL PORTRAIT GALLERY, LONDON; ORONOZ; P. López; PUIGDENGOLAS. FOTOGRAFÍA; REAL ACADEMIA DE LA LENGUA, MADRID; REAL ACADEMIA NACIONAL DE MEDICINA, MADRID; Ros Ribas; SAMMER GALLERIES, MADRID; STAATLICHES MUSEUM SCHWERIN KUNSTSAMMLUNGEN, SCHLÖSSER UND GÄRTEN; TATE GALLERY, LONDRES; TEATRO MARÍA GUERRERO; V.O. PRESS; ZARDOYA/CAMERA PRESS; ARCHIVO SANTILLANA.

Printed in Spain

Impreso en España por
Talleres Gráficos de Huertas, S. L., Fuenlabrada (Madrid)
ISBN: 84-294-5934-0. Obra completa
ISBN: 84-294-6460-3. Literatura española y universal
Depósito legal: M. 26.455-1999

Sumario *Literatura española*

Sumario *Literatura universal*

Literatura española

¿Qué es literatura?

Literatura (de littera, 'letra') era el término latino empleado para referirse a «lo que está escrito», sin distinción de contenidos. Todavía en el siglo XVIII se llamaba literatos a poetas como Garcilaso y a científicos como Newton. En la actualidad, unos críticos intentan situar lo literario en el contenido –la obra literaria es obra de imaginación– y otros, en el lenguaje –el del texto literario se deriva de la lengua coloquial–.

La tradición literaria

No hay texto literario que no se inserte en una tradición, en unos géneros, en unos modelos teóricos –los que procedían de una determinada poética– y prácticos –los que habían escrito otros autores–.

De esta manera, la literatura occidental no es más que el conjunto de todos los textos que se han oído o escrito a lo largo de unos veintiocho siglos: desde Homero y la Biblia hasta el presente.

Las grandes poéticas de la Antigüedad

- La *Poética* de Aristóteles (siglo IV a. C.) es el primer texto teórico importante que se ocupa de elaborar una definición de literatura.

Aristóteles dice que la literatura es una **imitación** (en griego, *mímesis*) que se realiza por medio de palabras cuyo fin último es el deleite y señala diferentes elementos:

- **El grado de imitación:** la literatura puede mostrar los objetos o las personas mejores (idealismo), iguales (realismo) o peores (sátira, parodia) de lo que son.

- **La forma:** existen dos formas de imitación poética posibles: la **prosa** y el **verso.**

- **Los géneros:** la presencia de la voz del autor en su obra determina la distinción de tres géneros literarios:
  - **Épico:** el poeta narra y los personajes hablan.
  - **Dramático:** sólo hablan y actúan los personajes.
  - **Lírico:** sólo habla el autor.

Gonzalo de Berceo (ver t5), en su obra en verso *Los milagros de Nuestra Señora,* narró ejemplos de cómo la Virgen ayuda a sus creyentes (género épico narrativo).

- **El estilo:** de acuerdo con el grado de imitación y relacionados con él, tres son también los estilos poéticos:
  - **Sublime** (versos graves y una lengua elevada): es adecuado para la tragedia y la épica.
  - **Medio** (coloquial): es adecuado para la comedia.
  - **Bajo o humilde:** se utilizaba para las sátiras representadas.

- Además de la de Aristóteles, hubo en la Antigüedad otras poéticas, entre las que destacó la *Epístola a los Pisones* de Horacio (siglo I a. C.), llamada después *Arte Poética.*

Entre otros muchos preceptos, referidos sobre todo al teatro, Horacio establece que la literatura debe ser útil y a la vez agradable («instruir deleitando»). Este precepto tuvo gran influencia y, hasta el presente, la finalidad de la literatura se ha movido entre estos dos polos: **el arte por el arte** o **el arte por la idea.**

Los géneros literarios

A través de la evolución de las manifestaciones literarias podemos trazar una historia de los géneros a los que se adscriben.

■ Género lírico

Dado que la única voz presente en él es la del autor, este género expresa, a grandes rasgos, su mundo subjetivo, generalmente a través del verso.

• **Formas clásicas** son la oda, la elegía, la sátira, la epístola, la égloga, el epigrama (con el soneto como forma breve por excelencia)...

• **Formas populares** serían los villancicos, las canciones, los romances líricos, etcétera.

• A partir del siglo XX, muchos poetas rompen con la tradición y escriben sin pautas predeterminadas (métrica libre) o incluso en prosa.

■ Género dramático

Es aquel en que sólo hablan los personajes y se compone para ser representado.

• Las manifestaciones más importantes del género dramático son la tragedia, la comedia y la tragicomedia, que a partir del siglo XVIII se denomina drama.

• Otros géneros dramáticos menores son el entremés y el sainete, piezas breves cómicas, y el auto sacramental.

■ Género épico

Es el género en el que el autor narra y hace hablar a los personajes.

En verso	En prosa
Epopeya: narra las acciones de héroes míticos y suele incluir las creencias religiosas, sociales y morales de una nación.	**Novela:** es un género muy complejo; en general, se suele entender por novela un relato ficticio y extenso en prosa.
Cantar de gesta: es el género característico de la Edad Media, y se encargaban de transmitirlo unos recitadores llamados juglares. El romance es un subgénero de estos cantares.	**Cuento:** es un relato breve, folclórico o culto, en el que suele intervenir el elemento fantástico.
Poema épico: es el que se compone desde el Renacimiento a imitación de los clásicos, sobre todo de Virgilio. Puede tratar temas históricos o fabulosos, o mezclar ambos.	

■ Género didáctico

A partir del siglo XVIII se añadió este nuevo género, en el que quienes tenían intención de enseñar se servían de recursos imaginativos y lingüísticos propios de la literatura.

• **Diálogos y coloquios:** formalmente pertenecen al género dramático, pues sólo hablan los personajes. Fueron característicos de la Antigüedad y del Renacimiento y podían versar sobre cualquier materia.

• **Ensayo:** es una reflexión más o menos breve, que debería ser aguda y amena, y puede versar sobre cualquier materia, tratada desde el punto de vista del autor y sin excesivo rigor científico.

Los modos

Es útil distinguir los géneros de los modos.

Los modos (**lírico, épico, dramático, trágico, cómico, satírico, paródico, didáctico**) pueden aparecer en cualquiera de los cuatro géneros literarios.

La retórica

Desde la Antigüedad, los retóricos estudiaron que los desvíos de la norma lingüística pueden utilizarse para procurar efectos especiales en la expresión, haciendo que ésta sea literaria.

La clasificación que elaboraron de estos desvíos se basaba en si afectaban a una sola palabra (**metaplasmos y tropos**), a un conjunto de palabras (**figuras de dicción y tropos**) o al contenido de éstas (**figuras de sentencia o pensamiento**).

La literatura española en la Edad Media. Introducción

Durante toda la Edad Media el latín fue la única lengua para la transmisión del conocimiento y de la literatura culta. Por eso, las primeras manifestaciones literarias en lengua romance tienen carácter popular y oral, ya sean de género lírico (ver t3) o épico (ver t4). La poesía culta (ver t5) y la prosa literaria (ver t6) no aparecerán hasta el final de este periodo.

(ver t3) ... (ver t4) ... (ver t5) ... (ver t6)

Los estamentos

La sociedad estaba dividida en tres **grupos sociales**:

Oratores, es decir, «los que rezan» o los eclesiásticos. Todas las manifestaciones literarias cultas estaban en sus manos.

Bellatores, esto es, «los que luchan». Constituían la nobleza y eran el estamento más poderoso de la sociedad.

Laboratores o **trabajadores,** es decir, todos aquellos que trabajaban para poder vivir, que eran la inmensa mayoría de la población.

El contexto socio cultural de la Edad Media

En la Baja Edad Media (siglos XII a XV) la sociedad medieval se fue transformando debido a una serie de factores:

- Un **desarrollo económico** notable, que permitió alcanzar un nivel de prosperidad general desconocido hasta entonces.

- El crecimiento de las **ciudades,** que supuso la aparición de la vida urbana.

- El incremento de **contacto con países lejanos** a través de embajadas e intercambios comerciales, sobre todo a raíz de las cruzadas.

Como consecuencia de todo ello nacieron nuevas costumbres y se difundieron nuevas ideas, que se tradujeron en la vida cotidiana en un mayor refinamiento en los gustos y en una mentalidad más mundana.

La lengua medieval

El español es una lengua romance de las varias que surgieron en la península durante la Edad Media. Desde sus inicios tuvo un fuerte carácter innovador frente a las restantes lenguas peninsulares y después se mantuvo sin cambios importantes hasta el siglo XVI.

Características lingüísticas de los textos medievales

- **Variedad de formas:** en una misma época, o incluso en un mismo autor o texto puede existir variedad en las formas fonéticas; en el sistema verbal *(dezié / dezía / dizía)*; en la morfología *(venie / venía)* y en el léxico *(poridat / secreto).*

- **Coexistencia de lenguas diversas:** no es raro encontrar rasgos lingüísticos que no pertenecen al castellano en textos inicialmente escritos en esta lengua.

La pronunciación medieval

- **Consonantes sordas y sonoras:** la diferencia más importante con la lengua actual es que existían consonantes sordas y sonoras, como sucede todavía en el gallego, el catalán, el italiano y el francés.

  - La *g* (ante *e, i*) y la *j* se pronunciaban como en inglés *(joy)*.
  - La *x* representaba el sonido sordo, equivalente al sonido de la *ch* francesa *(chevalier)*.
  - La *z* se pronunciaba [ds], y la *c* (ante *e, i*) y la *ç* como [ts], nunca como [s] o [z].
  - También había una *s* sorda, representada por la grafía *ss* en posición intervocálica, y una *s* sonora.

- **Otras consonantes:** la *f* pasó pronto a ser una *h* aspirada, que luego desapareció.

Las tres religiones

Durante ocho siglos se sucedieron los enfrentamientos y las épocas de convivencia entre tres grupos muy diferenciados: los **cristianos**, los **musulmanes** y los **judíos.**

Cada grupo constituía una verdadera casta, con una forma de vida y una cultura propias, pero el contacto permanente hizo inevitable la influencia mutua, tanto en lo relativo a las costumbres como en el ámbito cultural.

Oralidad y escritura

En la Edad Media muy poca gente sabía leer y escribir. Además, los textos se escribían a mano en hojas de pergamino, en un proceso largo y costoso, por lo que sólo las obras consideradas importantes eran copiadas.

Debido a estas circunstancias, la literatura fue mayoritariamente transmitida y disfrutada de modo oral:

■ Los **poemas** solían ir acompañados de música, lo que favorecía su aprendizaje de memoria.

■ Los relatos en **prosa** eran casi siempre leídos en voz alta, para un grupo de personas que se reunía a escuchar la voz del narrador.

Los géneros de la literatura medieval

■ **Lírica** (ver t3): las manifestaciones literarias más antiguas que conservamos en romance son las jarchas mozárabes. Por eso, se cree que las canciones líricas populares nacen al mismo tiempo que las lenguas romances.

■ **Épica**: la mayor parte de las manifestaciones literarias conservadas pertenecen a este género. Existían dos movimientos que lo desarrollaban:

•**El mester de juglaría** (ver t4): era oral y popular, y desarrolló la literatura heroica.

•**El mester de clerecía** (ver t5 y t6): lo escribían los clérigos en los monasterios, con finalidad didáctica.

Principales hechos históricos	Manifestaciones literarias
997: Almanzor saquea Santiago de Compostela. Hegemonía musulmana.	**Siglo X:** Glosas emilianenses y silenses. Primeros ejemplos de romance escrito.
1031: División del califato en reinos de taifas.	**Hacia 1040:** composición de las jarchas más antiguas conservadas.
1085: Conquista de Toledo. Avance de la Reconquista hacia el Sur.	
1094: El Cid conquista Valencia.	
	1140: Fecha probable de composición del *Cantar de mio Cid.*
1212: Batalla de las Navas de Tolosa. Los cristianos penetran en Andalucía.	
1248: Fernando III conquista Sevilla. Culmina el dominio sobre Andalucía.	**Hacia 1250:** Gonzalo de Berceo compone *Los Milagros de Nuestra Señora.*
1252: Alfonso X el Sabio es coronado rey de Castilla y León.	
	Hacia 1300: Dante escribe la *Divina comedia.*
	Hacia 1335: Don Juan Manuel compone el *Libro de Patronio o Conde Lucanor.*
	Hacia 1350: Juan Ruiz escribe el *Libro de buen amor.*
1369: Se instaura en Castilla la dinastía Trastámara.	**Hacia 1385:** López de Ayala escribe el *Rimado de palacio.*

La anonimia

El concepto de **autor** no existía tal como hoy lo entendemos: autor era el que tenía «autoridad», y la autoridad provenía de la tradición, nunca de la originalidad.

Por esto, el autor se escudaba en la autoridad de la tradición y omitía la propia firma.

Y con frecuencia la transmisión oral de textos y la deficiente conservación de muchos manuscritos han hecho que se pierda involuntariamente el nombre de muchos autores.

El Libro de Alexandre es una de las más importantes manifestaciones del mester de clerecía.

La Reconquista

Poco después de la rápida invasión árabe en el año 711, se inició el proceso de *Reconquista*, que en Castilla duró casi ocho siglos.

Por este motivo, los ideales guerreros dominaron durante siglos, en detrimento del fomento de las actividades mercantiles y artesanales, que fueron menospreciadas hasta el siglo XVIII.

La poesía oral en la Edad Media (I). La lírica

El deseo de manifestar los sentimientos y de relatar los sucesos más destacados en canciones es un impulso universal que han experimentado todos los pueblos en todas las épocas. En las literaturas vernáculas el verso nació antes que la prosa. Dado que poca gente sabía leer y escribir (y quien sabía lo hacía en latín), los textos literarios se transmitían casi exclusivamente en forma oral. Dentro de esta tradición oral se prefería el verso, que era más fácil de memorizar y podía ir acompañado de música.

Los juglares

Eran los principales transmisores de la poesía oral en la Edad Media. Recorrían los pueblos y castillos, en los que montaban representaciones semiteatrales y bailes, además de recitar o cantar todo tipo de poesías.

Juglares acompañándose con instrumentos musicales, según una miniatura de las *Cantigas* de Alfonso X el Sabio (Biblioteca del Monasterio de El Escorial).

Anonimia y tradicionalidad

Por su propia naturaleza, la poesía oral era y es anónima. Esto no significa que los poemas o canciones carezcan de autor, ya que en el origen de toda composición hay un creador individual.

Pero cuando un poema es cantado o recitado por las gentes, éstas comienzan a considerarlo de su propiedad y se transforma así en una pieza **tradicional**.

Por otra parte, la transformación oral favorece que una composición sea interpretada de distinta manera por individuos diferentes. Esto hace que puedan existir múltiples **versiones** de una canción lírica (o también de un romance).

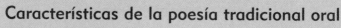

Características de la poesía tradicional oral

Las faenas agrícolas solían acompañarse de cancioncillas que se transmitían de padres a hijos y que hacían más llevadero el trabajo.
En la imagen, escena de siembra según un *Libro de horas* (Biblioteca Nacional, Madrid).

■ **Origen:** es imposible saber cuándo se compusieron los primeros poemas. Aunque hay testimonios escritos bastante antiguos, no se puede descartar que hayan existido otros anteriores. Además, surge la duda de si la versión conservada es un poema que ya existía o si fue inventado tardíamente por un escritor conocido que imitaba el estilo tradicional.

■ **Recopilación:** no puede determinarse tampoco el conjunto de obras tradicionales, ya que muchas de ellas no han pervivido y otras lo han hecho sólo después de ser filtradas por la sensibilidad de un poeta culto.

■ Tres son los **géneros** de la poesía de tradición oral cultivados durante la Edad Media en España:

- **Poesía lírica.**
- **Poesía épica** o **epopeya** (ver t4).
- **Romances** (ver t4).

■ **Pervivencia:** la poesía épica desapareció pronto, cuando terminó el periodo más duro de la Reconquista. En cambio, tanto la poesía lírica tradicional como los romances han superado el paso del tiempo y se conservan vivos en la memoria hasta nuestros días.

La poesía lírica

■ Su **tema** principal es el amor, expresado casi siempre desde una perspectiva femenina y en forma de queja. En algunas de estas composiciones se encuentran referencias a las faenas agrícolas, al mar, a las romerías y a otras actividades de la vida cotidiana.

■ Las **quejas** impregnan de patetismo y misterio los versos, especialmente gracias a las formas sintácticas afectivas (exclamaciones, interrogaciones, apóstrofes) y a la escasez de detalles concretos.

■ Las referencias simbólicas a la **naturaleza** sirven con frecuencia para señalar el enlace entre la vida y la muerte.

■ El **estilo** es conciso y de gran sencillez sintáctica y léxica. Consigue la hondura lírica con la repetición de ideas que comunican el gozo o el dolor que produce el amor.

Distribución geográfica de la lírica peninsular

Estrofas	Época	Lengua	Zona geográfica
Jarchas.	Los primeros testimonios escritos son del siglo XI.	Mezcla de árabe vulgar y romance mozárabe.	El Sur, la zona de Al-Ándalus.
Cantigas de amigo.	Las más antiguas conocidas, del siglo XII. Los poetas de la Corte castellana las utilizaron hasta el XV.	Gallego-portugués.	El Noroeste, la zona de Galicia y Portugal (pero también se utilizaron en la Corte castellana).
Villancicos.	Los más antiguos que se conservan son de fines del siglo XV.	Castellano.	La zona castellana.
Danzas, baladas y albas.		Provenzal y catalán.	El Nordeste, la zona de Cataluña.

Formas estróficas

■ Las **jarchas** andalusíes son brevísimas estrofas de no más de cinco o seis versos, compuestos en una mezcla de árabe con romance, que aparecen al final de las *moaxajas*. El asunto más frecuente en las jarchas es la queja de una muchacha por el abandono o la ausencia del amado. La expresión suele ser exclamativa o interrogativa.

■ Las **cantigas de amigo** gallego-portuguesas son algo más extensas que las jarchas. Se trata de estrofas encadenadas mediante una estructura paralelística en la que un verso o estrofa es repetido en la siguiente con variaciones mínimas, y así sucesivamente.

■ Los **villancicos** castellanos constan de dos partes: el estribillo y la glosa.
El estribillo, o villancico en sí, está formado por un núcleo de dos o tres versos iniciales que se repite, todo o parte, al final de cada estrofa. La glosa son las estrofas donde se desarrolla el contenido del estribillo.

■ Las **danzas** parecen tener un origen ritual, religioso o mágico, del que se va independizando para adquirir el carácter de distracción popular y cortesana.

■ Las **baladas** son poemas de varias formas, de tema lírico y carácter meláncolico. Están compuestos por tres estrofas y una dedicatoria final llamada *envío*.

■ Las **albas** son composiciones poéticas cantadas, con métrica variable y un estribillo que suele introducir la palabra «alba». El tema principal es el mal de amores, aunque a veces, son también una alabanza al nuevo día.

Composición tradicional

En esta famosa composición podemos encontrar muchas de las principales características de la lírica popular tradicional:

*«Dentro en el vergel
moriré.
Dentro en el rosal matarme han.
Yo me iba, mi madre,
las rosas coger:
hallé mis amores
dentro en el vergel.
Dentro en el rosal
matarme han».*

El mozárabe

El **mozárabe** era la lengua romance (esto es, derivada del latín) que hablaban los cristianos que vivían en los territorios musulmanes. Las jarchas son valiosísimas muestras de esta lengua, que desapareció con el avance de la Reconquista.

Las moaxajas

Las **moaxajas** eran poemas cultos escritos en árabe. Aunque el tema y la forma no tienen nada que ver con los de las jarchas, éstas constituyen el núcleo estructural del conjunto del poema.

La poesía oral en la Edad Media (II). La épica

El gusto por la narración es común a todas las épocas. La épica se define como una narración heroica en verso. En la Edad Media, la guerra formaba parte de la realidad diaria. En España, la Reconquista y los enfrentamientos entre los diversos reinos hacían de las guerras un hecho habitual en el vivir de las gentes. La curiosidad por conocer los hechos gloriosos de la historia colectiva explican el nacimiento de las epopeyas o relatos épicos.

Cantares de gesta perdidos

La longitud y el valor artístico excepcionales del *Cantar de mio Cid* hacen pensar que existía una tradición oral anterior, de la cual éste sería el ejemplo más conseguido.

Forma del *Cantar de mio Cid*

El poema consta de unos 3.700 versos, con una breve laguna al comienzo, y está compuesto en métrica irregular, con un número de sílabas que oscila en torno a dieciséis, con una cesura a mitad de cada verso.

Los versos tienen rima asonante, y se agrupan en series que riman entre sí llamadas «tiradas», que pueden tener desde dos hasta varios cientos de versos.

Los cantares de gesta

Los poemas épicos eran recitados o cantados por los juglares, acompañados de música semitonada, y reciben el nombre de **cantares de gesta** (del latín *gestae* 'hechos, hazañas'). En ellos se exaltaban las hazañas de un héroe en el que la colectividad veía representadas las virtudes de un pueblo o de la época.

En otros lugares, como en Francia, se conserva un importante número de obras de épica, (ver t50) pero en Castilla tan sólo contamos con tres cantares de gesta:

- Un fragmento de unos mil versos del ***Cantar de Roncesvalles*** (códice del siglo XIII).
- Un poema tardío y muy defectuoso que versa sobre las ***Mocedades de Rodrigo*** (siglo XIV).
- El ***Cantar de mio Cid*** (principios del siglo XIV).

El *Cantar de mio Cid*

Narra las hazañas de Rodrigo Díaz de Vivar, personaje histórico que murió en 1099. El manuscrito en que fue copiado pertenece al siglo XIV.

Asunto

El *Cantar* está formado por tres partes o cantares:

■ En el **Cantar del destierro** se cuenta cómo el Cid se ve obligado a abandonar sus tierras, expulsado por el rey Alfonso VI de Castilla. Tras dejar a su mujer, Jimena, y a sus hijas en un monasterio, emprende diversas correrías en tierra de moros, donde consigue grandes beneficios con los que hace regalos al rey para conseguir su perdón.

■ En el **Cantar de las bodas** se inicia la reconciliación con el monarca, quien permite que la familia del Cid se reúna con él en Valencia, cuya conquista marca el clímax bélico del poema. El rey concierta las bodas de las hijas del Cid con los infantes de Carrión, poderosos nobles castellanos que sólo quieren su riqueza.

■ El **Cantar de la afrenta de Corpes** narra diversos episodios en los que se muestra la cobardía y la avaricia de los infantes de Carrión. Para vengarse, los infantes se marchan de Valencia con sus mujeres, las hijas del Cid, y en el camino las azotan y abandonan. El Cid pide justicia y el rey juzga y condena a los infantes de Carrión, que finalmente son derrotados en un duelo.

Ilustración de la *Crónica del Cid Campeador* (1502), que hace alusión al episodio en que los infantes de Carrión huyen atemorizados ante un león.

Tema y estructura del *Cantar de mio Cid*

- El tema central es la recuperación del **honor** por parte del protagonista.

- La **estructura interna** de la obra gira en torno a la pérdida y recuperación del honor del Cid:

  - El destierro supone la pérdida del honor público, que Rodrigo recupera mediante la conquista de Valencia, y el consiguiente perdón real.

  - Una vez en la cima del poder político, la humillación y el abandono de sus hijas por los infantes de Carrión le lleva a perder su honor privado, que restaura cuando anuncia la boda de sus hijas con hijos de reyes.

El romancero

La épica entra en decadencia en el siglo XIV. Por esas mismas fechas surgen los primeros testimonios indirectos sobre la difusión de los romances; poemas narrativos, orales y populares, que no pertenecen a la literatura culta.

Características del romance

El romance es un poema de extensión variable compuesto de versos octosilábicos en el que riman los pares y quedan sueltos los impares. La rima suele ser asonante.

El romancero tiene los siguientes rasgos de **estilo** destacados:

- **Esencialidad:** se elimina todo lo superfluo con el fin de conseguir la mayor concentración expresiva. Por esto, muchos romances sólo cuentan la escena culminante de un relato más extenso. Esta característica se conoce como **fragmentarismo.**

- **Dramatismo:** la intensidad afectiva se consigue mediante el empleo de recursos comunes a la lírica tradicional, como las exclamaciones y las interrogaciones. El romancero, además, desarrolla otros recursos para dar dramatismo a la acción, como el diálogo o la repetición.

- **Lenguaje:** los romances comparten con la lírica la sintaxis sencilla y con la épica, el uso de fórmulas y epítetos épicos. Además, en el romancero destaca la presencia de un lenguaje arcaizante y el uso peculiar de tiempos verbales, lo que le confiere un tono inconfundible.

Clasificación de los romances

- **Noticieros:** cuentan noticias históricas cercanas a la composición del romance.

- **Épicos** o **heroicos:** recogen episodios relacionados con el Cid y otros héroes procedentes de la épica española y extranjera.

- **Novelescos** o **juglarescos:** Suelen narrar historias de amor y en ellos las mujeres tienen un protagonismo fundamental.

- **Fronterizos:** narran sucesos ocurridos en la frontera con los reinos musulmanes. En estos romances, los musulmanes aparecen caracterizados como seres sensibles y caballerosos.

El Cid fue desterrado por primera vez porque hizo jurar al rey Alfonso VI que no había tomado parte en la muerte de su hermano Sancho II el Fuerte.

Definiciones

Romancero: colección de romances.

Romancero viejo: incluye romances de tema tradicional e histórico, juglarescos o líricos, que se componen hasta mediados del s. XIV.

Romancero nuevo: reúne romances de temática más amplia, compuestos por autores conocidos a partir de mediados del s. XIV.

Épica y lírica en el romancero

Por su métrica, el romance se relaciona con el género épico, del que también procede la materia narrativa de muchos romances. Por ello, se ha pensado que los romances no eran sino fragmentos desgajados de poemas épicos más extensos. Pero en los romances la comunicación afectiva adquiere mucha importancia y los acerca a la lírica tradicional.

La poesía culta de la Edad Media. El mester de clerecía

El mester de clerecía fue una corriente de poesía culta con la que los monjes pretendían difundir los conocimientos adquiridos a través de los textos latinos. Para ello recitaban ante los peregrinos que acogían en los monasterios narraciones didácticas. Las dos obras más importantes que conservamos son Los milagros de Nuestra Señora, *de Gonzalo de Berceo, y el* Libro de buen amor, *del arcipreste de Hita, ambas escritas en la estrofa llamada cuaderna vía.*

El mester de clerecía

- Se conoce con el nombre de mester de clerecía a un conjunto de poemas narrativos de **intención didáctica** y **carácter culto** escritos en **cuaderna vía** y compuestos en los siglos XIII y XIV.

Fomentar la devoción popular fue un motivo constante en la temática de la literatura medieval. La imagen muestra un detalle de las *Cantigas de Nuestra Señora,* de Alfonso X el Sabio.

- Frente a los poemas juglarescos, inspirados en el folclore y los sucesos épicos, caracterizados por la irregularidad silábica y la rima asonante, los poemas de la clerecía tenían un contenido didáctico, aunque no necesariamente religioso, y en ellos se hacía alarde de la habilidad técnica que exigía la cuaderna vía.

- La **cuaderna vía** o tetrásforo monorrimo es la forma métrica elegida por los poetas cultos. Consiste en cuatro versos de catorce sílabas cada uno con una fuerte cesura o pausa en medio y rima consonante.

Gonzalo de Berceo

Al mismo tiempo que cumple una intención didáctica, Berceo quiso con sus obras **dar fama** y prestigio al monasterio convirtiéndolo en un centro de peregrinación. Por ello, casi todos los santos cuya vida relata estuvieron conectados con San Millán o sus cercanías.

Los milagros de Nuestra Señora

Se trata de una colección de veinticinco milagros que aparecen precedidos por una introducción alegórica. Cada milagro es una especie de cuadro que **sirve de marco** a la imagen de la **Virgen redentora** de los pecadores. Muchos de los relatos tienen **origen folclórico** y en no pocos de ellos se incluyen detalles cómicos.

Con el fin de poner al alcance de la gente los relatos inaccesibles para ella de los textos latinos, el autor adopta un **lenguaje sencillo,** con diminutivos, sinónimos, expresiones populares y refranes. Además, se presenta como un **juglar,** con referencias y llamadas de atención al público características de la juglaría (ver t4).

El *Libro de buen amor*

El *Libro de buen amor* es la obra maestra del mester de clerecía. Su autor fue Juan Ruiz, arcipreste de Hita. El panorama literario del siglo XIV se ve marcado por la aparición de esta obra, donde se recogen muchas de las ideas medievales, pero con una visión crítica que anuncia las nuevas ideas burguesas.

Edición de la época del *Libro de buen amor*.

Asunto y estructura

El asunto de la obra es una serie de **aventuras amorosas** contadas en primera persona. El relato autobiográfico es sólo un recurso estructural para hilar los **episodios** líricos y narrativos que componen el poema y que giran en torno al tema del amor y sus engaños.

Materiales que componen la obra

■ **Fábulas** y **apólogos** que se insertan como ejemplos en las distintas aventuras.

■ **Sátiras**, como la que se hace sobre el poder del dinero.

■ Una colección de **composiciones líricas** en la que Juan Ruiz alterna la cuaderna vía con otras estrofas.

■ Un **relato alegórico** que desarrolla una batalla paródica entre don Carnal y doña Cuaresma.

■ Una **recreación** de la comedia latina *Pamphilus,* que cuenta los amores entre doña Endrina y don Melón, en los que interviene como mediadora la **vieja Trotaconventos**.

Intencionalidad

Es difícil determinar el carácter **didáctico** o de **entretenimiento** de la obra debido a la superposición de elementos religiosos y profanos, así como el vaivén entre tono admonitorio y otro francamente burlesco.

Obras anónimas del mester de clerecía

■ *Libro de Alexandre:* Cuenta la vida de Alejandro Magno desde su nacimiento hasta su muerte, con un claro carácter doctrinal.

■ *Libro de Apolonio:* Narra los accidentados viajes del rey Apolonio, que aparece presentado como el perfecto caballero.

■ *Poema de Fernán González:* Cuenta la independencia de Castilla respecto a León a través del primer conde castellano. Se han añadido diversos elementos religiosos que modifican en parte el carácter heroico del protagonista.

Fuentes

•La **Biblia**.

•La **literatura romance**: sobre todo influye el *Libro de Alexandre*.

•La influencia **árabe y oriental**, especialmente en los pasajes amorosos y en algunos «ejemplos» contenidos en el libro.

Fin del mester de clerecía

Tras el *Libro de buen amor*, el mester de clerecía entra en **decadencia**. En este postrer periodo encontramos un último poema importante en cuaderna vía, el *Rimado de Palacio*, obra del canciller **Pedro López de Ayala**, que refleja una visión pesimista y desengañada de la vida.

La prosa medieval

Hasta el siglo XIII no existe prosa literaria en castellano. El romance había sido considerado una lengua apropiada para la comunicación oral y el verso, pero no para la composición de obras científicas, filosóficas y literarias, que se escribían en latín o árabe. Con la decisión de Alfonso X de convertir el castellano en la lengua oficial de la cancillería y de traducir textos latinos y árabes al castellano comienza un proceso de dignificación de la prosa romance. Este proceso culminará con la creación en el siglo XIV de la prosa de ficción, cuyo máximo exponente es don Juan Manuel.

Alfonso X el Sabio

La gran aportación de la obra alfonsí fue hacer del castellano una lengua de cultura, capaz de transmitir información sobre materias que hasta entonces habían quedado reservadas al latín o al árabe.

Obra de Alfonso X

Según los temas que tratan las obras, la producción alfonsí se puede dividir en varios apartados:

- **Obras históricas:** son las más importantes desde un punto de vista literario. *La Crónica General* o *Estoria de España*, pretendía ofrecer la historia de la península Ibérica y la *Grande e General Estoria* fue concebida como una historia universal, desde los orígenes del mundo hasta los tiempos de Alfonso X. Ambas quedaron incompletas.

- **Obras jurídicas:** Alfonso X trató de dotar a sus reinos de un código legal común, del que carecían. Las *Siete Partidas* es la recopilación de leyes más importante de la Castilla medieval.

Ilustración del *Libro de ajedrez, dados y tablas* de Alfonso X el Sabio.

- **Obras de entretenimiento:** su objetivo era proporcionar normas para el ocio. El *Libro de ajedrez, dados y tablas* es el título más importante.

- **Obras científicas:** son básicamente traducciones de tratados astronómicos y astrológicos árabes. Destacan *Los libros del saber de astronomía*, el *Lapidario* y las *Tablas alfonsíes*. Algunos de éstos gozaron de una gran difusión en Europa.

Los orígenes de la prosa de ficción

A diferencia de lo ocurrido en los siglos anteriores, a partir del siglo XIV proliferan las obras en prosa, y entre ellas sobresale el cuento.

El cuento medieval

Ya desde el siglo XIII se traducen varias colecciones de cuentos de procedencia oriental (ver t54). Estos cuentos o fábulas tenían un propósito didáctico: servían para ilustrar o ejemplificar un comportamiento, una regla, etcétera. Por esto reciben el nombre de «*ejemplos*» o, en castellano medieval, «*exemplos*».

Don Juan Manuel

La novedad más evidente de la obra de don Juan Manuel respecto a Alfonso X es que en sus libros introduce la **ficción**, esto es, que los hechos que cuenta no son históricos, sino puramente literarios.

Don Juan Manuel es el primer escritor que muestra una clarísima **conciencia de autor.** Se preocupó de que sus obras fueran correctamente transmitidas, a la vez que demuestra su conocimiento **de los recursos estilísticos** y del lenguaje.

Además, don Juan Manuel no duda en **entremeterse** en las páginas de sus obras, así como en **la cita** de las obras o los autores de los que ha tomado sus relatos.

El conde Lucanor

Con sus obras, don Juan Manuel pretende instruir a un público amplio y para ello se sirve de elementos amenos, como la narración de hechos ficticios.

El conde Lucanor está dividido en cinco libros, que se pueden agrupar en tres partes:

- Una colección de cincuenta y un **ejemplos,** que es la parte más extensa y central del libro. Un conde, Lucanor, expone a su tutor, Petronio, diversas dudas relacionadas con problemas de tipo práctico. Petronio responde contándole un ejemplo o cuento con alguna enseñanza.

- Un conjunto de cien **proverbios,** que tienen un contenido moral y filosófico.

- Un tratado sobre la salvación del alma.

Los dos **personajes** principales, el conde Lucanor y su consejero, aparecen en las tres partes, dotándolas de unidad.

El **tema** constante de la obra es cómo salvar el alma dentro del estamento al que pertenece cada uno.

Todos los ejemplos tienen una **estructura** fija:

- **Diálogo** inicial en el que Lucanor expone a Petronio su problema, y que sirve como marco para el ejemplo.

- **Ejemplo** o relato de Petronio como respuesta a las dudas de Lucanor.

- **Aplicación** que hace Petronio de la enseñanza general que se desprende del relato al problema concreto planteado por el conde.

- **Intervención** de don Juan Manuel, que incluye una **moraleja.**

El **estilo** de cada una de las tres partes es diferente: en los ejemplos es claro y sencillo, mientras que en los proverbios es conciso y a veces oscuro. En la tercera parte vuelve a ser claro, pero el contenido doctrinal dificulta su comprensión.

Principales colecciones de cuentos

Las colecciones de cuentos más conocidas son el *Calila e Dimna* y el *Sendebar*. Ambas obras incluyen un conjunto de relatos breves que forman parte de otra historia que actúa como marco.

En el siglo XIV los cuentos tuvieron gran éxito. En los mismos años que don Juan Manuel elabora su obra, Chaucer escribe sus *Cuentos de Canterbury* y Boccaccio el *Decamerón*.

Don Juan Manuel

(1282-1348) sobrino de Alfonso X y miembro de la más alta nobleza, estuvo envuelto en varias luchas con el rey castellano, Alfonso XI. Su orgullo aristocrático, la conciencia estamental y la preocupación por el mantenimiento de sus propiedades se ponen de manifiesto en sus libros.

El siglo XV (I).
La poesía cancioneril

El siglo XV supuso la descomposición del mundo medieval. La rígida estructura estamental fue sustituida por una situación de mayor movilidad en la sociedad. En literatura, los modos y temas de la Edad Media seguían presentes, pero comenzaban a aparecer muestras del espíritu renovador y burgués que derivó en el Renacimiento. Prueba de ello es la aparición de los cancioneros, obras de poetas cortesanos para consumo de lectores alejados del mundo de los monasterios, que hasta entonces había dominado la poesía culta.

El prerrenacimiento

Es una época en la que que predomina la sensación de inestablidad. La **fortuna,** el **amor** y la **muerte** son los **temas centrales** de la literatura de este siglo. Aparecen dos **actitudes** principales: la fugacidad y la soledad del ser humano por un lado, propician el **desengaño,** con una literatura reflexiva y grave; por otro, el **disfrute** vital del presente. Ambas actitudes pueden encontrarse a la vez en un solo autor e incluso en una sola obra.

La tradición cortesana

A lo largo de la Edad Media, la Iglesia perdió peso en la cultura. Entre la clase noble fue surgiendo un nuevo lector, interesado en una literatura sin propósito doctrinal. La Corte se convirtió en lugar de debates poéticos y la cultura fue parte imprescindible de la educación de la clase aristocrática.

Es en este marco donde florecen la **poesía cancioneril** y otras manifestaciones de la corriente cortesana, como los libros **sentimentales** y de **caballerías** (ver t18).

La poesía: los cancioneros

La literatura del XV se caracteriza, ante todo, por el elevado número de poetas del que se tiene conocimiento porque sus obras han sido recogidas en las numerosas colecciones de poemas, colectivas o de autores individuales, llamadas **cancioneros.**

En los cancioneros se recogen los poemas de algunos personajes de la Corte, que lucían su ingenio a través de estas composiciones. Importantes recopilaciones son el *Cancionero de Stúñiga,* el *Cancionero de Baena,* el *Cancionero musical de Palacio* y el *Cancionero general* (1511) de Hernando del Castillo.

■ La **poesía amorosa** mantiene todavía la influencia de la tradición trovadoresca de origen provenzal. El amor refleja las convenciones del **amor cortés** y es concebido como un servicio en el que el caballero está sujeto al dominio de la dama. Es una poesía abstracta, de difícil comprensión por el grado de conceptismo verbal.

■ La **poesía didáctico-moral** se caracteriza por su tono elevado y solemne, en el que las alusiones eruditas y el lenguaje latinizante reflejan el interés por el mundo clásico, derivado de la influencia de los tres grandes autores italianos: Dante, Petrarca y Boccaccio (ver t52).

Danzas de la muerte

En estos años abundan las danzas de la muerte, en las que la figura de la muerte va llamando a participar en su baile a diversos personajes. En estas piezas semiteatrales prevalece un espíritu macabro y vengativo: sea cual sea la condición social de las personas, la muerte supone el final para todos.

El humanismo

Aparece en esta época el interés por el **humanismo,** un movimiento procedente de Italia en el que la recuperación de los clásicos y el estudio de la Antigüedad, la filosofía moral y la historia ocupan el lugar central.

Temas y **actitudes medievales** se expresan a través de una **sintaxis** y un **léxico complicados,** que imitan al latín, donde abundan las alusiones culturales al mundo clásico.

El marqués de Santillana

El marqués de Santillana fue uno de los nobles más poderosos de la primera mitad del siglo. Hombre de letras, reunió en su palacio de Guadalajara la mejor biblioteca de su tiempo. Su interés por la cultura le llevó a estar al tanto de las novedades literarias, haciendo traducir obras latinas e italianas al castellano.

El marqués de Santillana fue autor de varios poemas alegóricos de temática amorosa. Entre sus obras destacan la **Comedieta de Ponza,** poema de contenido poético y moral, y **Bías contra Fortuna,** una reflexión estoica sobre la vida. Son muy conocidas también sus **serranillas,** de inspiración popular.

El marqués de Santillana (1398-1458), fragmento del retablo de Jorge Inglés.

Juan de Mena

Juan de Mena (1411-1456) fue considerado por sus contemporáneos y sucesores como el mejor poeta de su época. Letrado al servicio de Juan II de Castilla, cultivó la poesía amatoria y la alegoría moral. Su estilo se caracteriza por la abundante erudición y por el recargado **lenguaje latinizante**.

El **Laberinto de Fortuna,** también llamado *Las trescientas,* es su obra más ambiciosa. La obra está escrita en coplas de arte mayor, compuestas por estrofas de cuatro versos de doce sílabas, que tienen una fuerte cesura, rima consonante y siguen un rígido esquema acentual.

Ubi sunt?

La literatura cristiana de la época había hecho hincapié en la fugacidad de la vida a través del tópico del *ubi sunt?* ('¿dónde están?'), en el que se invitaba a despreciar los bienes terrenales a favor de la vida futura. Manrique aprovecha este tópico para sus *Coplas.*

Jorge Manrique

Jorge Manrique (1440-1479) es autor de varias composiciones de asunto amoroso que siguen con fidelidad los patrones del género cancioneril. Su poema más conocido, sin embargo, son las **Coplas** escritas a la muerte de su padre.

En las *Coplas* se combinan **elementos tradicionales de manera original.** Jorge Manrique expresa con lucidez analítica el poder irremisible de la muerte, pero lo hace sugiriendo el final, sin convocar ante la vista del lector el horror de la destrucción.

La pérdida de los bienes temporales que conlleva la muerte provoca en el poeta una **evocación nostálgica** con especial atención al **detalle sensorial,** que sugiere más el gozo vital que la actitud cristiana de desprecio ante los bienes terrenos.

El poema puede dividirse en tres partes:

• En la primera (coplas 1-13), se hacen **consideraciones abstractas** sobre la muerte.

• A continuación (coplas 14-24), el poeta se detiene en la **evocación de personajes históricos pasados.**

• Por último (coplas 25-40), se cuenta la **muerte** particular del maestre Rodrigo, padre de Manrique.

La composición entera está presidida por una gran **sobriedad artística.** La **sencillez** predomina en el lenguaje y en la forma métrica, que sigue el modelo de la estrofa de pie quebrado. Tampoco hay adornos retóricos, ni complicadas visiones alegóricas, sino una simple exposición que va de lo general a lo particular.

La copla de pie quebrado

La estrofa utilizada en las *Coplas* de Manrique es la llamada copla de pie quebrado o manriqueña, que está formada por dos sextillas y sigue el siguiente esquema métrico:

8a 8b 4c 8a 8b 4c

8d 8e 4f 8d 8e 4f

«Nuestras vidas son los ríos
que van a dar en la mar,
que es el morir;
allí se van los señoríos
derechos a se acabar
y consumir;
allí los ríos caudales,
allí los otros, medianos
y más chicos,
allegados son iguales
los que viven por sus manos
y los ricos».

El siglo XV (II). La prosa y el teatro. *La Celestina*

Como en la poesía (ver t7), en la prosa y el teatro del siglo XV ya se perciben los nuevos caminos del Renacimiento, si bien, por lo general, siguen apareciendo los patrones medievales, con predominio de lo didáctico y del tema religioso. Es, sin embargo, una obra a medio camino entre la prosa y el teatro, La Celestina, *la que marca el cambio de periodo literario.*

La lengua literaria en el siglo XV

La prosa del prerrenacimiento se basa generalmente en la imitación de los clásicos latinos y de la literatura italiana, y se caracteriza por una sintaxis y un léxico cargados de **latinismos y alusiones culturales.** Al mismo tiempo, se observa la **irrupción de un lenguaje popular** en los textos literarios.

La novela sentimental

Es una novela marcada por el intimismo y la subjetividad en la que la pasión amorosa se describe con estudiado detenimiento y sin apenas acción. *Cárcel de amor,* de **Diego de San Pedro** (?-después de 1498), es la mejor muestra de este tipo de novelas.

Portada de *Los cinco libros del esforzado e invencible caballero Tirante el Blanco.* Edición castellana, fechada en Valladolid en 1511.

La prosa

La prosa de entretenimiento, que tiene su origen en el siglo XIV (ver t6), alcanza en esta centuria un **desarrollo** notable:

■ La **prosa didáctica** sigue fiel al objetivo medieval de educar y modificar comportamientos. Una de las obras más destacadas de esta corriente es el *Corbacho,* de Alfonso Martínez de Toledo, arcipreste de Talavera (1398-1468), obra que combina la intención didáctica con una cierta **vena crítico-satírica.**

■ La **prosa histórica** adquiere un gran desarrollo en este siglo como imitación de los historiadores de la Antigüedad y como propaganda para nobles y reyes. El resultado es un buen número de crónicas de reinados, de libros de linajes y de biografías de personajes ilustres.

■ La **prosa de ficción** se desarrolla durante este siglo, a través de dos géneros diferentes:

• La **novela de caballerías** narra las aventuras de un caballero andante. El heroísmo y el amor a una dama le hacen triunfar sobre cualquier obstáculo. El *Amadís de Gaula* y el catalán *Tirant lo Blanc* son las obras maestras del género, que alcanzó su máxima popularidad en el siglo XVI.

• La **novela sentimental** responde a los nuevos gustos e ideales de la burguesía.

El teatro

En Castilla, la producción teatral medieval fue muy reducida y se limita a escenas religiosas. En realidad, el primer escritor que podemos caracterizar como dramático es

Gómez Manrique (1412-1491), autor de la *Representación del Nacimiento de Nuestro Señor,* que se inscribe aún dentro de la tradición medieval.

El auténtico despertar del teatro se debe a un autor de finales del siglo XV, **Juan del Encina** (1468-1529), quien se acerca ya a los nuevos gustos y formas renacentistas e inicia una auténtica tradición de piezas de teatro profanas alejadas de los antiguos temas medievales. Destacan sus **églogas,** diálogos protagonizados por pastores.

La *Égloga de Plácida y Victoriano,* de Juan del Encina, fue estrenada en 1513. El tema profano sustituye así a los motivos religiosos medievales.

La Celestina

La Celestina es la obra más representativa del siglo XV. Con ella se pone fin a la literatura medieval y se anuncia el Renacimiento.

En *La Celestina* se encuentran reunidos el **idealismo amoroso** procedente del mundo cortesano medieval y el **ambiente burgués** de las ciudades de la época, los personajes de **cuna elevada** y el mundo de los **criados**, el **estilo latinizante** y retórico y las expresiones más **coloquiales**.

El asunto

El eje narrativo de la obra son los amores de **Calisto** y **Melibea**.

Calisto entra por azar en el huerto de Melibea, a la que declara la pasión que ha despertado en él, pero la doncella lo rechaza. Aconsejado por su criado Sempronio, recurre a las artes de una alcahueta, **Celestina**.

Celestina se vale de su capacidad de persuasión y sus artes mágicas para cambiar la voluntad de Melibea, pero, cuando recibe el premio de Calisto, Pármeno y Sempronio la asesinan por no compartirlo con ellos.

Mientras tanto, Calisto continúa con sus encuentros amorosos con Melibea, hasta que una noche cae desde la tapia del jardín y muere. Melibea declara todo lo sucedido a su padre y se suicida lanzándose de lo alto de una torre.

La obra termina con el llanto de Pleberio por la muerte de su hija.

La temática

En *La Celestina* aparecen los tres temas que obsesionaban al final de la Edad Media: el **amor**, la **fortuna**, y la **muerte**. Sin embargo, la perspectiva desde la que se tratan desborda los estereotipos medievales, anticipando un individualismo característico del Renacimiento.

■ **El amor:** Calisto no es un amante al estilo del amor cortés, aunque lo intenta, sino un egoísta. Melibea toma parte activa en todo el proceso y no se arrepiente.

■ **La fortuna:** los sucesos son gobernados por la fortuna, pero no se trata de un azar caprichoso, sino que todas las acciones aparecen encadenadas del modo más verosímil.

El género

La obra está constituida por **diálogos**. Fernando de Rojas siguió el modelo de la **comedia humanística,** un género nacido en las universidades italianas en las que se imitaba el teatro latino de Plauto y Terencio.

No era un teatro para ser representado, sino para ser leído en voz alta, y así lo debieron entender los contemporáneos de Rojas.

Desde el punto de vista actual, la obra presenta, sin embargo, rasgos que la acercan a la novela, como su excesiva extensión, o la abundancia de escenas no dramáticas.

El autor

En la dedicatoria que precede a *La Celestina*, **Fernando de Rojas** afirma que encontró el primer acto escrito y decidió continuar la obra, que terminó en sólo dos semanas.

El autor de ese primer acto nos es desconocido. De Fernando de Rojas sabemos que nació en Puebla de Montalbán (Toledo) y que estudió en Salamanca, donde leyó las obras latinas e italianas cuyo influjo se observa en *La Celestina*.

La intención del autor

Existe una cierta polémica acerca de este asunto. El autor declara en el prólogo que había escrito la obra contra los locos enamorados. La muerte de los personajes parece reforzar la **intención moralizante**. No obstante, la actitud de Rojas resulta ambigua debido al **contenido erótico** de la obra.

La riqueza expresiva

El estilo que utiliza Rojas se caracteriza por su riqueza expresiva, presente en la **alternancia del estilo** erudito y popular, que además contribuye a dar **verosimilitud** a la acción. Aunque los personajes se expresan de acuerdo con la clase social a la que pertenecen, también saben amoldarse a la situación y al interlocutor al que se dirigen.

Introducción a los Siglos de Oro

«Siglo de Oro, Siglos de Oro o Edad de Oro» son los términos que en la actualidad se utilizan en historia literaria para denominar el periodo que corresponde aproximadamente a los siglos XVI y XVII. En el aspecto cultural, y especialmente en el literario, no hay duda en considerarlo el periodo más importante de la historia de España. La literatura española desde La Celestina *(1499) hasta Calderón de la Barca (1600-1681) abrió nuevos caminos y su influenciã es extraordinaria.*

Contexto histórico-social, cultural y religioso

La época que denominamos Siglos de Oro abarca aproximadamente desde finales del reinado de los Reyes Católicos hasta la muerte del último de los Austrias, Carlos II (1700). En estos dos siglos España alcanza su **máximo esplendor** político y territorial.

En este periodo tienen gran importancia en todos los aspectos (desde el económico hasta el literario y, por supuesto, el social) los **problemas religiosos.**

■ En 1492, los Reyes Católicos decretan la **expulsión de los judíos** que no aceptaran convertirse al cristianismo. Los que sí se convirtieron recibieron el nombre de **conversos** y sus descendientes, **cristianos nuevos.**

■ Tras la toma de Granada se permitió a los **moriscos** mantener su religión y sus costumbres, pero la intransigencia de los gobernantes condujo a numerosas revueltas y, finalmente, a su **expulsión** en 1608.

La Reforma. El erasmismo

Desde el siglo XV existió en Europa un gran interés por la reforma de las órdenes religiosas y, sobre todo, por la **pureza de las creencias.** Se quería recuperar la religión primitiva y la palabra bíblica.

También es la época de transición de la España imperial de Carlos V a la España cerrada de Felipe II.

Uno de los autores más importantes por su gran talla intelectual y la difusión de su obra y pensamiento fue **Erasmo de Rotterdam.** Sus obras, religiosas, literarias o gramaticales, fueron leídas por un **público amplísimo.**

La lengua

Durante esta época, el español fue adquiriendo, tanto en la pronunciación como en el vocabulario gran parte de los rasgos actuales. Aunque la ortografía era en general, bastante caótica, la imprenta sirvió para fijar la de las voces más comunes.

Fonética

■ La f- inicial etimológica *(facer, fermosura)* pasó a transcribirse como *h,* que todavía en algunas zonas se pronunciaba aspirada.

■ La distinción entre sibilantes sordas y sonoras de la Edad Media (ver t2) se perdió, y a principios del siglo XVII ya abundaba la pronunciación actual de *s, z* y *j.*

■ La vacilación del timbre de algunas vocales y de los grupos cultos fue muy frecuente, alternando *oscuro* y *escuro* o *efecto* y **efeto,** por ejemplo.

Erasmismo

Las líneas centrales del pensamiento erasmiano, que coincide con otras corrientes reformistas, son las siguientes:

• Vuelta a la imitación del cristianismo que ofrecen los Evangelios.

• Tolerancia religiosa y pacifismo.

• Religiosidad auténtica y no formal.

• Preferencia por un cristianismo laico.

• Críticas al poder político y económico de la Iglesia.

• Defensa del matrimonio y del trabajo de los sacerdotes.

Portal de la Universidad de Salamanca. Renacimiento español.

Vocabulario

• Se desterraron numerosos latinismos de la sintaxis y del léxico, así como los arcaísmos *(maguer,* 'aunque', por ejemplo).

• El latín y, en menor medida, el italiano fueron las fuentes más importantes de neologismos.

• Los cultismos son muy numerosos.

El libro y el escritor

La invención de la **imprenta** supuso una revolución intelectual de consecuencias extraordinarias. Aunque la transmisión manuscrita siguió existiendo, en particular en la lírica, con la difusión del texto impreso se llegó a un número muy elevado de lectores de distinta condición social.

La preocupación renacentista por la **enseñanza** hizo que en el siglo XVI se forjara un verdadero plan de estudios que facilitaba el acceso de los futuros escritores a los **modelos** clásicos y modernos.

Por esto, en los Siglos de Oro, si bien primaba el modelo renacentista del escritor soldado, hubo autores de todos los **estratos sociales** de la época.

Renacimiento y Barroco

En la actualidad es habitual dividir los **Siglos de Oro** en dos periodos históricos: Renacimiento y Barroco.

Renacimiento

Es un periodo que abarcó desde el siglo XIV hasta finales del XVI, en el que conviven corrientes muy diversas y aun contradictorias:

■ El movimiento nace en las ciudades-estado italianas, que quisieron reconstruir el esplendor grecolatino. De ahí el nombre de Renacimiento ('volver a nacer') para el cual fueron fundamentales los **humanistas** (ver t7), verdaderos conocedores de la Antigüedad.

Elio Antonio de Nebrija (1442-1522) fue uno de los más importantes humanistas españoles. Su *Gramática* (1492) es la primera que se elaboró de una lengua romance.

■ El ideal del perfecto renacentista se describe en un célebre libro, *El Cortesano* (1528), de Baltasar de Castiglione. La regla de oro que preside la obra es la **naturalidad.**

■ En España, el Renacimiento es tardío, pero arraigó con fuerza desde Nebrija (1442-1522). Fueron muchos los humanistas españoles de fama universal en su tiempo, procedentes de todas las ramas del sabe, como el helenista Hernán Núñez, Luis Vives, Antonio Agustín, el médico Andrés Laguna, el botánico Nicolás Monardes, el jurista Francisco de Vitoria, etcétera.

Barroco

Este periodo, que comprende todo el siglo XVII y los primeros años del XVIII, coincide en muchos aspectos con el Renacimiento y exagera otros:

■ Se desarrolla en una sociedad que desconfía de sí misma, muy preocupada por sus normas, esto es, por el deseo y el miedo a subir o bajar socialmente.

■ Los **temas** principales serán el desengaño, la vida como sueño, el estoicismo, el lujo... El tema del **honor** es un claro reflejo de una escisión entre lo privado y lo público.

■ A diferencia del Renacimiento, el rasgo barroco esencial es el **artificio,** la afectación, la sorpresa, el engaño.

La censura

El pánico al contagio de las ideas protestantes dio origen al **decreto de 1558,** que prohibía a los españoles cursar estudios en determinadas universidades europeas, y en 1559 al *Índice de libros prohibidos.* En esta lista se hallan, naturalmente, las obras de **Lutero** y otros reformistas, pero también las de **Erasmo** y las de algunos autores católicos.

La nueva poesía en los Siglos de Oro

Las nuevas corrientes poéticas, de origen italiano o clásico, no triunfan plenamente hasta mediados del siglo XVI, en que cuentan con un ambiente propicio. En 1526, el barcelonés Juan Boscán comenzó la adaptación del endecasílabo italiano y sus combinaciones estróficas a la poesía española por sugerencia del propio embajador veneciano Andrea Navagero, iniciándose así una nueva tradición de trascendencia extraordinaria. La figura principal y más influyente de esta nueva poesía es Garcilaso de la Vega.

Cancioneros y romanceros

En este primer periodo (1511-1543), la poesía sigue los temas, géneros y metros de la poesía de la segunda mitad del siglo XV (ver t8). El tema central de la lírica es el «amor cortés».

A lo largo de los siglos XVI y XVII, se hicieron numerosas antologías que, bajo el título de Cancionero, Silva, Floresta, incluyeron este tipo de composiciones antiguas y modernas.

Corrientes poéticas

La poesía del siglo XVI, podría dividirse en dos grandes cortes cronológicos:

• Desde el *Cancionero general* de 1511 hasta 1543, año en que se publican las obras de Boscán y Garcilaso, con un predominio de la poesía en octosílabos.

• Desde 1543 hasta 1580, aproximadamente, cuando comienzan a escribir Lope de Vega (ver t16) y Góngora, (ver t15) se produce la difusión de la poesía italianizante influida por Petrarca.

Temas y motivos

El petrarquismo

El *Canzoniere* de Petrarca (ver t52) transmitió a la poesía de los Siglos de Oro:

- La **estructura** del proceso amoroso.
- La fina **introspección** del sentimiento amoroso.
- Numerosos **motivos** (el encuentro, la visión de la amada, la descripción física, etcétera).
- Algunos **tópicos**, como la oposición fuego-frío.
- La **métrica** y la **lengua poética**.

La tradición clásica

La presencia de temas, géneros y motivos de autores clásicos es constante, ya sea de forma directa o a través de los poetas italianos (ver t48).

- **Virgilio,** fue modelo para la épica (*Eneida*), la bucólica (*Églogas*) y didáctica (*Geórgicas*).
- **Horacio,** para la oda y la sátira.
- **Ovidio,** para la fábula mitológica (*Metamorfosis*), la epístola y la elegía amorosa (*Heroidas*).

El bucolismo

Las obras de *Garcilaso* fueron publicadas por primera vez por su amigo Juan Boscán como apéndice en un volumen que reunía sus propias poesías.

Lo pastoril fue uno de los temas más gratos a la literatura renacentista. El pastor representaba un mundo pasado, que había sido corrompido por las sucesivas edades.

Virgilio fue el modelo literario esencial. En las *Bucólicas* o *Églogas*, poemas habitualmente dialogados, bajo seudónimos pastoriles, se escondían personajes reales que exponían sus problemas sentimentales.

Garcilaso de la Vega

La **obra** de Garcilaso es breve, pero abarca la práctica totalidad de los **géneros, temas** y **lengua poética** de la tradición posterior. La edición consta, por este orden, de cuarenta sonetos, cuatro canciones, la *Oda a la flor de Gnido,* dos elegías, una epístola y tres églogas. Compuso, además, varias odas en latín y varias canciones octosilábicas.

El **amor** –a la amada, a la naturaleza, a los amigos– es el tema constante de su lírica.

Sonetos y canciones

En los sonetos y en las canciones relata, como si de un breve cancionero se tratara, el **proceso amoroso,** en general, **doloroso** y **áspero.** Este amor predestinado, provoca en el amante melancolía y enfermedad por no poder gozar del objeto amado.

En los poemas que se cree fueron escritos antes de 1533, a pesar del influjo de Petrarca, el tono se acerca más a la retórica amorosa cancioneril y, sobre todo, a Ausiàs March. En poemas posteriores, la sentimentalidad es más suave y melancólica.

Los demás sonetos abren también caminos nuevos. Quizá el más fecundo es el de los **temas mitológicos,** en los que el poeta aplica por su propio caso la moralidad del episodio que glosa.

Garcilaso de la Vega es el ejemplo paradigmático del ideal del hombre renacentista: de buen linaje, virtuoso, exquisito cortesano, buen militar y, sobre todo, excelente poeta. Pocos han unido como él las armas y las letras.

Églogas

Se debe a Garcilaso el trasplante del tono y de la lengua del origen latino y de sus imitadores renacentistas (Sannazaro).

■ *Égloga segunda:* es la primera que escribió, la más extensa. Se trata de una pieza polimétrica representable en la que se relatan los amores desgraciados de la pastora Camila y el pastor Albanio –el duque de Alba o su hermano–, a quien consuelan Salicio y Nemoroso.

■ *Égloga primera:* escrita en estancias, está dividida en dos partes. En esta égloga aparece nítida la nueva sentimentalidad renacentista, suave, nostálgica, melancólica, muy alejada de las desmesuras pasionales de la poesía cancioneril.

■ *Égloga tercera:* se trata de un poema descriptivo en octavas reales en el que se narra cómo cuatro ninfas del Tajo se dirigen a un prado para tejer cuatro historias.

La obra de Garcilaso, a pesar de su brevedad, es la génesis de casi toda la poesía posterior. Es sorprendente su capacidad para asimilar las más diversas tradiciones e innovar en ellas, creando una lengua poética desconocida hasta entonces.

Aparte de las innovaciones en los temas y géneros, lo que más se apreció entonces y ahora es la **armonía rítmica** de sus versos y la capacidad de expresar en ella el contenido en unidad indisoluble.

Garcilaso

De familia de caballeros y poetas, Garcilaso (1501-1536) nació en Toledo. Muy joven fue nombrado procurador de su ciudad en las Cortes de Santiago, y luchó a favor de Carlos V contra los comuneros. En 1525 se casó con doña Elena de Zúñiga y un año después conoció a Isabel Freyre, la dama a quien se refiere en sus versos. Murió en Niza, tras ser herido en el asalto de una fortaleza.

Las nuevas estrofas y composiciones

El soneto, con rimas fijas en los cuartetos –ABBA: ABBA– y libres en los tercetos –CDC: CDC, CDE: CDE, etc.–; y el tema es el amoroso.

La canción petrarquista, que consta de varias estancias de endecasílabos y heptasílabos se utilizaba como lamento amoroso.

El terceto encadenado –ABA: BCB: CDC...–, que se especializó en elegías, epístolas y sátiras.

La octava real –ABABAB: CC– que es la estrofa épica y descriptiva por excelencia.

La lira, que combina endecasílabos y heptasílabos, por lo general de cinco versos, desempeñaba una función similar a la de la canción.

La poesía posterior a Garcilaso

A partir de la publicación en 1543 de las obras de Boscán y Garcilaso (ver t10), el panorama poético español se amplía sustancialmente y se enriquece al reunir y alternar la tradición castellana con la nueva poesía. El cultivo de la poesía era una norma de cortesanía, por lo que los poetas pertenecían a todos los estratos sociales.

Como sucede siempre en la tradición literaria, hubo multitud de poetas mediocres, pero también algunos notables, que dieron un toque personal al curso de la poesía.

Fernando de Herrera

Fernando de Herrera (1534-1597) apenas salió de su ciudad natal y vivió modestamente de un beneficio eclesiástico.

Tuvo una excelente **formación humanista** y dedicó su vida a la poesía y a su crítica. Fue, según sus contemporáneos, un **poeta muy riguroso** consigo mismo y con los demás. Era considerado el mejor poeta de su tiempo después de Garcilaso.

En 1582 publicó una breve colección de poemas, *Algunas obras*, constituida por sonetos, canciones, elegías y églogas, impregnadas de **petrarquismo**, **neoplatonismo** y tradición clásica.

Fernando de Herrera expuso sus ideas estéticas, muy interesantes, en un extenso comentario a las poesías de Garcilaso: las *Anotaciones a Garcilaso de la Vega* (1580).

Fray Luis de León

En vida de fray Luis sólo se publicaron cinco traducciones de odas de Horacio y de varios salmos.

Obra poética

■ **Poesía original:** la mayor parte está constituida por **odas.** La oda es una composición de tema muy variado, estrofas cortas y número indefinido de versos, aunque no suele superar el centenar.

■ Los **temas** de las odas de fray Luis son diversos aunque, por lo general, son los propios de la **tradición estoica** y **neoplatónica,** con acentos pitagóricos: exaltación de la virtud, dominio de las pasiones, contemplación de la armonía universal creada por un Dios músico o arquitecto.

Fray Luis de León según un grabado del Libro de Pacheco. (Biblioteca Nacional, Madrid).

Obra en prosa

Fray Luis fue uno de los prosistas más admirados de su tiempo. En vida publicó, en castellano, sólo dos obras:

■ *De los nombres de Cristo* es un tratado teológico muy complejo sobre los distintos nombres que da la Biblia a Cristo. Fray Luis pretendió hacer llegar a un público numeroso una obra teológica en lengua vulgar. Se trata de un libro admirable por su prosa y por su contenido.

■ *La perfecta casada* es un comentario moral a unos proverbios de Salomón sobre las mujeres casadas y sus virtudes.

San Juan de la Cruz

San Juan es un poeta que puede explicarse bastante bien dentro de su **contexto poético.** Para entenderlo no hay más que acudir a Garcilaso, a fray Luis y al *Cantar de los Cantares.* Y, sin embargo, es un poeta raro y extraño a las tradiciones por su difícil contenido: la mística.

Principales poemas

Sus tres poemas principales se compusieron inicialmente sin comentario alguno. A petición de monjas y frailes, san Juan elaboró el comentario que sirviera de guía para conseguir la unión con Dios.

Los comentarios permiten explicar los símbolos más frecuentes del proceso místico, como el de la noche, las bodas espirituales y la llama.

San Juan de la Cruz.

Juan de Yepes (1542-1592), conocido como San Juan de la Cruz, era de muy humilde extracción social. Nació en Fontiveros (Ávila) y quedó huérfano de padre. A los nueve años, ingresó en la orden de los carmelitas y, al conocer a Santa Teresa, decidió ingresar en los reformistas, razón por la cual estuvo varios meses en prisión. Murió en Segovia, donde era prior.

- *Noche oscura:*

El libro consta de un poema, un comentario en prosa y un dibujo.

El poema consta de liras que, puestas en boca femenina, relatan cómo una joven sale disfrazada de su casa para reunirse con el amado, a quien se entrega totalmente.

> "Quedéme y olvidéme,
>
> el rostro recliné sobre el amado;
>
> cesó todo y dejéme,
>
> dejando mi cuidado
>
> entre las azucenas olvidado"

El comentario desarrolla, verso a verso, en cuatro libros, la doctrina del proceso místico de una forma extraordinariamente bien estructurada.

- *Cántico espiritual:*

Está constituido por un poema escrito en liras y un comentario en prosa.

El poema es una adaptación del *Cantar de los Cantares.* Como éste, se trata de un poema dialogado entre la Esposa y el Esposo, a quien ella va buscando por montes y valles hasta que logra reunirse con él y entregarse a sus brazos.

- *Llama de amor viva:*

Es un poema compuesto por seis liras de seis versos. Se trata de una especie de oda a la llama que el poeta siente en su pecho al unirse con la Trinidad.

Poemas menores

Compuso san Juan otros poemas breves, sin comentario, que pertenecen al mismo universo simbólico y místico que los tres anteriores y que se entienden mejor si se conocen los comentarios de éstos.

Fragmento de *Llama de amor viva*

«¡Oh llama de amor viva
que tiernamente hieres
de mi alma en el más pro-
[fundo centro!
Pues ya no eres esquiva,
acaba ya si quieres;
rompe la tela deste dulce
[encuentro.
¡Oh cautiverio süave!
¡Oh regalada llaga!
¡Oh mano blanda! ¡Oh toque
[delicado
que a vida eterna sabe
y toda deuda paga!
Matando muerte, en vida la
[has trocado».

La prosa del siglo XVI

La prosa renacentista, siguiendo los modelos clásicos, fue más moderna e innovadora que el verso. Las nuevas ideas estéticas cuajaron pronto en la prosa didáctica y, más tarde, en la prosa de ficción, que después se llamará novela, en la que convivieron tradiciones medievales y renacentistas.

La prosa didáctica

Diálogos y coloquios

El diálogo entre dos o más personajes que intentan persuadir con la retórica a los otros participantes se utilizó para tratar todo tipo de cuestiones. El tono coloquial y vivo del género era ideal para proporcionar una **enseñanza deleitable.** Los más apreciados diálogos renacentistas pertenecen a los erasmistas Juan y Alfonso de Valdés.

Historia, mística y ascética

La didáctica de la época exigía a todo tipo de prosa un carácter marcadamente literario, lo que hizo posible que cualquier obra pudiera alcanzar un alto nivel estético.

La **historiografía,** que era esencialmente narrativa, se permitía pasajes ficticios, como diálogos o pensamientos.

La **ascética** y la **mística** (ver t11) tratados en numerosos libros son un caso notable de buena prosa. Destaca **Santa Teresa de Jesús.**

Santa Teresa de Jesús

Nació como Teresa de Cepeda y Ahumada (1515-1582), en Ávila, y murió en Alba de Tormes. Fundó numerosos conventos y reformó la orden del Carmelo. Escribió, con una prosa culta y popular a la vez, su autobiografía *(Libro de la vida)*, sus experiencias místicas *(El castillo interior* o *Las moradas)* y la historia de sus trabajos para fundar conventos *(Las fundaciones).*

La prosa de ficción

Novela sentimental

Aunque proceden de la tradición medieval, las novelas sentimentales contaron con gran aceptación hasta mediados de siglo. Su sentimentalidad coincide con la de la poesía **cancioneril** (ver t7) y su prosa es la de las **artes medievales** de escribir cartas, que se encuentran muy lejos de los ideales renacentistas.

Novela de caballerías

Estos libros proceden de dos grandes ciclos franceses y bretones: el **ciclo artúrico** (los caballeros del rey Arturo) y el **ciclo carolingio** (los caballeros de Carlomagno).

En España, el libro más importante de este género es el *Amadís de Gaula,* cuya primera versión conservada es la de **Garci Rodríguez de Montalvo,** de 1508. El éxito de este libro fue tal que creó un género del que se llegaron a escribir casi un centenar de obras.

Novela morisca

En el momento de mayor tensión con los moriscos de Granada, la literatura idealizó la figura del moro y la confraternización entre ambas razas. El texto que difundió esa moda fue *El Abencerraje* o *Historia de Abindarráez y la hermosa Jarifa.*

Novela bizantina

También llamada **novela griega** o de **aventuras.** Se trata de narraciones de peregrinación muy bien construidas y escritas, en las que las aventuras se mezclan con la **acción amorosa.**

El Lazarillo

Con este libro breve arranca la **novela moderna,** entendida ésta como un relato verosímil de tono realista en el que el carácter del protagonista es producto en buena medida del mundo que le rodea.

La obra, escrita en forma **seudoautobiográfica,** tiene forma de una carta a un desconocido, «vuestra merced», y narra en su parte más extensa la niñez de Lázaro de Tormes. Está dividida en **siete tratados** más un prólogo, que sólo se entiende tras la lectura del desenlace.

Estructura

Los tres primeros tratados, los más extensos, siguen las pautas del cuento folclórico. El tema del **hambre** une a estas tres partes y se desarrolla de una manera **gradual.**

A partir del cuarto tratado, el autor utiliza la estructura narrativa llamada «en sarta», sin importar el orden de los episodios.

Interpretación

La crítica se mueve entre dos polos: **obra esencialmente de burlas** y **obra de denuncia social.**

- La **voluntad artística** del autor es innegable:
  - Extraordinario **narrador** de situaciones y descripciones de caracteres.
  - Conocedor de la **retórica clásica.**
  - Maneja todos los resortes del **humor** y la ironía.
- El autor es claramente **anticlerical.**
- Desde el prólogo se plantea una cuestión muy debatida en la época: **la virtud frente a la nobleza heredada.**

El autor deja que el lector tome sus decisiones. Ésta es la grandeza del escritor del *Lazarillo.*

Portada de una edición del *Lazarillo* de 1587 *(Biblioteca Nacional, Madrid).* Las primeras ediciones conocidas de la *Vida de Lazarillo de Tormes y de sus fortunas y adversidades* son de 1554, pero debió de haber al menos dos anteriores.

La verosimilitud

Desde el «yo» con que se abre la obra, el autor ha querido llevar la ficción narrativa hasta tal límite de **verosimilitud** que, en vez de firmar la obra, cede su voz al personaje. Así, es Lázaro quien escribe su vida, en «estilo grosero», como corresponde a su calidad social, la más baja.

La fecha y el autor

La fecha de composición del texto es incierta. Al final de la obra se mencionan las Cortes de Toledo, que tuvieron lugar en 1525 y 1538. Por la cronología interna del relato parece más probable ésta última. Es posible que se compusiera en fechas próximas a su publicación.

Su autor es también desconocido, y todos los nombres que se han barajado carecen de fundamento.

El Lazarillo de Tormes, óleo de Goya pintado hacia 1808.

Miguel de Cervantes

Buen conocedor de las polémicas sobre la Poética *de Aristóteles (ver t1)*
y de cómo ajustar los nuevos géneros a unas reglas clásicas, Cervantes
intenta acomodarlas a su obra. El pilar básico de esta poética
es mantener la imitación a través de la verosimilitud, pero
concediendo gran importancia a la invención, que podría
interpretarse como imaginación creadora, para conseguir el fin
de toda obra, que es el de «admirar, suspender, entretener y alborozar».

Cervantes, poeta

En general, la poesía cervantina se halla incluida en los libros en prosa, en especial en *La Galatea*. Como ocurre con el teatro, la estética poética se mueve en la **tradición de 1580**, con Garcilaso como principal modelo. Lo mejor de su poesía se encuentra en los romances y canciones octosilábicas y en la poesía satírica.

La técnica dramática

El teatro de Cervantes se enmarca, en general, en las **técnicas dramáticas** de hacia 1580. Concede especial interés al **conjunto de personajes** en detrimento de los protagonistas, tiende a los **grandes cuadros escénicos** y al uso de tramoyas, así como a utilizar personajes del entremés en lugar del **gracioso** (ver t16).

Salvo los entremeses, el teatro de Cervantes era un **teatro arcaico**, pero de gran interés por su coherencia con el resto de su obra.

Los entremeses

Los títulos de los entremeses son *La elección de los alcaldes de Daganzo; El retablo de la maravillas,* donde aborda con ironía el tema de la limpieza de sangre; *El juez de los divorcios; El rufián viudo; El viejo celoso* y *La cueva de Salamanca,* en los que trata dos casos de maridos engañados; *La guarda cuidadosa* y *El vizcaíno fingido.*

Vida

Retrato de *Cervantes* por Juan de Jáuregui, 1600 (Real Academia Española, Madrid).

Miguel de Cervantes Saavedra (1547-1616) nació en Alcalá de Henares. Hijo del cirujano Rodrigo de Cervantes y de Leonor de Cortinas, pasó sus primeros años en Valladolid, Córdoba y Sevilla. Se ignora qué **estudios** realizó, pero no parece que siguiera cursos universitarios.

En 1571 estuvo como soldado en Italia y participó en la **batalla de Lepanto,** gesta que recordará en numerosas ocasiones con orgullo. En ella fue herido en el pecho y quedó imposibilitado de la mano izquierda, pero siguió como soldado hasta que, en 1575, la galera en la que viajaba con su hermano fue apresada y ellos llevados como prisioneros a Argel. Allí pasó cinco años, pues fue en 1580 cuando su familia y los trinitarios consiguieron reunir el dinero del rescate.

En 1587, ya casado, trabajó de **recaudador de tributos** por toda Andalucía. Este trabajo lo llevó a una breve estancia en la cárcel de Sevilla, donde se supone que se engendró el *Quijote.* Hacia 1602 vivía con su mujer, su hija y sus dos hermanas en Valladolid. En 1606 se trasladaron a Madrid, donde vivió gracias a algunos mecenas y a la publicación de sus obras.

Teatro

En 1615, Cervantes publicó una colección dramática titulada *Ocho comedias nuevas y ocho entremeses nuevos nunca representados,* en cuyo prólogo alude a otra serie de comedias escrita en la década de 1580, de las cuales sólo conservamos dos.

Comedias

Según el tema, se suelen clasificar en comedias de **cautivos, de santos, caballerescas, de costumbres** y **de enredo.** Entre ellas destacan *Los baños de Argel, La gran sultana,* en las que se trata el tema del cautiverio, y *Pedro de Urdemalas,* de ambiente pintoresco.

Tragedias

La obra dramática más famosa de Cervantes es la tragedia *La Numancia,* compuesta hacia 1585. Es obra de **protagonistas colectivos** y ejemplar en el sentido de que presenta a sitiadores y sitiados como modelos de comportamiento militar.

Entremeses

Cervantes acudió a los tipos y géneros del entremés anterior, siguiendo la tradición de **Lope de Rueda,** pero dando a los personajes un toque de **humanidad** que el género había desterrado.

Novela

En la narrativa, Cervantes consigue superar los modelos más notables, abriendo nuevos caminos en terrenos que parecían agotados.

El género pastoril. *La Galatea*

Fue la primera novela de Cervantes, escrita en 1585. Sigue la tradición de *La Diana* de Montemayor (ver t12).

Dividida en seis libros, contiene ingredientes diversos, de acuerdo con el género: una narración amorosa; disquisiciones teóricas sobre esta pasión; una extensa antología poética; discusiones teóricas sobre poesía; crítica literaria...

Novela de aventuras o bizantina

La última obra de Cervantes fue *Los trabajos de Persiles y Sigismunda,* que quería competir con el admirado Heliodoro, autor griego de *Teágenes y Cariclea.*

Las *Novelas ejemplares*

En 1613 se publicó esta colección de doce «novelas», de datación incierta y temas muy variados.

La acción se presenta en todas como «historia verdadera», ocurrida en un lugar y en un tiempo cercano al de los lectores. Al insertar la acción en la realidad histórica y entre personajes reales, la sensación de realismo es notable.

El *Quijote*

La obra más famosa de Cervantes, el *Quijote,* se publicó en dos partes. La primera en 1605, con el título de *El ingenioso hidalgo Don Quijote de la Mancha,* y la segunda en 1615, con el de *Segunda parte del ingenioso caballero Don Quijote de la Mancha.*

En la **primera parte** se narran las aventuras de don Quijote en sus dos primeras salidas de la aldea. Predomina el tema del **engaño a los sentidos,** debido a la locura que los libros de caballerías (ver t12) han causado a Alonso Quijano. Se suceden numerosos episodios cómicos, en los que se parodia el contenido de las novelas de caballerías.

En la **segunda parte** se relatan las aventuras de don Quijote y Sancho en su tercera salida. Ahora el caballero se muestra más realista y **sufre el engaño** de otras personas. Ya en casa, don Quijote recobra el juicio y abomina de los libros de caballerías.

Interpretación

El éxito de la obra fue inmediato y mantenido a lo largo de los siglos, pero cada época lo ha entendido de forma distinta. En su tiempo fue un libro esencialmente **cómico,** pero con el Romanticismo la obra se convierte en la novela por excelencia que plantea el **enfrentamiento entre lo ideal y lo real,** entre la libertad y las trabas sociales, la utopía y el orden establecido. Ésta es la interpretación todavía hoy más generalizada.

Portada de la edición de 1605 del *Quijote* (Biblioteca Nacional, Madrid).

El narrador

Cervantes finge que su obra es un manuscrito que él simplemente ha encontrado. Utiliza así un recurso habitual en los libros de caballerías: acudir a un **falso autor** en lengua extraña (Cide Hamete Benengeli) para parodiarlo. Pero, en un grado insólito de **verosimilitud,** los personajes, al comienzo de la segunda parte, han leído la primera.

Los personajes

Sus **personajes centrales** son dos figuras universales. Don Quijote encarna el **idealismo,** Sancho, el espíritu práctico, el **materialismo.** Pero don Quijote y Sancho son dos personajes vivos, **humanos,** que evolucionan y se influyen a lo largo de la novela.

La prosa del siglo XVII

Cervantes (ver t13) es uno de los últimos exponentes de la poética renacentista. La prosa del siglo XVII se bifurca en dos tendencias: una que tiende hacia el adornismo, y otra que trata de decir mucho en pocas palabras. A la primera se acogieron numerosos novelistas y bastantes predicadores. A la segunda se sumaron muchos historiadores y moralistas. Entre ellos, destacan Quevedo (1580-1645) y Gracián (1601-1659).

Los géneros

■ La **novela corta** estuvo de moda a raíz de la publicación de las Novelas ejemplares de Cervantes (ver t13).

■ La **novela bizantina** (ver t12), tras la aparición de los Trabajos de Persiles y Sigismunda, también de Cervantes (ver t13).

■ La **sátira menipea**, que solía escribirse en latín, llega a su plenitud con Quevedo.

■ La **literatura emblemática** se usaba para la enseñanza. El emblema consistía en un dibujo y una frase que lo rodeaba, cuyo significado se desarrollaba después en un breve ensayo.La novela picaresca

■ La **novela picaresca.** Aunque el *Lazarillo* (ver t12) fue bastante leído, no crea género hasta que **Mateo Alemán** (1547-1616?) publica en 1599 la *Primera Parte del Pícaro Guzmán de Alfarache, atalaya de la vida humana,* que se concluyó con la *Segunda parte,* 1604.

Del *Lazarillo* tomó Alemán la **fórmula autobiográfica** desde el punto de vista de un marginado, pero el *Guzmán* es una novela muy distinta. A lo largo de la extensa narración, Guzmán llega a ser un famoso ladrón, y cuando es condenado a remar en galeras se arrepiente y decide escribir su vida para que sirva de ejemplo.

A partir de esta obra, la picaresca dio lugar a todo tipo narraciones, que tuvieron enorme éxito durante el siglo XVII: *El Buscón,* de Quevedo; *La pícara Justina,* anónima; *La hija de celestina,* de Salas Barbadillo, y *La vida del escudero Marcos de Obregón,* de Vicente Espinel, son las más importantes.

Quevedo

Francisco Gómez de Quevedo y Villegas (1580-1647) nació en Madrid, hijo de un escribano real y de una camarera de la reina. Estudió con los jesuitas y después artes, matemáticas y metafísica en Alcalá y teología en Valladolid.

En 1613 emprende su carrera como político, que le ocasiona encarcelamientos y diversos sinsabores. Murió en Villanueva de los Infantes (Ciudad Real).

Quevedo: prosa

■ Obras festivas: trata de remedar, en tono satírico, informes, pragmáticas, etcétera. Las más conocidas son: *La vida de Corte, Cartas del caballero de la Tenaza, Premática y aranceles generales, Premática de los poetas hueros,* etcétera.

■ Novela: *El Buscón.*

Es la obra más célebre de Quevedo, escrita antes de 1605 y publicada en 1626.

Se trata de una **novela picaresca,** aunque la intención social no es coherente ni clara y el personaje no es verosímil, sino que representa los **pensamientos del autor.**

El principal valor de esta novela reside en el uso que el autor hace de la **palabra.**

- Sátiras morales y alegóricas: son las piezas narrativas más interesantes.

   • Los *Sueños* son piezas breves en las que el autor presenta caricaturas de personajes de todas las épocas que se le aparecen en diversos sueños. Escritos en diferentes fechas, los *Sueños y discursos* se publicaron en 1627. Son los siguientes: *El sueño del Juicio Final, El alguacil alguacilado, El sueño del Infierno, El mundo por de dentro* y *El sueño de la Muerte.*

   • *La hora de todos* es una sátira de la sociedad y un ataque a sus enemigos políticos.

- **Obras políticas:** se trata de un grupo muy extenso del que destacan *Política de Dios* y *Marco Bruto.*

- **Obras ascéticas o filosóficas.** Destacan *La cuna y la sepultura, Virtud militante* y *Providencia de Dios.* La principal obra filosófica es *Defensa de Epicuro.*

- **Obras filológicas:** realizó diversas traducciones de la Biblia y los clásicos, pero su mayor mérito fue editar la poesía de fray Luis de León y de Francisco de la Torre (ver t11).

Baltasar Gracián

Gracián, como era normal en la época siendo jesuita, puso su pluma al servicio de la **moral** y de la **política,** por lo que escribió obras mundanas que formasen seres humanos capaces de vivir en la sociedad de su tiempo. Para ello, trató de conciliar la fe cristiana con una moral estoica y un sentido pragmático de la vida.

Una parte importante de sus escritos está constituida por una serie de libritos de tipo **aforístico sentencioso.** Son *El Héroe, El Político don Fernando,* el *Oráculo manual* y *El discreto.*

En *Agudeza y arte de ingenio* (1642) quiso componer un arte del «concepto», de la «agudeza». Es, además, una amplia antología de textos del *Cancionero general,* de Góngora, y de otros muchos autores antiguos y modernos.

Retrato de *Baltasar Gracián.* Dibujo del siglo XVII.

Gracián

Baltasar Gracián Morales (1601-1659), nació en Belmonte (Zaragoza) hijo de médico. Estudió con los jesuitas, en cuya orden fue sacerdote. Tuvo numerosos problemas con la orden jesuítica por su independencia, razón por la que publicó casi toda su obra con seudónimos. Murió en Tarazona (Zaragoza).

El Criticón

Es la obra más importante de Gracián. La publicó en tres partes bajo seudónimo.

Gracián quiso exponer en esta **novela bizantina alegórica** los problemas que plantea la vida humana y su finalidad, que es la **salvación del alma.**

Las **fuentes** en que se inspira son la novela bizantina, la sátira menipea, los tratados políticos y morales, los libros de aforismo y apotegmas y, en general, la literatura clásica y la realidad cortesana del momento.

Todas estas fuentes están noveladas por la prosa rica en **matices** de Gracián, que creó así la mejor obra de la segunda mitad del siglo y un **documento social** imprescindible.

La poesía del siglo XVII

Hacia 1580 aparece un grupo importante de poetas que intenta renovar la lengua y los temas de la poesía del siglo XVI (ver t10 y t11). Fue ésta una época de gran desarrollo de la poesía lírica, épica y dramática –el teatro se escribe en verso– en toda España. Los grandes modelos de la época fueron los Argensola, Lope de Vega, Góngora, Quevedo y Calderón.

Temas, géneros y metros

En esta época, todo podía ser **material poético**, desde una fiesta hasta un aspecto filosófico.

Es una poesía de **contrastes**, **meditativa** pero **burlesca**.

Por tanto, es el momento de mayor desarrollo de la poesía **satírica**, a veces personal y desalmada.

En la **métrica** existe un gran desarrollo del **soneto** y del **romance**, y aparecen dos nuevas estrofas, la **décima** y la **silva**.

Escuelas poéticas

Se ha intentado una clasificación por escuelas del panorama lírico del siglo XVII:

■ La **escuela sevillana** toma como modelo a Herrera (ver t11). Sus poetas más importantes fueron Juan de Arguijo (1567-1622), Francisco de Rioja (1583-1659) y Andrés Fernández de Andrada (?-1648?), el autor de la *Epístola moral a Fabio*.

■ La **escuela antequerano-granadina** tiene como autores más conocidos a Pedro Espinosa (1578-1650) y, sobre todo, a Góngora.

■ La **escuela aragonesa** está representada por los hermanos Lupercio (1559-1613) y Bartolomé (1562-1631) Leonardo de Argensola, que practicaron una poesía de corte horaciano, muy clásica.

■ La **escuela madrileña** está representada por numerosísimos poetas, entre ellos Lope de Vega (ver t16) y Quevedo (ver t14).

La distinción por escuelas desaparece en numerosos casos.

Luis de Góngora

La obra de Góngora consta de:

■ **Poemas populares:** romances y letrillas.

Góngora fue muy admirado por su poesía octosilábica, transmitida generalmente con música, en la que destaca la capacidad conceptista, presente sobre todo en las obras **burlescas**. Compuso un centenar de romances y numerosas letrillas.

En el **romancero** practicó todos los **temas**, tratados en **serio**, en tono **burlesco** o incluso mezclando ambas actitudes en un mismo romance.

Fueron famosos los romances «*Hermana Marica*», «*Amarrado al duro banco*», «*Servía en Orán al rey*», «*Angélica y Medoro*», entre otros.

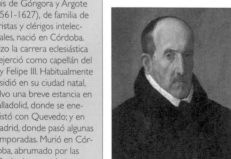

En la *Fábula de Píramo y Tisbe*, de 1618, Góngora trata un tema mitológico en tono burlesco. El poeta mezcla además lo popular y lo culto, creando una complejísima cadena de conceptos.

■ **Poemas cultos:** canciones, sonetos y tres grandes poemas: la *Fábula de Polifemo y Galatea*, las *Soledades* y el *Panegírico del duque de Lerma*.

• *Fábula de Polifemo y Galatea* **(1611-1612):** se trata de un **poema mitológico** de sesenta y tres octavas reales, basado en pasajes de las *Metamorfosis* de Ovidio.

Retrato de *Luis de Góngora*, por Velázquez (Museo Lázaro Galdiano, Madrid).

Góngora

Luis de Góngora y Argote (1561-1627), de familia de juristas y clérigos intelectuales, nació en Córdoba. Hizo la carrera eclesiástica y ejerció como capellán del rey Felipe III. Habitualmente residió en su ciudad natal, salvo una breve estancia en Valladolid, donde se enemistó con Quevedo; y en Madrid, donde pasó algunas temporadas. Murió en Córdoba, abrumado por las dificultades económicas.

El poema sorprendió tanto a los defensores como a los detractores de Góngora, por las dificultades que ofrece a un lector no familiarizado con la **tradición clásica.**

• *Soledades* (1612 -1614): su poema más celebrado y criticado. El **proyecto** era escribir cuatro *Soledades,* pero sólo está completa la primera (2.028 versos); la segunda (979 versos), quedó inconclusa. La obra, esencialmente lírica y descriptiva, presenta un **hilo argumental** que revela la existencia de un proyecto narrativo afín al de la **novela bizantina** o de aventuras (ver t12). Mediante un estilo **complejo** y **difícil** se exalta la **naturaleza** y el mundo rural y cotidiano, rechazando el cortesano. Obra compuesta en silvas.

Escudo del Duque de Alcalá en la portada de la *Fábula de Polifemo y Galatea.*

Teatro

Compuso Góngora dos comedias: *La firmeza de Isabela* y *El doctor Carlino,* ésta última incompleta. Se trata de dos obras extrañas a la comedia de su tiempo, pues ni los personajes ni la trama corresponden más que en algunos rasgos a los de la comedia nueva (ver t17).

Sonetos y otras composiciones de arte mayor

En una **primera época,** hasta 1600, aproximadamente, Góngora utiliza el soneto siguiendo la línea renacentista, con gran **perfección formal** y temas graves.

Entre los poemas mayores restantes destaca la *Canción de la toma de Larache,* en la que aparece ya el «nuevo estilo» de los grandes poemas.

Culteranismo y conceptismo

Tanto en la poesía como en la prosa de la época se habla de dos corrientes estéticas: culteranismo y conceptismo.

■ **Culteranismo:** también denominado gongorismo, se identifica con los recursos usados por Góngora: embellecimiento de la realidad a través de metáforas e imágenes y uso continuado de sintaxis latinizante, cultismos, alusiones mitológicas, etcétera.

■ **Conceptismo:** movimiento literario que tiende a servirse del concepto. Más que por los aspectos formales, como en el culteranismo, los conceptistas se inclinarían por los juegos de palabras, paronomasias, dilogías, etcétera. Quevedo es su representante más característico.

Quevedo: poesía

Las poesías de Quevedo se publicaron **póstumas.** Se clasifica su obra por los temas:

■ **Poemas metafísicos:** es un tipo de poesía frecuente en la época, en la que se medita sobre la existencia. La **brevedad de la vida** es el tema más habitual. El **soneto** es la forma más común.

■ **Poemas morales:** en este extenso grupo, compuesto en su mayoría por **sonetos,** es la filosofía neoestoica la que sustenta su visión ética.

■ **Poemas religiosos:** es un grupo de poemas, sonetos generalmente, dedicado a personajes de la Biblia.

■ **Poemas de circunstancias:** se trata de una serie, muy habitual en la época, dedicada a elogios, túmulos y epitafios de personajes del pasado y del presente.

■ **Poemas amorosos:** Quevedo compuso numerosos poemas de amor en los que intentó renovar la lírica amorosa renacentista. Lo más característico de ellos es el **tratamiento hiperbólico** de los motivos renacentistas y las metáforas **personificadoras** o **cosificadoras.**

■ **Poemas satíricos:** Quevedo sintió, en prosa y en verso, especial gusto por la sátira, donde podía desplegar con mayor libertad todos sus **experimentos verbales** y, a la vez, poner de manifiesto, por medio de la **risa,** los defectos de una sociedad. Cualquier tema puede ser objeto de su sátira, generalmente compuesta en **sonetos, letrillas** y **romances.**

El teatro del siglo XVII (I). Lope de Vega

En los últimos años del siglo XVI, Lope de Vega (1564 -1616) encuentra una fórmula teatral que supera la tradición de la época y que supone un éxito extraordinario. Esta forma de hacer teatro, llamada comedia nueva o teatro clásico español, contó con numerosos seguidores a lo largo del siglo XVII, y hasta bien entrado el XVIII fue el género dramático español por excelencia.

El teatro antes de Lope de Vega

- **Autos y églogas:** de la Edad Media apenas llegan al siglo XVII los **autos** de tema bíblico o hagiográfico y las **églogas** (ver t8).

- **El teatro clásico:** en general, los autores prefirieron la tradición **romana** a la griega. Plauto y Terencio fueron los autores predilectos para la comedia y Séneca para la tragedia.

- **La comedia nueva italiana:** en España, **Lope de Rueda** (1505?-1564) popularizó el género eliminando la división en actos, las unidades y los discursos, e introduciendo pasajes cómicos, llamados pasos.

- **El teatro de colegio:** las universidades y los colegios de los **jesuitas** fomentaron las representaciones dramáticas que imitaban a los clásicos. Este teatro gusta de las **figuras morales** y las **alegorías,** por ser esencialmente didáctico.

- **El teatro en los corrales de comedias:** los corrales comenzaron a aparecer en Sevilla, Madrid, Valencia y otras ciudades hacia 1570.

La comedia nueva

En 1609, Lope de Vega publicó el *Arte nuevo de hacer comedias de este tiempo.* Se trata de una serie de **reflexiones** sobre las comedias de su época y de cómo le gustaría al autor que se compusieran.

Sobre todo, es una **defensa** de la nueva comedia española frente a las críticas de los neoaristotélicos españoles y extranjeros. Los **aspectos** más importantes del *Arte nuevo* son los siguientes:

- **El gusto:** aunque las reglas clásicas sean mejores, los gustos del público varían y los autores han de satisfacer las nuevas preferencias.

- **Los personajes:** se pueden mezclar personajes trágicos y cómicos.

- **Unidad de acción:** debe mantenerse, aunque Lope no sigue siempre ese precepto.

- **Unidad de tiempo:** la acción debe transcurrir en el menor tiempo posible.

- **Unidad de lugar:** puede no respetarse.

- **Número de actos:** la división será en tres actos de ocho hojas cada uno, lo que equivale tres horas, con la loa, el entremés y el baile.

- **Métrica:** se ajusta a las situaciones, lo que le permite utilizar la tradición poética anterior.

- **Finalidad:** el objetivo de la comedia es provocar el deleite del público:

> *«Como las paga el vulgo, es justo hablarle en necio para darle gusto».*

El entremés

Lope de Rueda, además, creó el género del **entremés,** breve pieza cómica que solía representarse entre los actos y al final de las obras en el teatro posterior.

El corral de comedias

El corral de comedias era un amplio patio de casas que se habilitaba para servir de teatro público. Las representaciones se hacían de día y, en ocasiones, se cubrían la escena y el patio con toldos. Los estamentos y cargos más importantes se aposentaban en las galerías superiores; en el patio, el pueblo, con separación de sexos.

Las representaciones teatrales en tiempo de Lope

Las representaciones anteriores al siglo XVII eran muy **rudimentarias,** sin tramoya ni decorados, pero pronto la escena se fue perfeccionando.

La **función** duraba varias horas. Comenzaba con una **loa** en la que se alababa el lugar o cualquier otro detalle.

A continuación, el primer acto de la **comedia.**

Entre el segundo y el tercer acto se cantaba una **jácara,** y se terminaba con un **baile.**

Los personajes

Los personajes más frecuentes en la comedia nueva son los siguientes:

- El **rey,** que en las tragicomedias impone justicia al final.
- El **galán,** que reúne todas las virtudes.
- La **dama,** de características semejantes a las del galán.
- El **antagonista,** inferior al galán.
- Los **criados** de los tres anteriores. Actúan de confidentes y **graciosos.**
- El **padre** de la dama (la madre apenas aparece). Es un padre ejemplar.

Lope de Vega

La vida de Félix Lope de Vega Carpio (1564-1616) es muy interesante para el conocimiento de su obra.

Hijo de un bordador, su formación fue más autodidacta que académica. Fue desterrado a Valencia en 1588, y allí conoció a un grupo de autores que le influyeron decisivamente.

Tuvo una agitada vida sentimental con varias mujeres, que aparecen reflejadas en sus obras bajo diversos seudónimos. Al final de su vida se ordenó sacerdote.

Obra poética

Lope fue desde muy joven un poeta famoso por sus **romances** y sus **sonetos.** Reunió sus poemas en *Rimas* (1602), *Rimas Sacras* (1614) y *Rimas humanas y divinas* (1634).

Su altísima **calidad poética** permitió que su teatro alcanzara cimas líricas poco frecuentes.

Los **romances,** en general autobiográficos, circularon cantados o en antologías. Junto con Góngora (ver t15), elevó la categoría literaria del género, al insertar en él la lengua poética del endecasílabo (ver t10).

Obra dramática

La fama de Lope se cimenta, sobre todo, en el género dramático, donde llevó a cabo **importantes innovaciones** en contra de la tradición clásica y sus seguidores renacentistas. Se conservan cuatrocientas comedias de las mil quinientas que se dice llegó a componer.

Las **fuentes** habituales de sus asuntos dramáticos son la Biblia, la mitología, la historia, leyendas, romances y canciones populares.

Los **motivos** centrales en el desarrollo de la acción son el amor y el honor.

Un grupo de comedias destaca por la presencia en escena de **labradores ricos** que se enfrentan a un comendador en defensa de su **honra.** Las más conocidas son *Peribáñez, Fuenteovejuna* y *El villano en su rincón.*

Participan del espíritu de la **tragedia clásica** *El caballero de Olmedo* y *El castigo sin venganza,* a pesar de que en ellas hay algunas escenas cómicas que rompen la tensión trágica.

De entre las **comedias** sobresalen *Los locos de Valencia, La dama boba, Las bizarrías de Elisa* y *El perro del hortelano.*

La figura del donaire

Una de las aportacines principales de Lope de Vega es la creación de la figura del **donaire** o **gracioso.** Frente al bobo del teatro anterior, el gracioso es ingenioso y suele inventar la trama para que el **galán** consiga el amor de la **dama.** Además, sirve de contrapunto realista al carácter idealista del galán.

Retrato de *Lope de Vega* atribuido a Eugenio Cagés (Museo Lázaro Galdiano, Madrid).

Obra narrativa

Lope se sintió atraído por los géneros más prestigiosos de la narrativa del siglo XVI (ver t12), como la novela pastoril (*La Arcadia* y *Pastores de Belén,* pastoril a lo divino), la novela bizantina (*El peregrino en su patria*) y la novela corta (*Novelas a Marcia Leonarda*).

La Dorotea

Ya anciano, Lope compuso *La Dorotea,* obra en prosa y en cinco actos para ser leída, al igual que *La Celestina* (ver t8), en la que se inspira. En ella, Lope rememora los amores juveniles con Elena Osorio, bajo los seudónimos de «Fernando» y «Dorotea».

El teatro en el siglo XVII (II)

Durante todo el siglo XVII, el teatro fue, sin duda, el espectáculo por excelencia, que presenciaban desde el rey hasta los más humildes. Se comprende que, ante la demanda de un género que producía fama y bienes económicos, muchos poetas se dedicaran a la creación de piezas dramáticas. Al ser un teatro en verso y polimetría, los modelos épicos y líricos eran de más fácil imitación que la prosa.

Pedro Calderón de la Barca (1600-1681), hijo de un alto funcionario, estudió con los jesuitas y en las Universidades de Alcalá y Salamanca, donde alcanzó el título de bachiller en Cánones. En 1623 estrenó su primera comedia. Como militar participó en la guerra de Cataluña. Ingresó en la orden franciscana, y fue capellán de honor del rey.

Retrato grabado de *Calderón*, hecho por Bartólome Maura.

El alcalde de Zalamea

Refundición de la obra de Lope (ver t16) del mismo título, plantea el problema de la violación de la hija del alcalde, Pedro Crespo, por un capitán que está reclutando levas en los pueblos. Pedro Crespo, como alcalde, lo ajusticiará.

Calderón de la Barca

Fue Calderón un autor muy prolífico, sin llegar a la desmesura de Lope de Vega (ver t16). Compuso unas ciento veinte **comedias** y cerca de un centenar de **autos sacramentales.**

Comedias

- **Comedias de capa y espada:** de **enredos amorosos,** con frecuentes equívocos que provocan celos y, por consiguiente, **enfrentamientos** de espada, y con una amplia intervención de graciosos y de damas discretas. Las más conocidas son *Casa con dos puertas, mala es de guardar* y *La dama duende.*

- **Comedias de aparato:** piezas compuestas, en general, a partir de 1634, cuando se construyó el **Teatro del Buen Retiro,** de gran aparato escénico, que admiraba a los espectadores. Solían estar acompañadas de **canto y baile** y utilizar **argumentos mitológicos.**

Dramas

- **Dramas religiosos:** los más importantes son *El príncipe constante* y *El mágico prodigioso.*

- **Dramas de honor:** los más celebrados son *El médico de su honra, El alcalde de Zalamea* y *El príncipe de su deshonra.* Se plantea en estos dramas un **problema de honra** irresoluble o dilemático.

- **Dramas filosóficos:** el más célebre es *La vida es sueño,* en el que plantea numerosas cuestiones **existenciales, políticas y sociales.** Está muy bien construido y todos los personajes se enfrentan a **situaciones dilemáticas,** lo que genera personalidades en conflicto continuo entre la razón y el sentimiento.

Autos sacramentales

El origen dramático de los autos está en las representaciones medievales del Corpus. Se siguieron representando en carros, con espléndidas decoraciones, conforme avanzó el siglo XVII.

El **tema** varía respecto al de los autos del siglo XVI. Son siempre **alegóricos** y **teológicos,** y su tema esencial es la **Eucaristía.**

La **construcción dramática** de estas piezas también es distinta, puesto que se acudió a los personajes de la comedia y sus situaciones (ver t16). El antagonista, naturalmente, es el demonio.

Las **fuentes** son la mitología, la Biblia, la leyenda, etcétera.

Los más famosos son los propiamente filosóficos, como *El gran teatro del mundo* y *El gran mercado del mundo.*

Seguidores de Lope

Tirso de Molina

Éste era el seudónimo que utilizaba el mercedario fray Gabriel Téllez (1579-1648) para difundir su amplia obra teatral dramática y narrativa.

Compuso medio centenar de comedias, en las que sorprende hallar una gran **libertad moral** y un análisis finísimo de los **caracteres femeninos.**

Hoy se duda de la autoría de las dos obras más famosas de Tirso: *El burlador de Sevilla*, que origina el mito literario de **don Juan**, y *El condenado por desconfiado*, drama teológico sobre la predestinación.

Guillén de Castro

Guillén de Castro (1569-1631), dramaturgo valenciano de la escuela de Lope de Vega, es autor de *Las mocedades del Cid*, obra en la que se inspiró Corneille para escribir *Le Cid* (ver t59).

Fray Gabriel Téllez recibió críticas de quienes consideraban que escribir comedias no era un oficio digno de un religioso. Retrato de *Tirso de Molina* (Biblioteca Nacional, Madrid).

Es autor también de otro **drama épico:** *El conde Alarcos;* de **tres comedias** basadas en obras de Cervantes (ver t13): *Don Quijote de la Mancha, La fuerza de la sangre* y *El curioso impertinente;* de una **tragedia familiar:** *El amor constante;* y de varias comedias de capa y espada, como *El Narciso en su opinión* y *Los malcasados de Valencia.*

Ruiz de Alarcón

Juan Ruiz de Alarcón y Mendoza (1581-1639) nació en México, pero residió casi siempre en España.

Entre sus comedias, de gran perfección formal y finalidad moralizante, merecen destacarse: *La verdad sospechosa*, que sería imitada en Francia por Corneille (ver t59); *La amistad castigada, El examen de maridos, Ganar amigos, No hay mal que por bien no venga, Las paredes oyen* y *Los pechos privilegiados.*

Vélez de Guevara

Luis Vélez de Guevara (1579-1644) nació en Écija (Sevilla), y su obra más conocida es la **novela satírica** *El diablo cojuelo.*

Además, es autor del drama *Reinar después de morir*, sobre el tema de Inés de Castro, elevada al trono por Pedro de Portugal tras haber sido asesinada.

La serrana de la Vera es un drama feminista en el que Gila, «mujer varonil», seducida y abandonada por un capitán se hace bandolera hasta dar con el capitán, al que mata.

Otras obras del autor son *El rey en su imaginación, La luna de la sierra, Más pesa el rey que la sangre* y *El diablo está en Cantillana.*

Seguidores de Calderón

Calderón introdujo algunos cambios en la tradición de la comedia de Lope, como la **simplificación** de la acción o el desarrollo más profundo de los **caracteres,** aunque las diferencias más notables proceden de su **lengua poética,** de claras raíces gongorinas, y del **rigor escolástico.**

Como Lope, Calderón creó una escuela, que imitaba su forma de hacer comedias. Los más destacados dramaturgos fueron Rojas Zorrilla y Agustín Moreto.

Las comedias de Tirso

Entre las comedias de **Tirso** destacan *Don Gil de las calzas verdes*, en la que una joven se disfraza de hombre y enamora a varias damas, y *El vergonzoso en palacio*, en la que un secretario tímido acaba casándose con una marquesa, aunque al final se sabrá que el tal secretario es un duque.

Don Juan

Aunque su producción es muy extensa, Tirso de Molina debe su popularidad a la creación de un personaje universal: don Juan. El protagonista de *El burlador de Sevilla y convidado de piedra* es don Juan Tenorio, un conquistador fatuo y despiadado, que dedica su vida a engañar a las mujeres.

El personaje de don Juan ha sido recreado por José Zorrilla (ver t23) y por otros escritores de la literatura universal, como Molière, lord Byron o Bernard Shaw.

Francisco de Rojas Zorrilla

(1607-1648) Destacó en el drama histórico, con obras como *Del rey abajo, ninguno, Entre bobos anda el juego* y *Cada cual lo que le toca.*

Agustín Moreto y Cabaña

(1618-1668). Escribió comedias históricas, religiosas y, sobre todo, costumbristas. Las más conocidas son *El desdén con el desdén* y *El lindo don Diego.*

Introducción a la literatura del siglo XVIII

Después de la crisis del siglo XVII, en Europa se produce un gran desarrollo económico, en especial en Inglaterra, donde tiene lugar la llamada «Revolución industrial». La burguesía, verdadero sostén de la economía pero carente de poder político, acoge las nuevas ideas ilustradas. Los nuevos planteamientos, la mayoría de ellos de carácter reformista, desembocaron, en el ámbito político, en la Revolución Francesa (1789), y en la corriente neoclásica en el artístico.

El despotismo ilustrado

Se conocen con este nombre las reformas emprendidas por reyes y gobiernos absolutistas. Sus principios se resumen en la frase «Todo para el pueblo, pero sin el pueblo».

La colaboración entre los reyes y los ilustrados fue muy estrecha, pero se rompió a finales del siglo XVIII, cuando los ilustrados franceses optaron por la vía revolucionaria y se enfrentaron a la monarquía.

Los géneros neoclásicos

La **novela** de tipo recreativo y la **poesía** subjetiva se desarrollaron poco, mientras el **ensayo**, género en el que se exponían las ideas ilustradas, conoció un auge extraordinario. Los ilustrados se interesan mucho por el **teatro**, debido a sus repercusiones sociales.

Las academias y las sociedades económicas

• Son de gran importancia las academias, como la Real Academia Española, que publicó un *Diccionario de Autoridades* (1726-1739), una *Ortografía* (1741) y una *Gramática castellana* (1771).

• Las **tertulias** no estaban sujetas a unos estatutos y eran mucho más abiertas.

• Las Sociedades Económicas de Amigos del País intentaban promover la educación de los campesinos.

La Ilustración

En el siglo XVIII se produjo un importante desarrollo de las ciencias, como consecuencia de la defensa de la experimentación como método científico. *Retrato del botánico Celestino Mutis* por J. A. De Machado (Real Academia Nacional de Medicina, Madrid).

Se denomina así a la **ideología innovadora** del siglo XVIII, que tuvo especial desarrollo en Francia, donde destacan Voltaire, Montesquieu y Rousseau (ver t60). Sus principales **características** son:

- **Racionalismo:** la razón se considera la única base del saber, lo cual favorece el desarrollo del pensamiento científico.

- **Utopismo:** se cree que la aplicación de la razón a todos los aspectos de la vida humana permitirá una mejora constante de la sociedad y un progreso económico y cultural ilimitado.

- **Reformismo:** para lograr estos objetivos, los ilustrados proponen modernizar la sociedad mediante lentas reformas emprendidas por reyes y gobiernos de carácter absolutista.

El neoclasicismo

En el ámbito de las ideas estéticas, el siglo XVIII supone la vuelta al modelo clásico greco-latino. Las características principales del neoclasicismo son:

- Tendencia a expresar **modelos genéricos,** universales, y no temas personales o nacionales. Por ello, el arte neoclásico es muy homogéneo en toda Europa.

- El arte y la literatura se ven sometidos a unas **normas fijas,** controladas por instituciones del Estado (Reales Academias).

- **Propósito educativo:** la finalidad de la literatura es que sirva para educar al público más que para distraerlo.

El siglo XVIII en España

El atraso general de la sociedad española y su aislamiento respecto del resto de Europa hicieron que las ideas ilustradas tuvieran escaso desarrollo.

En este periodo comienza el debate sobre la europeización de España, que concluye en la necesidad de modernización de la sociedad, de reformar las costumbres, con el objeto de superar las diferencias entre España y Europa. La literatura de la época refleja intensamente este conflicto entre **tradición y modernización**.

Podemos distinguir tres periodos en el siglo XVIII español:

■ De 1700 a 1758: al instaurarse la dinastía de los Borbones franceses se introducen las ideas ilustradas, que chocan con los gustos del público, fiel al estilo **posbarroco**. El escritor más representativo es **Feijoo** (ver t19).

■ De 1759 a 1788: impulsada por el Gobierno, se produce la propagación de las ideas reformistas e ilustradas. Los escritores más importantes son **Cadalso, Jovellanos** (ver t19) y **Meléndez Valdés** (ver t20).

■ De 1789 a 1808: retroceso de las reformas por temor a la Revolución Francesa. El escritor más significativo es **Leandro Fernández de Moratín** (ver t20).

El marco social

A principios de siglo la **población** española contaba con poco más de **cinco millones** de habitantes, pero a lo largo del siglo, con las mejoras de las condiciones económicas y sanitarias, llegó a **duplicarse**.

■ La **nobleza** estaba constituida por los grandes **terratenientes,** que residían en la Corte; por una **nobleza menor,** que siempre vivía en función de las apariencias; por una **nueva nobleza,** que había obtenido sus títulos como consecuencia de poner sus dotes intelectuales al servicio del Estado, como Floridablanca o Campomanes; y por una **nobleza provincial,** muy ilustrada.

■ El **clero** siguió teniendo un gran poder social y económico.

■ Los **artesanos** y **oficiales** vivían en las ciudades y estaban agrupados en gremios muy cerrados.

■ Los **campesinos,** sobre todo en los grandes latifundios, vivían en condiciones muy precarias.

Retrato del conde de Floridablanca, por Francisco de Goya. Floridablanca fue ministro de Carlos III y autor de reformas administrativas y culturales que buscaban la modernización de España.

La prosa del siglo XVIII

El género literario más importante de la prosa del siglo XVIII es el ensayo; la novela, en cambio, se cultivó menos y, salvo algunas excepciones, no produjo obras de gran calidad. La prensa va adquiriendo importancia a lo largo del siglo como vehículo de las nuevas ideas y contribuyó a la creación de una prosa suelta y ágil que abrió el camino al auge periodístico del siglo XIX.

Portada de la *Poética* de Ignacio de Luzán, que se publicó en Zaragoza en 1737.

Ignacio de Luzán

Ignacio de Luzán (1702-1754), nacido en Zaragoza, estudió en Italia y murió en Madrid. Su principal obra es la *Poética*, donde expone los preceptos neoclásicos en materia de literatura. La obra está dividida en cuatro libros: I, «Origen, progresos y esencia de la poesía»; II, «Utilidad y deleite de ella»; III, «Poesía dramática»; y IV, «Poesía épica».

Feijoo

Fray Benito Jerónimo Feijoo (1680-1768), hijo de hidalgos gallegos, ingresó a los catorce años en la orden de los benedictinos. En la Universidad de Oviedo ocupó las cátedras de Teología y Sagrada Escritura. En esa misma ciudad vivió hasta su muerte, lo cual no impidió que tuviera una intensa relación con el mundo exterior.

El ensayo

El **ensayo** es un género de longitud y estructura muy variada, que recibe distintos nombres: memoria, carta, discurso... Se utiliza para exponer, desde una **perspectiva personal** y sin carga erudita, **temas científicos** o de **pensamiento**.

Los ensayistas elaboraron una **prosa directa y precisa**, a medio camino entre la disertación científica y la conversación, reflejo de la lengua culta y animada que se utilizaría en las **tertulias** y que no excluye el tono vehemente cuando la **polémica** lo requiere.

La novela

■ **Diego de Torres Villarroel** (1694-1770) escribió la novela *Vida, ascendencia, nacimiento, crianza y aventuras del doctor don Diego de Torres Villarroel* (1743-1759), una **autobiografía novelada** que recuerda por su tono y estructura a la novela **picaresca**.

El autor, a la vez que narra sus aventuras, ofrece una **sátira caricaturesca** de la decadencia cultural y científica.

■ En 1758 se publica la *Historia del famoso predicador fray Gerundio de Campazas, alias Zotes*, del jesuita **padre Isla**, sátira contra los defectos de la predicación que mantenía aún la complicación **retórica barroca** y la carga de **citas latinas** propias de las obras eruditas.

Feijoo

A los cincuenta años comienza fray Benito Feijoo su **tarea educadora**, que persigue un doble fin:

• Deshacer los **errores populares** basados en la tradición o en la rutina.

• Combatir una **idea de la ciencia,** la de las universidades de la época, que daba por válidas las afirmaciones científicas de la Biblia, Aristóteles, Santo Tomás, etcétera.

La importancia de Feijoo no radica tanto en la innovación ni en la investigación como en la **divulgación** de las novedades científicas y de pensamiento europeas.

Retrato de *Benito Jerónimo Feijoo* (1676-1764) que figura en una edición de 1944 de sus *Ensayos escogidos* (Biblioteca Nacional, Madrid).

Su **obra** está compuesta por los ocho tomos de largos ensayos del *Teatro crítico universal* (1727-1739) y los cinco tomos de las más breves *Cartas eruditas y curiosas*.

Se trata de una **prosa clara y directa,** lejos del estilo abarrocado que aún perduraba y del lenguaje académico.

Jovellanos

La vida de Jovellanos refleja las **contradicciones** en que se debatía la Ilustración española, de la que fue su mayor representante. Su **honradez** personal y sus **ideas reformistas** chocaron continuamente con la **incomprensión** y la intolerancia de los sectores más **tradicionalistas**.

La mayor parte de la prosa de Jovellanos no es propiamente literaria, ya que consiste en **ensayos** dedicados a la reforma de diversos aspectos de la sociedad.

Su obra más destacada es el *Informe sobre la ley agraria* (1794), en el que estudia las causas del atraso de la agricultura española y propone una serie de medidas para superarlo.

En la *Memoria sobre espectáculos y diversiones públicas* (1796) estudia la historia de diversos juegos y espectáculos y propone una serie de reformas. Lo que más le preocupa es el **teatro**, que seguía dominado por los autores posbarrocos (ver t20). Su defensa del teatro neoclásico obedece a la **finalidad educadora** que Jovellanos veía en él.

Son muy importantes sus ensayos sobre la educación, en especial la *Memoria sobre educación pública* (1802), en la que expone unas **ideas pedagógicas** muy avanzadas. Para él, la educación es la base de la prosperidad económica y de la felicidad individual.

Melchor Gaspar de Jovellanos, por Francisco de Goya (Museo del Prado, Madrid).

Cadalso

Cadalso es valorado hoy por sus obras en prosa, en las que experimenta con diferentes moldes narrativos.

Cartas marruecas (1793)

La obra es un **conjunto de epístolas** que se intercambian tres corresponsales:

- Gazel, **joven marroquí**, que viaja por España y cuya mirada extranjera permite ofrecer una **visión crítica** de las costumbres y la sociedad nacionales.

- Ben Beley, su **preceptor**.

- Nuño, español que sirve de **guía** de Gazel. Este personaje añade un **ángulo diferente** desde el que observar la realidad.

La **crítica** de la nación se centra fundamentalmente en la **historia** de España y la **sociedad** española del siglo XVIII. El autor propone emprender un proyecto de **reformas ilustradas**. Sin embargo, se debate entre el deseo de conservar la tradición y la apertura a las corrientes europeizantes.

Noches lúgubres (1790)

La obra, dividida en tres «Noches», es un diálogo en el que se narra cómo Tediato, loco de amor por su amada muerta, quiere desenterrar su cadáver para llevárselo a casa y morir junto a él.

La visión desolada de Tediato, la exaltación del yo, a través de cuya sensibilidad se percibe el mundo exterior, y el tono sentimental y declamatorio que domina en las *Noches* convierten a esta obra en un preludio importante del Romanticismo español.

Jovellanos

Gaspar Melchor de Jovellanos (1744-1811) nació en Gijón, en una familia noble, pero de escasos medios económicos. Durante el reinado de Carlos III desarrolló una intensa vida social e intelectual. La subida al trono de Carlos IV, coincidente con los inicios de la Revolución Francesa, supuso el destierro de Jovellanos a Gijón. En 1797 fue encarcelado en Mallorca. Liberado al producirse la invasión napoleónica, rechazó los cargos que le ofrecía el rey José Bonaparte.

Otras obras de Jovellanos

Además de la tragedia *Pelayo*, el **teatro** de Jovellanos comprende *El delincuente honrado*.

La **poesía** de Jovellanos está muchas veces al servicio de sus ideales ilustrados y reformadores, aunque no faltan aspectos prerrománticos.

Son también de gran interés sus obras de carácter **privado**, sus cartas y sus diarios, en los que se expresa con espontaneidad y sinceridad.

Cadalso

José Cadalso y Vázquez (1741-1782), hijo de un rico comerciante de Cádiz, fue alumno de los jesuitas y completó su formación viajando por Europa, lo que le permitió conocer directamente la literatura francesa e inglesa de su época. Siguió la carrera militar alcanzando el grado de coronel poco antes de su muerte, ocurrida en el sitio de Gibraltar.

El teatro y la poesía en el siglo XVIII

La tragedia neoclásica

Los neoclásicos intentaron crear una tragedia propia, de **temática nacional,** con el fin de aproximarse al pueblo, pero sus esfuerzos no se ven recompensados con el éxito. El principal exponente de las tragedias neoclásicas nacionales fue *La Raquel* (1778), de Vicente García de la Huerta (1734-1787), que trata de los amores entre Alfonso VIII de Castilla y una judía de Toledo.

El sainete

El sainete es una **pieza teatral breve** de **carácter cómico** sobre la vida y **costumbres** de la época, y en ella se retrata especialmente el comportamiento de la clase media *(Las tertulias de Madrid)*, los barrios bajos *(Las castañeras picadas, La cesta del barquillero)* o la vida callejera madrileña *(El Retiro por la mañana, La Plaza Mayor).* Su máximo representante fue **Ramón de la Cruz** (1731-1794), quién cultivó también el sainete satírico.

Leandro Fernández de Moratín

Hijo del también escritor Nicolás Fernández de Moratín (1737-1780), nace en Madrid en 1760. Se forma intelectualmente en el círculo literario de su padre. Tras la guerra de la Independencia se exilia a Europa, y con la llegada del trienio liberal regresa a Barcelona. Pero un año después, huyendo de una epidemia, viaja a París, donde muere en junio de 1828.

El panorama teatral del siglo XVIII en España se caracteriza por las frecuentes y enfervorizadas polémicas entre los defensores del teatro posbarroco, continuista y popular, y los que propugnan una renovación neoclásica. La poesía, por su parte, evoluciona desde los modelos barrocos hasta una sensibilidad prerromántica, pasando por la poesía neoclásica de Meléndez Valdés.

El teatro posbarroco

El sainete se caracteriza por la pintura de costumbres y tipos populares y por su lenguaje realista y cómico. En la imagen, ilustración de una edición de 1882 de *Las castañeras picadas* (Biblioteca Nacional, Madrid).

En la primera mitad del siglo XVIII se representan diferentes tipos de comedias, herederas de los estereotipos barrocos.

- **Comedias puramente continuistas del teatro barroco:** los dramaturgos dieciochescos se limitan a repetir el modelo de Lope y Calderón (ver t16 y t17), pero sin su ingenio, habilidad y originalidad.

- **Comedias de magia:** tuvieron gran éxito en el XVIII, sobre todo entre el pueblo, ya que su única finalidad era entretener y divertir por medio de encantamientos, monstruos y cualquier otro espectáculo donde predominase **lo sorprendente.**

- **Comedias heroicas:** el gusto popular por lo asombroso explica igualmente el desarrollo de la comedia heroica.

El teatro neoclásico

El teatro del último tercio del XVIII adquiere un **carácter didáctico.**

Los neoclásicos abogan por la **renovación** del drama español, no sólo en los aspectos formales, sino también en los **morales.** Aparece así un teatro que pretende ser **estructuralmente perfecto** y de **contenido educativo.**

La reforma neoclásica afecta a la tragedia y a la comedia, y sus modelos más inmediatos son de inspiración francesa.

Leandro Fernández de Moratín

Moratín supo aunar en la comedia la estricta **ideología neoclásica** con el **éxito popular.** Para él, la comedia debía perseguir por encima de todo una **finalidad didáctica** y había de **ridiculizar comportamientos** que nacían de la barbarie, la ignorancia y las malas costumbres.

Producción dramática

Su producción dramática se limita a **cinco comedias,** que satirizan los matrimonios concertados *(El viejo y la niña, El barón y El sí de las niñas),* la educación de los jóvenes *(La mojigata)* y las comedias populacheras de la época *(La comedia nueva o el café).*

Etapas de la poesía

■ **Desde finales del siglo XVII hasta 1750**

En esta fase los **modelos** son los grandes poetas **barrocos:** Góngora, Quevedo y, en ciertos aspectos, Lope de Vega (ver t13 a t15). Estos modelos estaban ya **desgastados.**

■ **Desde 1750 a 1770**

La poesía recoge ya las **nuevas tendencias** estéticas: **enfrentamiento al barroco** y vuelta a **modelos grecolatinos** y del siglo XVI español (ver t12 y t13).

Lo más característico es la vuelta a los temas pastoriles y, con ello, a una nueva visión de la naturaleza y a una **nueva sensibilidad,** más sensual y tierna, que se manifiesta, sobre todo, en la **anacreóntica.**

■ **Desde 1770 a 1790**

Aparecen los **temas** más gratos a los **ilustrados:** la amistad, la solidaridad, el bien común, etcétera.

Una de sus vertientes más características es la **poesía filosófica** y utilitaria, que pretende utilizar el verso para la trasmisión deleitable de las **nuevas ideas.** Así, se podrán escribir odas a la imprenta o a los descubrimientos médicos o geográficos.

Otra vertiente, que será mucho más fecunda, ahonda en los **sentimientos** y se manifiesta, sobre todo, en **epístolas** en verso que se dirigen a poetas amigos.

■ **Desde 1790 a 1820**

El **tono sentimental** se hace más agudo y se sirve de recursos estilísticos que preludian la retórica romántica. Muy característica es la **poesía patriótica** o **civil.**

Juan Meléndez Valdés

Meléndez Valdés fue el mejor poeta español de su tiempo, gracias a su **excelente formación** clásica y moderna y unas **dotes líricas** poco comunes.

Sus poesías son una muestra de **todos los géneros** que se practicaron a lo largo del periodo. Él fue quien difundió la denominada **oda anacreóntica,** que siguió practicando hasta su muerte.

Compuso también las primeras *Odas filosóficas y sagradas,* la más importante **poesía ilustrada** intimista en las *Elegías y Epístolas* dedicadas a amigos o a los dirigentes de la nación, e inició la moda del **romance descriptivo** e histórico-legendario y de la **canción patriótica.**

En **prosa** compuso la **comedia** *Las bodas de Camacho el Rico* y una colección de *Discursos forenses,* muy interesantes por sus avanzadas ideas ilustradas.

Retrato de *Meléndez Valdés,* copia de un cuadro realizado por Goya (Biblioteca Nacional, Madrid).

Los fabulistas

Una muestra extrema de la **poesía didáctica** es la de los fabulistas, como Tomás de Iriarte (1750-1791), que compuso una colección de *Fábulas literarias,* y Félix María de Samaniego (1745-1801), que compuso otra de tipo **moral,** a imitación de los fabulistas clásicos y franceses.

Poesía anacreóntica

La anacreóntica es poesía amorosa, sensual, erótica, delicada, con tiernos pastorcillos enamorados y con numerosas innovaciones métricas. Los títulos son muy significativos: «*Los hoyitos*», «*El ricito*», «*El lunarcito*», lo que ha llevado a algunos críticos a denominar **rococó** este tipo de poemas (ver t46).

Meléndez Valdés

Juan Meléndez Valdés (1754-1817) nació en Ribera del Fresno (Badajoz). Fue catedrático en Salamanca y ocupó diversos puestos políticos. Debido a su amistad con Jovellanos, en 1798 fue desterrado por Godoy. Meléndez decidió colaborar con el Gobierno de José Bonaparte y en 1813 huyó con otros afrancesados a Francia. Murió en Montpellier.

La literatura en el siglo XIX. Introducción

A grandes rasgos, podemos dividir el siglo en dos mitades: en la primera tienen lugar las revoluciones liberales, es decir, el ascenso al poder político de la burguesía; en la segunda, la mayoría de las revoluciones liberales han concluido victoriosamente y la economía capitalista se ha establecido definitivamente. Este conflicto político-social se refleja en la literatura. El Romanticismo, con su mentalidad exaltada, corresponde al periodo revolucionario, y contrapone la realidad con el ideal. El realismo, de espíritu más sosegado y pragmático, trata de expresar la sociedad tal como es, sin idealizarla, y se corresponde con el segundo periodo.

El Romanticismo europeo

Alemania: en las primeras décadas del XIX surge una promoción de valiosos poetas (Novalis, Hölderlin, Heine), novelistas (Chamisso, Hoffman) y dramaturgos (Kleist).

Inglaterra: tuvo también un movimiento prerromántico durante la segunda mitad del XVIII, con poetas como Wordsworth y Coleridge, a los que sucedió la promoción romántica integrada por los poetas Byron, Shelley y Keats, y por el novelista Walter Scott.

Francia: el Romanticismo llegó tarde por el apoyo del Imperio napoleónico a la estética neoclásica. Chateaubriand es el primer escritor romántico francés, y Victor Hugo fue quien proclamó la unidad entre el liberalismo y el Romanticismo.

La libertad romántica

En **política**, el Romanticismo aparecerá como «el liberalismo en literatura», según Victor Hugo (1802-1885).

En el terreno **moral**, los románticos considerarán el sentimiento como única norma de conducta, por lo que defenderán el amor adúltero o el suicidio.

En cuanto al **arte** y la **literatura**, rechazarán las normas neoclásicas, buscando ante todo la originalidad, el estilo personal.

El triunfo del liberalismo

La **época romántica** se inicia con la **restauración** de las monarquías absolutas que derrotan a Napoleón en 1815 y acuerdan prestarse auxilio frente a posibles **revoluciones liberales**.

La **cultura romántica**, vinculada al liberalismo, conecta con los movimientos políticos de su tiempo; en cambio, su exaltación del idealismo y su rechazo de la mentalidad capitalista la distancian de la grandes transformaciones de la época.

El Romanticismo

Orígenes

El Romanticismo tuvo su origen en el movimiento prerromántico *Sturm und Drang* (Tempestad y pasión), desarrollado en Alemania entre 1750 y 1770, en el que destacan Goethe y Schiller, que inician la superación de la estética neoclásica (ver t62).

Características

- **Individualismo:** el arte y la literatura se convierten en expresión del yo, de los sentimientos.

- **Irracionalismo:** frente al racionalismo ilustrado, el Romanticismo valora todo lo no racional, como emociones, sueños, fantasías...

- **Defensa de la libertad:** en la política, la moral y el arte.

- **Idealismo:** los románticos buscarán ideales inalcanzables en todos los aspectos, en especial el amor, lo cual les conducirá inevitablemente al choque con la realidad y al desengaño.

- **Nacionalismo:** frente al espíritu universalista del neoclasicismo, los románticos valoran los rasgos diferenciales de su país, recuperan su historia, sus costumbres y su cultura.

- **Exotismo:** el rechazo de la sociedad moderna lleva al romántico a evadirse, a ambientar sus obras en épocas lejanas (Edad Media) o en lugares todavía no dominados por la civilización europea (Oriente, América).

- **Espíritu rebelde y juvenil,** frente a la madurez racionalista y moderada del neoclasicismo.

Sociedad y cultura en el periodo realista

La reliquia, de Sorolla, 1893.

■ La época del realismo comienza como consecuencia del movimiento revolucionario de 1848, cuya novedad fue su carácter democrático, con participación de las **masas obreras.** Esto provocará el abandono de la revolución por parte de la burguesía, que ahora busca **estabilidad** y **moderación.**

■ En la segunda mitad del siglo XIX se producen grandes **transformaciones sociales:** el crecimiento de la industria va asociado a la concentración de la población en **grandes ciudades,** y al mismo tiempo los países más desarrollados (Inglaterra, Francia) se expanden por todo el mundo, creando grandes imperios coloniales.

El realismo

Entre las características del realismo (ver t67) destacan las siguientes:

■ **Imitación del método científico:** el escritor intenta que su obra refleje la realidad social de manera exacta y objetiva. La novela se convierte así en un **espejo de la vida.**

■ **Presencia de un narrador omnisciente:** el autor adopta el papel de alguien que anticipa lo que va a ocurrir, opina, juzga a sus personajes, dialoga con el lector, etcétera.

■ **Verosimilitud:** los argumentos se basan en la realidad cotidiana con personajes comunes. Además, se sitúan en el **contexto contemporáneo** del autor y del lector.

■ **Sobriedad:** el estilo es sobrio, sencillo, sin complicaciones formales. Como el científico, el escritor busca ante todo la claridad, la exactitud.

■ **Preferencia por la novela:** el realismo se expresa sobre todo por medio de la novela, el género más apto para describir la realidad social.

El naturalismo

Procede de una tendencia novelística desarrollada en Francia a partir de 1871. Fue creada por Emile Zola (1840-1902), quien pretendía que el novelista actuara como un científico.

Se trata de que el novelista estudie a sus personajes y los describa con **exactitud científica,** mostrando que su conducta obedece a la influencia de la herencia biológica y el ambiente social en que viven.

Para lograr estos objetivos, el escritor naturalista imita el **método científico:** observación y documentación de ambientes y personajes, comprobación de datos...

El escritor naturalista utiliza **descripciones** muy detalladas y explica el comportamiento de los personajes apoyándose en la psicología y la medicina. Además, se muestra más audaz en la descripción de los **aspectos sórdidos** o desagradables de la vida humana.

El realismo europeo

Francia es la cuna de la novela realista. Honoré de Balzac (1799-1850) escribió la *La comedia humana,* amplio ciclo que pretende recoger los cambios experimentados por la sociedad francesa. Stendhal (1783-1842) publicó dos grandes novelas realistas, y Gustave Flaubert (1821-1880) es el autor de *Madame Bovary* (1857), la obra cumbre del realismo europeo.

En **Inglaterra:** perviven elementos románticos en novelistas como las hermanas Brontë, Lewis Carroll, Rudard Kipling y R. L. Stevenson. El máximo representante es Charles Dickens (1812-1870).

Rusia conoció un realismo tardío pero importante, dando mayor relevancia a lo psicológico que a la acción narrativa. Destacan Dostoievski (1821-1881), cuyas principales novelas son *Crimen y castigo* (1868) y *Los hermanos Karamazof* (1879), y Tolstoi (1828-1910), autor de *Guerra y paz* (1865) y *Ana Karenina* (1875).

Protagonista conflictivo

La novela se convierte en el relato del conflicto de un personaje, que básicamente consiste en el choque entre sus aspiraciones personales y las normas sociales.

De este choque, el protagonista suele salir derrotado, y el escritor aspira a que este conflicto individual tenga un **valor representativo,** que exprese una problemática social.

La poesía y la prosa románticas

La poesía romántica española, además de aparecer tardíamente, fue un movimiento bastante efímero, que duró apenas una década (1834-1844). Se caracterizó por su estilo retórico y altisonante, y no alcanzaría toda su sencilla hondura hasta el periodo que conocemos como posromanticismo (ver t23). En prosa, la novela histórica no consiguió una producción tan importante como en otros países, pero el agudo costumbrismo de Mesonero Romanos y, sobre todo, de Larra impulsaron la aparición de la novela realista (ver t24).

Circunstancias del Romanticismo español

La guerra de la Independencia (1808-1814) y el restablecimiento del absolutismo frenaron el desarrollo del prerromanticismo español. Durante el reinado de Fernando VII muchos intelectuales tuvieron que exiliarse a Francia o Inglaterra, países en los que entraron en contacto con la literatura romántica.

Otros poetas románticos

El duque de Rivas. Sobresalió como dramaturgo (ver t23) y, en el terreno poético, destacan sus poemas históricos *El moro expósito* (1834), en romance endecasílabo, y los *Romances históricos* (1841), inspirados en sucesos de la Edad Media o los Siglos de Oro.

José Zorrilla también fue principalmente dramaturgo (ver t23), pero su poesía gozó de mucho éxito. Sus *Leyendas* son romances basados en sucesos históricos o tradiciones populares.

Cuando tenía quince años, **José de Espronceda** (Almendralejo, 1808-Madrid 1842) fundó una sociedad secreta para luchar contra el absolutismo, por lo que fue condenado y después indultado. Se exilió a Portugal, donde conoció al amor de su vida, Teresa Mancha, y a París, donde participó en la revolución de 1830. En 1835, ya en España, fue elegido diputado.

La poesía romántica

La poesía lírica adquirió un gran auge durante el Romanticismo, al tratarse del género más apto para la expresión de sentimientos y las actitudes de la época.

Los románticos realizaron grandes innovaciones en la **versificación**, y los **temas** abarcan una gama de **sentimientos** reiterativa: la mujer ideal, el desengaño amoroso, la soledad. Abandonadas las restricciones que imponía el neoclasicismo, la libertad de creación permitió la búsqueda de un estilo personal.

- **Poesía lírica:** ésta se caracterizó por el uso de un estilo retórico y altisonante, lleno de exclamaciones.

- **Poesía narrativa:** en la poesía romántica abundó la narración de leyendas y acontecimientos históricos.

Sátira del suicidio romántico, de Leonardo Alenza. (Museo Romántico, Madrid).

José de Espronceda

Espronceda es un claro representante del **Romanticismo exaltado,** lo cual se muestra en su estilo poético. A la vuelta de su destierro (1834), comienza su producción puramente romántica, que e s la más valiosa.

- **Poemas líricos:** destaca el tema de la defensa de los marginados de la sociedad (*«Canción del pirata»*, «El mendigo», «El reo de muerte», «El verdugo»). El poeta se identifica con ellos porque también se siente un rebelde, un proscrito.

- **Poemas narrativos:**

  - *El estudiante de Salamanca* narra con imágenes truculentas cómo un romántico estudiante es arrastrado a los infiernos por el fantasma de la mujer a la que había seducido.

  - *El diablo mundo* quedó inacabado. Tiene una intención ideológica, pero dentro de su desordenada estructura llama la atención el lírico «Canto a Teresa».

La novela histórica

La novela romántica se desarrollaba generalmente en épocas pasadas, en especial en la Edad Media. Esto se debe a que los románticos consideraban que la sociedad moderna era prosaica y poco interesante desde el punto de vista estético.

En España tuvo poco desarrollo y la obra más interesante de este género fue *El señor de Bembibre* (1844), de Enrique Gil y Carrasco (1815-1846).

El costumbrismo

El costumbrismo trata de la **sociedad contemporánea.** En forma de artículo periodístico, describe costumbres populares, personajes y oficios típicos del país.

Ramón de Mesonero Romanos

(1803-1882). Utilizó el seudónimo «El Curioso Parlante» y dirigió numerosas publicaciones. Su obra se centra en la vida social madrileña, de cuyas transformaciones fue testigo y cronista.

El costumbrismo de Mesonero Romanos no responde al espíritu romántico, que consideró una moda pasajera. Su voluntad de pintar la realidad circundante lo convierten en un precursor de la novela realista (ver t24).

La descripción de ambientes folclóricos y de tipos pintorescos es uno de los rasgos de la prosa costumbrista de la época. En la imagen *La buenaventura,* escena costumbrista de Pedro de Vega (Sammer Galleries, Madrid).

Mariano José de Larra

Larra escribió el drama *Macías* y la novela histórica *El doncel de don Enrique el Doliente,* pero su principal labor creadora la encontramos en sus artículos periodísticos:

- **Artículos de costumbres:** critican la sociedad española de su tiempo, atrasada e inculta. No pretende describir tan sólo las costumbres, sino sobre todo contribuir a reformarlas.

- **Artículos políticos:** atacan con dureza a los carlistas, partidarios del absolutismo, pero también a los gobiernos liberales de tendencia moderada.

- **Artículos literarios:** son comentarios sobre diversas obras literarias, en los que se muestra ecléctico en la polémica entre neoclásicos y románticos.

El estilo de los artículos costumbristas responde a su carácter periodístico. Larra pretende convencer al público, y para ello emplea un **estilo directo** y sin complicaciones. Casi siempre utiliza **anécdotas** con las que ejemplifica su tesis, llenas de **ironía** y sarcasmo, que esconden una gran amargura.

El auge de la prensa decimonónica contribuyó a la proliferación de publicaciones especializadas en las que muchos escritores dieron a conocer su obra. En la imagen, primera página de una publicación destinada al público femenino. (Biblioteca Nacional, Madrid).

El folletín

La novela se difundió sobre todo por medio de la prensa, que iba publicando periódicamente fragmentos de la obra. Se trata de la primera manifestación de una literatura impresa masiva. Esto permitió a los escritores de más éxito vivir de la literatura y no depender de un mecenas aristocrático, pero a costa de amoldar su obra a los gustos del público.

Mariano José de Larra (Madrid 1809-1837) fue hijo de un médico afrancesado, por lo cual su familia tuvo que huir a Francia. Ya en Madrid intervino en la política de la época a través de las publicaciones que dirigió, utilizando los seudónimos de «El pobrecito hablador», «El duende satírico» y, sobre todo «Fígaro». Su desgraciada vida amorosa y su decepción por la situación política lo condujeron al suicidio.

El teatro romántico y el posromanticismo

El drama fue el género por excelencia de la literatura romántica, ya que expresa el conflicto de la época: el choque de los ideales y la conciencia individual del protagonista con la realidad. En poesía, cuando el Romanticismo exaltado de la primera época (ver t22) va quedando atrás, surge una nueva mentalidad mucho más moderada y escéptica, que anticipa el realismo.

Principales dramas románticos

Tras la muerte de Fernando VII comenzaron a representarse dramas románticos. En 1834, *La conjuración de Venecia*, de Martínez de la Rosa (1787-1862), y *Macías* de Larra (ver t22). En 1835, *Don Álvaro*, del duque de Rivas. En 1836, *El trovador*, de García Gutiérrez (1813-1884). En 1837, *Los amantes de Teruel*, de Hartzenbusch (1806-1880). La década de los años cuarenta está dominada por las obras de Zorrilla.

Características

- El **tema** básico es el **amor** apasionado que choca contra las normas sociales; de ahí que casi siempre acabe en tragedia.

- El marco de las obras suele ser de ambiente **medieval.**

- La **escenografía** adquiere gran importancia, a partir sobre todo de la construcción de locales dedicados exclusivamente a las representaciones.

- Se prescinde de las **reglas** neoclásicas, se mezcla verso y prosa y la **finalidad** no es educar, sino conmover.

Una edición de 1863 del drama de Juan Eugenio Hartzenbusch *Los amantes de Teruel* (Biblioteca Nacional, Madrid), que fue estrenado en Madrid en 1837.

Vida del duque de Rivas

Ángel Saavedra (1791-1865) nació en Córdoba. A lo largo de su vida compaginó la actividad política, siempre desde posiciones liberales, con la literaria. Durante la guerra de la Independencia combatió contra los franceses y resultó gravemente herido. Fue elegido diputado, pero tuvo que exiliarse cuando se restauró el absolutismo en 1823. En 1833 regresó a España y ocupó cargos en el Gobierno.

El duque de Rivas

El teatro del duque de Rivas tiene dos etapas, una neoclásica y otra romántica. *Don Álvaro o la fuerza del sino*, escrita en 1833, marca el giro hacia el Romanticismo. Este drama supone el triunfo definitivo del Romanticismo en España. El **tema** principal es la fatalidad, el sino, que persigue al protagonista.

José Zorrilla

Su **gran aceptación** se debió a su verso fácil y sonoro, así como a sus temas, tomados de la historia nacional y las tradiciones populares, y siempre enfocados desde una perspectiva patriótica y religiosa.

Sus obras dramáticas pueden clasificarse, de acuerdo con su temática, en **dramas bíblicos, dramas de enredo** y **dramas históricos,** que son la mayoría.

Don Juan Tenorio (1844)
Es, sin duda, su obra teatral más famosa. Está basada en *El burlador de Sevilla,* de Tirso de Molina (ver t17), y en *El estudiante de Salamanca,* de Espronceda (ver t21).

Introduce una importante modificación en el argumento tradicional: don Juan se enamora sinceramente de doña Inés. Es precisamente la fuerza de este amor la que le permite redimir su vida escandalosa y salvar su alma.

El éxito de *Don Juan* se explica por la adaptación del mítico personaje a la mentalidad romántica, así como por su ritmo rápido y su versificación altisonante.

José Zorrilla

(1817-1893) nació en Valladolid. Su padre se opuso a su vocación literaria, por lo que huyó a Madrid, donde llevó una vida bohemia. Se dio a conocer recitando un poema en el entierro de Larra (1837). Viajó a Francia y México, y a su vuelta gozó de gran popularidad.

El posromanticismo

Existen tres tendencias poéticas posrománticas:

- La irónica y desengañada de **Campoamor** (ver t26).
- La ideológica de **Núñez de Arce**.
- La subjetiva e intimista, en la que destacan **Bécquer** y **Rosalía de Castro** .

Gustavo Adolfo Bécquer

Las *Rimas*

La obra poética de Bécquer es breve, pero muy valiosa. Sus *Rimas* se componen de unos noventa poemas cortos, divididos en cuatro **apartados temáticos**: la poesía (rimas I-X); el amor ilusionado (XI-XXIX); el fracaso amoroso y el desengaño (XXX-LI); la soledad y la muerte (LII-LXXVI).

- Se trata de una poesía **subjetiva,** que expresa las vivencias del poeta.

- El estilo es sencillo, pero de gran perfección formal. Bécquer crea un nuevo tipo de **estrofas,** con preferencia por la rima asonante. De esta manera, el contenido del poema se expresa sin retórica, pero con gran intensidad.

- Las **influencias** de las *Rimas* son la lírica romántica alemana –en especial Heine– y las canciones populares andaluzas.

Retrato de *Gustavo Adolfo Bécquer* realizado por su hermano, el pintor Valeriano Bécquer.

Rosalía de Castro

La **obra poética** de Rosalía de Castro se compone de dos libros en gallego, *Cantares galegos* (1863) y *Follas novas* (1880), y uno en castellano: *En las orillas del Sar* (1884).

Su obra se aparta de las corrientes realistas dominantes en su tiempo.

- Como Bécquer, Rosalía utilizó un **estilo** muy personal, sencillo y directo.

- Rechazó las **estrofas** clásicas y creó otras nuevas, basadas preferentemente en la asonancia.

- Destaca la perfecta fusión de los sentimientos personales con la descripción del **paisaje** de su propia tierra.

Rosalía de Castro, por Sofía Gandarias.

Bécquer

Gustavo Adolfo Domínguez Bastida (1836-1870) nació en Sevilla. Huérfano desde niño, decidió irse a vivir a Madrid para triunfar como poeta, pero en la capital pasó dificultades económicas. Trabajó como periodista y consiguió superar las estrecheces iniciales. Murió en Madrid.

Obras en prosa de Bécquer

Aparecieron como artículos de prensa de la época.

- *Cartas desde mi celda,* son cartas que combinan la descripción paisajística con la confesión personal.

- En las *Cartas literarias a una mujer* expone su concepto de poesía.

- Las *Leyendas* son relatos fantásticos ambientados en su mayoría en la Edad Media. En ellas se expresa la búsqueda de la mujer ideal, el desengaño, etc.

Rosalía de Castro

(1837-1885) nació en Santiago de Compostela. Tuvo una infancia desgraciada y enfermiza. En 1856 se trasladó a Madrid, donde se casó con el intelectual gallego Manuel Murguía. De sus seis hijos, varios murieron niños. Rosalía publicó diversas novelas y textos costumbristas en castellano.

La novela realista

En el periodo posromántico (ver t23) el costumbrismo va evolucionando hacia una narrativa precursora del realismo. El escritor describe ahora la sociedad contemporánea, los ambientes que le rodean. Pero todavía lo hace desde una óptica subjetiva y parcial.

Circunstancias del realismo español

Contexto histórico

Entre 1868 y 1874 tiene lugar un proceso revolucionario de carácter democrático, que se inicia con el derrocamiento de Isabel II y, después del breve reinado de Amadeo I y de la Primera República, termina con el golpe de Estado que devuelve la corona a los Borbones. Con el reinado de Alfonso XII se inicia una larga etapa de estabilidad política conocida como Restauración.

El carlismo fue uno de los problemas que marcaron a la escindida sociedad del siglo XIX. En la imagen, *Abrazo de Vergara* (Museo Municipal de San Telmo, San Sebastián).

El realismo se introduce en España con bastante retraso. En el primer periodo de la Restauración (1874-1885) es cuando se publican la mayoría de las novelas realistas, coincidiendo con el afianzamiento de la burguesía.

La novela realista describe la **transformación de la sociedad** española desde posturas diversas:

- Algunos escritores, como **José María Pereda,** añoran la sociedad agraria y tradicional y desconfían de las ideas modernas.

- Otros, como **Galdós** (ver t25) y **Clarín** (ver t25), defienden la modernización a fondo de España y critican a los sectores tradicionalistas.

El conflicto entre ambas posturas se plasma, en muchas novelas, en el enfrentamiento entre lo **rural** (depositario de los valores morales y religiosos para unos, atraso y superstición para otros) y lo **urbano.**

El realismo español presenta una marcada tendencia **regionalista.** Los escritores suelen ambientar sus obras en los entornos que les son más próximos.

Fernán Caballero

Cecilia Böhl de Faber (Fernán Caballero) era hija de Nicolás Böhl de Faber, el intelectual alemán que en 1814 había defendido el Romanticismo en la prensa gaditana. Nacida en Suiza en 1796 y educada en Alemania, en su juventud se trasladó a España, donde se casó y enviudó tres veces. Para afrontar su difícil situación económica, empezó a publicar novelas y artículos, que tuvieron gran aceptación.

Cecilia Böhl de Faber (*Fernán Caballero*) es la autora más representativa de la narrativa posromántica, de transición entre el costumbrismo y el realismo.

En el prólogo de *La gaviota* defiende una novela alejada de la **imaginación** del Romanticismo y basada en la **observación** de la realidad. Pero el **didactismo** con el que protege sus convicciones católicas frenan su planteamiento inicial.

La autora combina la voluntad de **exactitud** respecto a la realidad con el **costumbrismo romántico,** que buscaba trazar un «cuadro» con los rasgos nacionales del pueblo español, identificados con el tipismo andaluz.

Retrato de *Cecilia Böhl de Faber (Fernán Caballero)*, en *La Ilustración Española y Americana* (1875) (Biblioteca Nacional, Madrid).

La gaviota

La gaviota (1849) es la principal obra de Fernán Caballero. En ella critica el adulterio femenino narrando las desgracias que sufre una mujer que, enamorada de un torero, abandona a su marido. El propósito de la obra es recriminar a las mujeres que se apartan de sus deberes conyugales.

Pedro Antonio de Alarcón

De entre las novelas de Alarcón destaca *El sombrero de tres picos* (1874), cuya ameni-dad y soltura le hicieron célebre. Otra de sus novelas es *El escándalo* (1875), orientada a defender la moral católica, y también es interesante *El niño de la bola* (1880).

Son especialmente valiosos sus **cuentos.** En ellos, despreocupándose de sus tesis moralistas, Alarcón demuestra sus grandes dotes narrativas.

Juan Valera

Valera siempre se mostró partidario del **esteticismo,** es decir, de una cierta idealiza-ción de la realidad. Además, reniega de la intención ideológica de la literatura.

Proyecta en sus novelas su **ideal de vida** basado en el moderado goce de los placeres mundanos y en la defensa del amor frente al misticismo.

Los **personajes femeninos** son generalmente protago-nistas. Casi todos responden al mismo tipo de mujer: bonitas, limpias, orgullosas, inteligentes, idealistas y prácticas a la vez.

Su **estilo** se caracteriza por el uso de un **lenguaje culto,** elegante y refinado, en el que el humor y la iro-nía son empleados con sutileza en las **digresiones** en las que expone sus puntos de vista.

Sus argumentos no tienen grandes intrigas, sino que se detiene en el análisis de las motivaciones y los senti-mientos de los personajes.

Pepita Jiménez

La novela plantea un **doble conflicto:** la pasión amoro-sa frente a la vocación religiosa y la rivalidad entre padre e hijo. Ambos conflictos se resolverán sin dra-matismos en favor del amor.

Es especialmente interesante el **análisis psicológico** de las dudas del protagonista en la primera parte de la novela, una serie de **cartas** que el protagonista dirige a un tío suyo. Esta forma de novelar constituyó una novedad en la narrativa española.

Ilustración de *Pepita Jiménez* en una edición de 1925 (Biblioteca Nacio-nal, Madrid). Otras novelas de Valera son *Las ilusiones del doctor Faustino* (1875), *El Comendador Mendoza* (1877) y *Doña Luz* (1879).

José María de Pereda

Podemos clasificar la obra narrativa de Pereda en cuatro apartados: **cuadros costumbristas** sobre Cantabria, **novelas de tesis, novelas cortesanas** y **novelas regionales.**

En éstas últimas, sin renunciar a sus planteamientos ideológi-cos, Pereda se muestra capaz de superar el esquematismo de sus novelas de tesis. A este grupo pertenecen *El sabor de la tierruca* (1882), *Sotileza* (1884) y *Peñas arriba* (1895).

En las novelas de Pereda destaca la **descripción** de los paisa-jes y las costumbres cántabras, así como la caracterización de los personajes populares.

José María de Pereda.

Benito Pérez Galdós. Leopoldo Alas, *Clarín*

Todos los momentos significativos del realismo español (ver t24) tienen referencia obligada en la obra de Benito Pérez Galdós, creador infatigable, agudo observador de la vida y de la historia, que aunó lo mejor de la tradición novelesca cervantina con las últimas innovaciones literarias de su época. De esta afortunada unión surgió una obra de extraordinaria densidad y riqueza, que tuvo su origen y su destino en la sociedad de su tiempo. La obra maestra de Clarín es La Regenta (1885), que está considerada como una de las novelas más importantes de la literatura española.

Benito Pérez Galdós
(1843-1920) nació en Las Palmas de Gran Canaria. A los diecinueve años se marchó a Madrid, donde residió el resto de su vida. Fue diputado, primero del partido liberal y después del republicano.
Su compromiso político perjudicó su carrera como escritor, que era de lo que vivía. Pasó los últimos años de su vida enfermo, ciego y con grandes dificultades económicas.

Galdós

En su producción novelística encontramos todas las modalidades narrativas y, en ellas, Galdós es el único escritor español del siglo XIX capaz de construir un amplio cuadro de la sociedad de su tiempo.

A la vez, Galdós es el único escritor que posee una visión global y coherente de la historia contemporánea española, novelada en sus *Episodios nacionales*.

Los *Episodios nacionales*

Constituyen una amplia reconstrucción de la **historia de España** en el siglo XIX, desde la batalla de Trafalgar (1805) hasta los comienzos de la Restauración (1875).

Los *Episodios* superan los modelos de novela histórica romántica (ver t22) porque Galdós construye sus obras manteniendo dos planos, el histórico y el novelesco, que discurren de manera paralela, interrelacionándose con frecuencia.

Novelas de la primera época

Escritas entre 1870 y 1878, tratan generalmente del enfrentamiento ideológico que dividía la España de la época. Los personajes quedan escindidos en dos bandos: progresistas y tradicionalistas. Galdós se identifica con los primeros y critica a los segundos.

Además de *La Fontana de Oro*, primera novela realista española, pertenecen a esta época las llamadas **novelas de la intolerancia**: *Doña Perfecta* (1876), *Gloria* (1877), *La familia de León Roch* (1878)) y *Marianela* (1878).

Novelas contemporáneas

Son veinticuatro novelas escritas entre 1881 y 1889, que constituyen un amplio retrato de la sociedad española, con especial atención a las clases medias.

El autor muestra aquí un mayor dominio de las **técnicas realistas** y es, por tanto, más imparcial. Sin abandonar sus ideas progresistas, describe a los personajes de una manera profunda, con sus contradicciones.

Principales novelas contemporáneas

En ellas se observa la influencia atenuada del naturalismo (ver t26). Son *La desheredada* (1881), *El amigo manso* (1882), *El doctor Centeno* (1882), *Tormento* (1884), *La de Bringas* (1884), *Lo prohibido* (1885), *Fortunata y Jacinta* (1887), *Miau* (1888) y *Torquemada en la hoguera* (1889).

Fortunata y Jacinta

Considerada su obra maestra, describe a lo largo de más de mil páginas, una intriga amorosa, que nunca llega a plantear situaciones demasiado conflictivas y que sirve a Galdós para trazar un amplio panorama de la sociedad española, con multitud de personajes secundarios representativos de diversos sectores y ambientes.

Benito Pérez Galdós.

Etapa espiritualista

En sus últimas novelas, Galdós muestra un creciente interés por los **temas morales** y **espirituales**. En estas novelas se acentúa el idealismo de los personajes y pierde importancia la descripción de la realidad.

Pertenecen a esta etapa, entre otras, *Nazarín* (1895) y *Misericordia* (1897).

Leopoldo Alas, *Clarín*

La obra de *Clarín* se compone de numerosos artículos de crítica literaria, dos novelas, una obra teatral y varios libros de cuentos.

■ Sus **artículos** de crítica literaria, en los que expuso sus ideas acerca de la novela, pronto le hicieron conocido y respetado en todo el país.

■ La producción **novelística** de *Clarín* es escasa: *La Regenta* (1885) y *Su único hijo* (1890). Esta última se aleja del realismo para expresar de pleno la crisis ideológica de fin de siglo.

■ *Clarín* intentó introducirse también, aunque sin demasiado éxito, en el **mundo teatral** con *Teresa* (1895), drama de ambientación obrera.

■ Especial importancia tienen sus **cuentos y novelas cortas,** entre las que destacan *Pipá,* sobre la tragedia de un golfillo; *Doña Berta,* poética historia de una solterona; y, sobre todo, *Adiós, Cordera,* uno de los mejores cuentos de la literatura española. Aunque no falta su característica **tendencia satírica,** en la narrativa corta *Clarín* se muestra más abierto a la **ternura,** a la compasión y a la solidaridad.

Leopoldo Alas, *Clarín.*

La Regenta

En ella se retrata en toda su complejidad una ciudad de provincias, **Vetusta** (nombre tras el que se esconde Oviedo), en la que está representada la **sociedad española** de la Restauración.

Clarín somete a una **irónica crítica** a todos los estamentos de la ciudad, que conforman una atmósfera asfixiante, opresiva, que choca con la protagonista, Ana Ozores. La importancia de la **presión social** sobre ella acerca la novela a las teorías del **naturalismo** (ver t22).

La Regenta es una novela de poca acción, en la que adquieren gran importancia las descripciones de la **psicología** de los personajes y de los ambientes: la catedral, el casino, las reuniones de la burguesía...

Clarín combina el punto de vista objetivo, distante, con sus propias intervenciones, dando su opinión y, sobre todo, aportando una aguda visión irónica.

Obras teatrales de Galdós

En su etapa final mostró Galdós un creciente interés por el teatro, que ya se intuía en la importancia que adquirieron los diálogos en sus novelas.

De ahí que la mayoría de sus obras teatrales sean adaptaciones de sus novelas, conservando el mismo título: *Realidad* (1892), *Doña Perfecta* (1896), etc. La más famosa en su época fue *Electra* (1901).

Aunque nació en Zamora, **Leopoldo Alas** (1852-1901) se consideró siempre asturiano. En Madrid contactó con profesores krausistas y trabajó como periodista con el seudónimo de «Clarín». En 1882 consiguió una cátedra en la Universidad de Oviedo, que ejercería hasta su muerte. En 1885, la publicación de *La Regenta* provocó un gran escándalo en los ambientes conservadores, especialmente en Oviedo.

El naturalismo en España. La poesía realista

El naturalismo (ver t21) se introdujo en España hacia 1882, en medio de una fuerte polémica. Los sectores conservadores lo consideraban inmoral y opuesto al catolicismo, ya que negaba la libertad del hombre para elegir su conducta. Hacia 1890 el naturalismo fue diluyéndose, lo que no impidió que Vicente Blasco Ibáñez siguiera escribiendo con éxito novelas naturalistas a lo largo de las dos primeras décadas del siglo XX. La poesía siguió cultivándose y tuvo buena acogida entre el público, aunque hoy resulte alejada de nuestra sensibilidad.

Pardo Bazán

Emilia Pardo Bazán fue la primera que divulgó y defendió el naturalismo francés en España en el libro *La cuestión palpitante* (1881), pero rechazó sus bases teóricas cientificistas, ya que se oponían a la doctrina católica.

Retrato de *Emilia Pardo Bazán* (Biblioteca Nacional, Madrid).

Etapa naturalista

La tribuna (1882) está escrita siguiendo la técnica naturalista. Se trata de una obra de tema político-social en la que se critican los ideales republicanos que defiende la protagonista.

Su novela más importante es *Los pazos de Ulloa* (1886), centrada en el choque de unos personajes de la ciudad con otros representativos de la aldea gallega. Los personajes aparecen **determinados** por el ambiente.

Los personajes de *Los pazos de Ulloa*

De acuerdo con las tesis de Zola (ver t24), los personajes aparecen determinados por el medio ambiente. De un lado, Pedro Moscoso, señor del pazo de Ulloa, aristócrata decadente y embrutecido, dominado por sus criados. Del otro, Nucha, la joven esposa traída de la ciudad, y Julián, el capellán recién salido del seminario. Ambos sucumbirán ante la terrible hostilidad de la aldea, un «paisaje de lobos».

Etapa espiritualista

Insolación y *Morriña*, ambas de 1889, son novelas de transición, en las que la autora acentúa el **estudio psicológico** de los personajes. *Una cristiana* y *La prueba* (1890) suponen la búsqueda de un naturalismo espiritualista.

Sus últimas novelas son ya claramente espiritualistas y simbólicas: *El tesoro de Gastón* (1897), *El saludo de las brujas* (1898), *La quimera* (1905), *La sirena negra* (1909) y *Dulce sueño*.

El gusto por las descripciones hiperrealistas, propio del naturalismo, se aprecia en esta portada de *Los pazos de Ulloa*, donde se recoge la escena de un asesinato. La continuación de *Los pazos de Ulloa* es *La madre Naturaleza* (1887), que acentúa el determinismo naturalista.

Blasco Ibáñez

Vicente Blasco Ibáñez gozó de una gran popularidad en su época, en parte por su personalidad y su vida aventurera.

La extensa producción de Blasco Ibáñez puede clasificarse en tres ciclos diferentes:

- **Ciclo valenciano:** comienza en 1894 y se considera el ciclo más importante.

Las obras que lo integran son novelas de **técnica naturalista,** que abarcan el conjunto de los ambientes de la región valenciana: la ciudad, el mar y el campo, con coloristas descripciones de los paisajes y las costumbres regionales.

Cabe destacar entre ellas *Arroz y tartana* (1894), novela sobre la pequeña burguesía de Valencia; *Flor de Mayo* (1895), sobre los pescadores valencianos; *La barraca* (1898), ambientada en la Huerta; y *Cañas y barro* (1902), situada en la Albufera.

- **Ciclo político:** entre 1903 y 1906, Blasco Ibáñez publica varias novelas de tendencia anticlerical y republicana: *La catedral* (1903), *El intruso* (1904), *La bodega* (1905) y *La horda* (1906).

Desde el punto de vista literario, las obras de este ciclo son novelas lastradas por el excesivo peso de sus opiniones políticas.

- **Ciclo final:** la novela más importante de este ciclo, en una época en la que el realismo está superado, es *Los cuatro jinetes del Apocalipsis* (1916), de gran proyección internacional por su defensa de los aliados en la guerra mundial.

Portada de *La Barraca,* publicada originalmente en el periódico *El Pueblo,* que dirigía el propio Blasco Ibáñez. En la novela se abordan con técnicas naturalistas los problemas de los campesinos pobres de la huerta valenciana.

Vicente Blasco Ibáñez (1867-1928) nació en Valencia. En Madrid fue secretario de un escritor de folletines que lo inició en la técnica novelística. Participó en la política de su tiempo desde posiciones republicanas, lo que le obligó a exiliarse varias veces. En 1910 fundó dos colonias agrícolas en la Patagonia (Argentina), que fracasaron. Durante la Primera Guerra Mundial organizó diversas campañas políticas a favor de los aliados.

Crisis del naturalismo

Hacia 1887 comienza a entrar en crisis el modelo naturalista. En España se percibe el cambio en las últimas novelas de los grandes escritores realistas (ver t24 y t25), que se basan más en la psicología de los personajes que en la trama argumental. Los nuevos modelos son los novelistas rusos y los dramaturgos escandinavos.

La poesía del periodo realista

En la producción poética de este periodo, además de la visión subjetiva de Bécquer y Rosalía de Castro (ver t23) se ponen de manifiesto dos tendencias:

- La **escéptica y prosaica** de Campoamor (1817-1901).

- La **discursiva y retórica** de Núñez de Arce (1834-1903).

A pesar de que hoy apenas se valora, la **poesía de Campoamor** gozó de una fama y un prestigio extraordinarios en su época. Sus libros poéticos más importantes son: *Dolorosas* (1846), *Pequeños poemas* (1873-1892) y *Humoradas* (1886).

Su **estilo** es deliberadamente prosaico, sencillo, casi coloquial; y sus **temas** se basan en una mentalidad escéptica, irónica.

Otra corriente poética

Conviene tener en cuenta otra corriente poética autónoma, que, aunque no tuvo representantes de primera categoría, sirvió de enlace entre el Romanticismo y el modernismo (ver t28). Es una poesía en la que predominan las descripciones coloristas y los ambientes exóticos, utilizando una versificación sonora. Figuran en esta tendencia **Manuel Reina, Ricardo Gil** y **Salvador Rueda.**

Ramón de Campoamor, por J. Espalter (Ateneo de Madrid).

Introducción a la literatura del siglo XX

La evolución de la literatura española en el siglo XX está marcada por la asimilación de las innovaciones europeas en las tres primeras décadas y la fractura y el aislamiento tras la Guerra Civil.

El marco histórico social español

Del desastre de 1898 a 1923

El siglo XX se inicia en España con la **Restauración** (1875-1931), periodo en que se vuelve a la monarquía con la figura de Alfonso XII, al que sucede su hijo Alfonso XIII (1886-1941) tras la regencia de María Cristina.

En 1898 tuvo lugar el denominado **desastre del 98,** llamado así en alusión a la pérdida de las últimas colonias ultramarinas, Cuba, Puerto Rico y Filipinas.

La dictadura de Primo de Rivera (1923-1930)

El **malestar social** se manifiesta en estallidos violentos y revueltas (Semana Trágica de Barcelona, 1909) y los gobiernos ineficaces se suceden, hasta que, en 1923, triunfa el golpe de Estado de **Primo de Rivera** (1870-1930). Tras un periodo de paz social, la Dictadura fracasa.

La Segunda República (1931-1939)

El periodo de la Segunda República comprende desde el 14 de abril de 1931 hasta el 1 de abril de 1939, fecha en que acaba la Guerra Civil. Es preciso distinguir entre la etapa de paz, hasta el 17 de julio de 1936, y la etapa de guerra.

Cinco meses después del triunfo del izquierdista Frente Popular en las elecciones de 1936, el general **Francisco Franco** (1892-1975) inicia la insurrección militar y estalla la **Guerra Civil,** con un elevado saldo de muertos, heridos, presos y exiliados.

El franquismo (1939-1975)

Con este nombre se designa el régimen político impuesto por el general Franco tras la victoria en la Guerra Civil. El **régimen** se basaba en una ideología única (el nacionalsindicalismo), un solo partido y un jefe permanente que concentraba en sus manos todos los poderes.

Proclamación de la República en la Puerta del Sol de Madrid, el 14 de abril de 1931.

La década de los **años cuarenta** se ve marcada por las secuelas de la guerra y es la etapa más dura del régimen. Los **años cincuenta** se inician con un crecimiento económico y una apertura hacia el exterior. Durante los **años sesenta,** la situación española mejora gracias a la explotación turística. La aguda crisis económica de los **años setenta,** el crecimiento de la oposición y la vejez del dictador llevan a una radicalización del régimen.

La democracia (1975 hasta nuestros días)

Tras la muerte de Franco (20 de noviembre de 1975) se desvanece la dictadura. Juan Carlos I se convierte en rey de España y se inicia la transición hacia la democracia.

Durante este periodo, España entra a formar parte de la OTAN y de la Comunidad Económica Europea (hoy llamada Unión Europea).

Contexto cultural

El descontento de algunos intelectuales ante el adocenamiento de la cultura como consecuencia del desarrollo de los medios de comunicación impulsó el nacimiento de los **movimientos de vanguardia,** cuyo punto de partida es la experimentación desbordada.

Cubismo y surrealismo

En la **década cubista** (1905-1914), los pintores Pablo Picasso (1881-1973) y Georges Braque (1882-1963) apuestan por el color y la perspectiva, mientras que Guillaume Apollinaire (1880-1918) opta por una poesía de construcción visual, **caligramas.**

El **surrealismo** alcanzó su máxima expresión en las artes plásticas. Las imágenes oníricas y la exploración del subconsciente se muestran con toda intensidad en la pintura de Salvador Dalí (1904-1989), entre otros.

Las señoritas de Avignon (1907), de Picasso. (Museo de Arte Moderno de Nueva York).

Expresionismo

El **expresionismo alemán** (1910-1920) reivindica la fuerza de la emoción humana y el intimismo. Destacan, dentro y fuera de Alemania, la poesía de Gottfried Benn (1886-1956) y la narrativa de Franz Kafka (1883-1924).

El arte en los países socialistas

El **realismo socialista** se concibió como un proceso de educación política para las masas y de divulgación de lo que debería ser el nuevo orden mundial, y creó unas pautas creativas para los artistas.

La literatura española en el siglo XX

Desde principios de siglo a la Guerra Civil

■ **El modernismo** (ver t28), introducido desde Hispanoamérica por Rubén Darío (1867-1916), siente fascinación por el lujo, el exotismo, la elegancia...

■ **La generación del 98** (ver t29 a t31) centra su interés en los problemas del país, indagando en la esencia del alma española y la revalorización de lo castizo.

■ En torno a 1910 surge un grupo de intelectuales movidos por el afán investigador y por la perfección de la obra artística, que intenta alentar las artes y las ciencias españolas. Es la **generación del 14** o **novecentistas** (ver t32 y t33).

■ **La generación del 27** es básicamente una generación poética que se siente atraída por la poesía pura de Juan Ramón Jiménez (1881-1958) (ver t35 y t37).

Desde la posguerra a la actualidad

■ En los **años cuarenta** se distinguen dos posturas literarias, la **evasiva** y la **realista,** que se manifiestan, con diferencias, en todos los géneros. La tendencia realista desemboca en la «literatura social» de los **años cincuenta.**

■ La poesía de los **años sesenta** vuelve al intimismo y la novela se caracteriza por la experimentación.

■ En los **años setenta** surgen los **novísimos,** que proclaman la autonomía del arte. En los **años ochenta** se advierte un mayor cosmopolitismo y gran influencia extranjera.

Las grandes corrientes de pensamiento

Los movimientos artísticos del siglo XX dejan ver tres actitudes principales: la **desolación** ante el fracaso de las ideologías, el **ensimismamiento** y la **socialización.** Estas actitudes toman cuerpo en las tres principales corrientes de pensamiento:

El irracionalismo

Es un movimiento ideológico europeo del siglo XX. Se inspira en el Romanticismo alemán, que exalta el individualismo y la figura del «yo» en equilibrio inestable con el universo, y es una reacción al idealismo. Tienen especial relieve las figuras de **Sören Kierkegaard** (1813-1855) y **Friedrich Nietzsche** (1844-1900).

El psicoanálisis

El psicoanálisis parte de un método terapéutico elaborado por **Sigmund Freud** (1856-1939). Se basa en la recuperación y exploración de elementos conflictivos en la vida pasada del paciente (y más tarde del artista) que están involuntariamente olvidados por un proceso de represión. Algunos hechos, como los sueños o las expresiones artísticas, suponen la afloración de esos elementos del **subconsciente.**

El marxismo

Es una teoría científico-filosófica elaborada por **Karl Marx** (1818-1883) y **Friedrich Engels** (1820-1895), cuyo motor es la lucha de clases. Así, la división laboral de la sociedad capitalista crea desigualdades entre los poseedores de los medios de producción y los trabajadores. Se impone, pues, la revolución y la dictadura del proletariado para que poseedores y trabajadores sean la misma clase.

Modernismo

A finales del siglo XIX aparecen en España las primeras manifestaciones estéticas de carácter renovador que se oponen a las tendencias literarias en boga. El modelo realista que había triunfado durante la segunda mitad del siglo está ya agotado, y la poesía triunfalista y prosaica de Campoamor y Núñez de Arce (ver t26) ya no responde a las exigencias del momento. El modernismo surgió como una reacción rebelde e inconformista ante todo lo establecido.

El modernismo literario

El concepto de **modernismo literario** define la variante del modernismo que preconiza una independencia literaria de Hispanoamérica hacia la supremacía de España y cuya máxima es la **belleza absoluta** y la **perfección formal** de la obra de arte.

Orígenes

El modernismo literario surge en Hispanoamérica hacia 1880, primero en prosa y después en verso. Lo encabezan el cubano **José Martí** (1853-1895) y el nicaragüense **Rubén Darío** (1867-1916) (ver t84).

Los modernistas buscan distanciarse del casticismo español y afirmar sus raíces americanas. Para ello, se inspiran en la tradición romántica, simbolista y parnasiana francesa.

Características

- De los románticos adoptan el **descontento ante la vida,** el culto a la muerte, la soledad, la melancolía, la nocturnidad, lo misterioso, la imaginación y la fantasía.

- De inspiración **parnasiana** son la búsqueda de la **perfección formal,** la evocación de la Antigüedad grecolatina y la idea del arte por el arte.

- La idea de la sugestión y la **musicalidad** (ritmo, rima interna, etcétera) proceden del simbolismo.

- La **belleza modernista** se consigue a través de las imágenes visuales, el color, la música y los efectos sonoros.

- Entre los **metros** preferidos destacan el alejandrino y el dodecasílabo. Abundan las variantes de las estrofas clásicas.

- Gran **riqueza léxica.** Ligado con los puntos anteriores, se busca en la palabra todas sus posibilidades expresivas.

Portada de *Lira guerrera,* de José Martí, perteneciente a una edición de sus *Obras completas,* publicada en 1925. (Biblioteca Nacional, Madrid).

Torres del templo la *Sagrada Familia,* de Barcelona, obra del arquitecto Antonio Gaudí. Se empezó a construir en 1862. La experimentación modernista alcanzó a todas las artes.

Parnasianismo y simbolismo

El **parnasianismo** es un movimiento literario, aparecido en Francia en la década 1866-1876, que rechaza el sentimentalismo romántico, por lo que surge la preocupación por la perfección formal y el exotismo.

El **simbolismo** surge en Francia en 1886, fecha en que se publica su manifiesto. Pretendió sustituir la realidad por un conjunto de sensaciones y de emociones.

Modernismo exótico y modernismo intimista

Exótico: es el que sitúa la acción en espacios irreales y sensuales, como la India, la cultura griega o el mundo caballeresco, y puebla los poemas de hadas, ninfas, centauros y princesas.

Intimista: es la respuesta del poeta a su melancolía, sus preocupaciones internas y su angustia. El pesimismo y el desencanto afloran en numerosos poemas.

Rubén Darío

Félix Rubén García Sarmiento, **Rubén Darío,** (1867-1916) nació en Metapa (Nicaragua). Fue diplomático y periodista, por lo que visitó numerosas ciudades de Europa y América. En París conoció a parnasianos y simbolistas y se introdujo en el mundo de la literatura francesa. Murió en León (Nicaragua).

La **obra** de Darío –en prosa y en verso– sirvió, junto con sus viajes por Europa y América, para difundir y consolidar el modernismo. Destacan tres obras:

■ *Azul...* (1888): consta de composiciones escritas en verso y en prosa, donde se ponen de manifiesto las directrices de la nueva estética.

■ *Prosas profanas* (1896): significa la consolidación de la línea elegante y refinada que se había iniciado en su obra anterior.

■ *Cantos de vida y esperanza* (1905): supone un cambio en la trayectoria de Darío. Sus tres ejes temáticos son:

• La evasión aristocrática de la sociedad.

• La preocupación social y política: Darío exalta España y recurre a su pasado contra el imperialismo norteamericano.

• La inquietud personal: reflexiona sobre la propia existencia, el tiempo, la muerte.

*«Yo soy aquel que ayer nomás decía
el verso azul y la canción profana,
en cuya noche un ruiseñor había
que era alondra de luz por la mañana».*

Fotografía de Rubén Darío. Los primeros versos del primer poema de *Cantos de vida y esperanza* aluden a las creaciones anteriores de Darío, a la vez que marcan un cambio en su trayectoria.

El modernismo en España

En España, el modernismo fue menos brillante, exótico y atrevido que en Hispanoamérica. Su gusto por lo sensual y sensitivo dio lugar a modalidades más intimistas. Se adopta la estética fundamental, pero se rechaza el escapismo arquetípico de Rubén Darío.

Los principales poetas modernistas españoles fueron Salvador Rueda, Francisco Villaespesa, Eduardo Marquina y Manuel Machado.

Manuel Machado (1874-1947)

Hermano del también poeta Antonio Machado (ver t31), está considerado como una de las figuras más importantes del modernismo español. Fue autor de numerosas composiciones, recogidas en *Alma* (1902), *Caprichos* (1905), *Cantares* (1907), *Cante Hondo* (1912), etcétera.

En su poesía se combina el andalucismo con la visión cosmopolita de la vida. Junto a ligeras composiciones populares –dedicadas a los toros, la guitarra o el cante hondo–, aparece un Machado más profundo y religioso, autor de sonetos de gran espiritualidad y fe.

Manuel Machado escribió, además de sus composiciones poéticas, algunas obras de teatro en colaboración con su hermano.

Salvador Rueda

(1857-1933). Su primer libro importante de poesías fue *En tropel* (1892), que lleva un pórtico de Rubén Darío. La poesía alegre y luminosa de Rueda contrastaba con la poesía gris de finales de siglo, por lo que se le suele considerar como un precursor del modernismo.

Francisco Villaespesa

(1877-1936). Mezcla en sus poesías elementos románticos y modernistas. La melancolía, el sentimentalismo y una cierta desazón romántica, expresada a veces a través de símbolos macabros, se combinan con los temas mitológicos y la descripción de paisajes idílicos modernistas.

Eduardo Marquina

Marquina (1879-1946) se relaciona directamente con el modernismo, aunque en ocasiones incorpora elementos particulares que lo alejan de él. Canta al amor, al dolor, a las grandes gestas históricas, a la vida tranquila y apacible del campo, a la naturaleza... También escribió poemas de temática religiosa.

La generación del 98 (I). Introducción

A partir del desastre colonial –la pérdida de Cuba, Puerto Rico y Filipinas–, surge la conciencia de la pobreza, la miseria, la injusticia social, la desidia económica y política, etcétera, y con ello la urgente necesidad de un cambio en la estructura del poder, pues la Restauración (el régimen vigente) no satisfacía a nadie. En este contexto aparece un grupo de escritores que serán conocidos como generación del 98: Miguel de Unamuno, Azorín, Pío Baroja, Ramón del Valle-Inclán y Antonio Machado.

Orígenes

El «Manifiesto de los tres» (1901), firmado por Azorín, Ramiro de Maeztu y Pío Baroja es el origen del movimiento. En él se denuncian la realidad del país, la desorientación de la juventud, la falta de valores.

Pero el «grupo de los tres» dura poco. El fracaso de la acción los conduce hacia el idealismo y hacia posturas políticas conservadoras.

El regeneracionismo

Es un movimiento de finales del XIX que tiene como principal objetivo analizar la crítica situación social y política de España y proponer soluciones prácticas a las muchas lacras sociales que padece el país. Entre las principales figuras destacan Ángel Ganivet (1865-1898), Joaquín Costa (1846-1911) y Ramiro de Maeztu (1875-1936).

Marco histórico

El periodo de la historia de España comprendido desde septiembre de 1874 hasta abril de 1931 se designa con el nombre de Restauración. En él se pueden distinguir tres etapas:

- **1874-1876:** se inicia con el pronunciamiento militar de Martínez Campos en Sagunto y con la formación de un ministerio-regencia presidido por Antonio Cánovas del Castillo.

- **1876-1897:** el sistema se estabiliza y se crea el turno de partidos en el poder (conservadores y liberales), mientras las Cortes permanecen en manos de la alta burguesía.

- **1898-1931:** el periodo final de crisis y hundimiento del sistema empieza con la pérdida de las colonias (1898), se agrava con la dictadura de Primo de Rivera (1923-1930) y acaba definitivamente con la Segunda República.

Mis amigos (1920-1936), carboncillo y óleo sobre lienzo de Ignacio Zuloaga, inacabado. (Museo Zuloaga). En primer término, a la derecha, José Ortega y Gasset; junto a él, Gregorio Marañón y detrás, Ramón del Valle-Inclán, entre otros. La figura de Unamuno se evoca mediante la pajarita que está sobre la mesa.

Definición

La generación del 98 es un movimiento puramente español formado por un grupo de jóvenes escritores que se caracterizan por proponer la renovación estética de la literatura anterior y la regeneración de la cultura del país.

- Si se hubieran preocupado únicamente por la estética, este grupo no se habría distinguido de los modernistas (ver t28).

- Si se hubieran preocupado sólo por la regeneración del país, se habrían confundido con los regeneracionistas.

Características

- Europeísmo y gusto por lo castizo:

  • En una primera propuesta hubo un intento de elevar España a la altura de Europa (**europeizar España**). Esto significaba abrirse a las corrientes modernas de pensamiento y vivir en un espacio amplio y sin fronteras.

  • El amor a España llevó a los noventayochistas a profundizar en el conocimiento de lo español. Ven la autenticidad de España en la Castilla medieval, libre, poderosa e invicta.

- **Sobriedad:** los noventayochistas huyen de la grandilocuencia retórica y buscan la máxima claridad y llaneza. Su afán de expresividad les lleva a buscar términos poco frecuentes o arcaísmos.

- **Subjetivismo:** la evolución del problema de España hacia posturas intimistas los lleva a la subjetividad y a una visión introspectiva de la realidad.

- **Idealización del paisaje:** el paisaje castellano se convierte en el símbolo del alma española.

- **La preocupación por los problemas de España** les hace subordinar la forma al contenido, por lo que recurren preferentemente al ensayo.

El río Órbigo a su paso por la comarca de Benavente, en Zamora. La sensibilidad hacia el paisaje castellano y su utilización como materia de creación artística son muy características de los escritores del 98.

- **Reflexiones filosóficas:** al producirse una interiorización de la crisis general del país, los noventayochistas reflexionan sobre el sentido de la vida, la religión, la existencia de Dios, el tiempo, etcétera.

Generación del 98 y modernismo

La crítica se ha preguntado en diversas ocasiones si realmente existe una **diferencia** clara entre estos dos movimientos que se desarrollaron casi simultáneamente a principios de siglo.

- Por una parte, un grupo de críticos considera que modernismo y 98 son dos movimientos totalmente **diferenciados.**

- Otros, sin embargo, estiman que los límites entre un movimiento y otro son **difusos.** Rechazan la oposición París / Castilla (representadas por modernismo y 98, respectivamente) y señalan la influencia de Rubén Darío y del simbolismo en el 98, así como el hecho de que ambos se producen durante la crisis de fin de siglo que afectó a toda Europa.

Interiorización de las influencias

Los noventayochistas se sienten atraídos por descubrir el alma nacional, la esencia del país. Se produce así la interiorización del problema de España, la proclamación **de lo castizo** y un subjetivismo que, unido a las **corrientes filosóficas** en boga (existenciales, vitalistas, etcétera), da lugar a una respuesta abstracta que lleva a la indagación personal del individuo.

Generación literaria

Para poder hablar de un grupo de escritores como «generación literaria» han de cumplirse los siguientes requisitos, muchos de los cuales se observan en la generación del 98:

• Nacimiento en fechas próximas.

• Formación intelectual semejante.

• Mantenimiento de relaciones personales entre ellos.

• Participación conjunta en actos colectivos, celebraciones y revistas.

• Existencia de un acontecimiento generacional que los aglutine.

• Presencia de un guía ideológico con quien identificarse.

• Inquietudes y experiencias similares.

• Existencia de un lenguaje generacional.

• Anquilosamiento de la generación anterior.

La generación del 98 (II). El ensayo y la novela

El ensayo fue el género de mayor difusión a principios de siglo, pues se convirtió en el vehículo idóneo para transmitir la ideología noventayochista. Temas como la muerte, la religión, la situación del país y el destino de España son tratados por Unamuno, Azorín y Maeztu. Al mismo tiempo aparece una corriente innovadora en la forma de entender y construir una novela. Las nuevas propuestas surgen, principalmente de Unamuno, Baroja y Azorín.

Miguel de Unamuno (1864 -1936), tras estudiar filosofía y letras en Madrid consigue la cátedra de Griego en la Universidad de Salamanca (1891), de la que fue rector desde 1901 hasta 1924. Por razones políticas estuvo desterrado en la isla de Fuerteventura. Tras la caída de Primo de Rivera, en 1930 (ver t28 y t30), fue restituido y nombrado presidente del Consejo Nacional de Educación Pública.

El teatro de Unamuno

El teatro de Unamuno apenas tuvo éxito, dado el escaso interés del público por los temas filosóficos. Es un teatro esquemático, austero pero simbólico, siguiendo el modelo de los griegos clásicos.

Las obras principales son *La esfinge* (1898), *La verdad* (1899), *Fedra* (1918), *El otro* (1932) y *Medea* (1933).

Miguel de Unamuno

El ensayo

- **La preocupación por España** se aprecia en ensayos como *En torno al casticismo* (1895) y *Por tierras de España y Portugal* (1911). En ellos analiza la esencia del alma española y desarrolla el concepto de «intrahistoria»: la historia cotidiana de los ciudadanos que también forman parte de la vida del país y que no es recogida en los tratados al uso.

- Su **trayectoria espiritual** puede seguirse a través de ensayos como *Vida de don Quijote y Sancho* (1905), *Del sentimiento trágico de la vida* (1913) y *La agonía del cristianismo* (1925). En ellos llega a la conclusión de que hay dos hechos irreductibles: la conciencia de la propia existencia y el miedo a la no existencia, que le lleva a la religión. Se produce así el **conflicto angustioso** entre razón y fe.

Portada de una edición de 1931 de *San Manuel Bueno, mártir*, con un dibujo de Penagos. (Biblioteca Nacional, Madrid). En esta obra, Unamuno refleja la agonía de la fe y la lucha entre ésta y la razón.

Narrativa: La ·*nivola*

Unamuno renueva la técnica narrativa en lo que él llama «nivolas».

Las principales son *Niebla* (1914), *Abel Sánchez* (1917), *La tía Tula* (1921) y *San Manuel Bueno, mártir* (1930), y se caracterizan por:

- Renunciar a cualquier preparación previa.
- Suprimir descripciones y situaciones.
- Presentar al protagonista en su lucha existencial, que suele ser un reflejo de la del propio autor.
- Promover el diálogo hasta el punto de que adquiera una importancia fundamental en la narración.

Poesía

En poesía, Unamuno trata el mismo **tema** que en el resto de su producción: la angustia espiritual. Se sintió atraído por los **metros** tradicionales, y si bien en las primeras composiciones procura eliminar la rima, más tarde recurre a ella.

Entre sus **obras** destaca sobre todo *El Cristo de Velázquez* (1920) y, junto a ésta, *Poesías* (1907), *Rosario de sonetos líricos* (1911), *Andanzas y visiones españolas* (1922), *Rimas de dentro* (1923), *Teresa* (1924), *De Fuerteventura a París* (1925), *Romancero del destierro* (1928) y *Cancionero* (1953).

Pío Baroja

La novela

Para Baroja, la novela es una pieza literaria en la que cabe absolutamente todo. En sus textos encontramos, por tanto, reflexiones filosóficas, confesiones políticas, humorismo, aventuras y duras críticas sociales.

Su **técnica** para construir la novela se basa en la espontaneidad y la observación de la realidad inmediata.

El **argumento** de las novelas de Baroja suele ser la evolución existencial de un solo personaje protagonista y, junto a él, otros personajes secundarios que aportan datos acerca del central.

La **estructura** principal es simple y la falta de conflicto se subsana por medio de frecuentes diálogos, descripciones de lugares e historias particulares de los personajes secundarios.

Retrato de *Pío Baroja*, por Juan de Echevarría.

Pío Baroja (1872-1956) estudió medicina, pero pronto prefirió regentar la panadería de su tía en Madrid. Allí escribió en periódicos y participó en política. En 1934 fue elegido miembro de la Real Academia Española. Durante la guerra civil fue arrestado por las tropas franquistas y se exilió a Francia. Con la ocupación alemana regresó a España.

Su **estilo**, breve, claro y preciso, contrasta claramente con la prolijidad retórica de la generación literaria anterior.

Personajes

Una de las características más destacadas de Baroja es su capacidad de crear personajes y la fuerza con la que los presenta.

Al igual que el propio Baroja, los protagonistas de sus novelas suelen ser misóginos, anticlericales y anarquistas.

Los personajes barojianos, indóciles, errabundos, inquietos, se ven abocados, en su mayoría, al fracaso. Por eso se ha dicho que los protagonistas de las novelas de Baroja son **antihéroes**.

Producción narrativa de Baroja

Es muy extensa. Sus títulos más significativos son *Aventuras, inventos y mixtificaciones de Silvestre Paradox* (1901), *Camino de perfección* (1902), *César o nada* (1910), *Las inquietudes de Shanti Andía* (1911) y *Memorias de un hombre de acción*, formada por veintidós novelas. Además, escribió las siguientes trilogías: *La lucha por la vida*, con *La busca*, (1904) y *Tierra vasca*, que incluye *Zalacaín el aventurero* (1909); y *La raza*, en la que se incluye *El árbol de la ciencia* (1911).

Azorín

Su producción literaria se divide fundamentalmente en dos grandes apartados: el ensayo y la novela. También escribió algunas obras teatrales de escaso éxito.

- Como **ensayista** dedicó especial atención al **paisaje de España**: *Alma castellana* (1900), *Andalucía trágica* (1950), *Castilla* (1912), y a la reinterpretación de las obras **literarias clásicas**: *Ruta de don Quijote* (1905), *Clásicos y modernos* (1913), *Los valores literarios* (1914) y *Al margen de los clásicos* (1915).

- Azorín es partidario de que la **novela** se limite a describir el ambiente y las sensaciones de los personajes. Por esto, gusta de la descripción minuciosa, la frase escueta y el estilo sobrio. Algunas de sus novelas son: *La voluntad* (1902); *Las confesiones de un pequeño filósofo* (1904); *Doña Inés* (1925); *El escritor* (1941) y *María Fontán* (1943).

Azorín, óleo de Daniel Vázquez Díaz (1882-1969).

José Martínez Ruiz, *Azorín* (1873-1967). Trabajó en numerosos periódicos publicando artículos y ensayos. Miembro de la Academia desde 1924, se adhirió al régimen franquista al acabar la guerra.

La generación del 98 (III). El teatro y la poesía

La personalidad excéntrica de Valle-Inclán se ve reflejada en sus escritos, que se caracterizan por la originalidad y la teatralidad. Por su antagonismo a la estética burguesa vigente, rompe con los movimientos precedentes e inicia, prácticamente solo, toda un revolución en el mundo de las letras. En poesía, la sensibilidad de Antonio Machado (1875-1939) evoluciona desde el modernismo intimista hasta la utilización del paisaje castellano como medio para describir el alma de España.

El teatro a principios de siglo

• **La comedia burguesa** refleja los vicios y las virtudes de esta clase social concreta. Poco importan los caracteres, las pasiones y los conflictos.

• **El teatro cómico,** con tres variedades:

Teatro costumbrista, que continúa la línea del sainete (ver t20).

El astracán, caracterizado por los despropósitos de las situaciones y el chiste fácil.

La comedia grotesca.

• **El teatro poético,** como reacción contra el realismo, generalmente histórico y en verso.

• **Formas innovadoras,** de círculos minoritarios, provenientes de Valle-Inclán y García Lorca (ver t37).

Valle-Inclán

El teatro

El teatro de Valle-Inclán suele dividirse en cinco periodos:

■ **Ciclo modernista,** basado en la estética de Rubén Darío (ver t28). *El marqués de Bradomín* (1906) y *El yermo de las almas* (1908).

■ **Ciclo mítico,** creado a partir de su Galicia natal, en la que la fuerza que mueve a los personajes es el mal. La trilogía *Comedias bárbaras* y *Divinas palabras*.

■ **Ciclo de la farsa,** que presenta un contraste entre lo sentimental y lo grotesco. El grupo de obras llamado *Tablado de marionetas para educación de príncipes* (1909, 1912, 1920).

■ **Ciclo esperpéntico.** *Luces de bohemia* (1920 y 1924) y el volumen *Martes de carnaval* (1930).

■ **Ciclo final,** en el que Valle-Inclán lleva a su extremo las propuestas dramáticas anteriores. Las obras giran en torno a tres temas básicos y la avaricia, la lujuria y la muerte: *Retablo de la avaricia, la lujuria y la muerte* (1927).

El esperpento

Es una manera de ver el mundo que deforma y distorsiona la realidad para presentarnos la imagen real que se oculta tras ella. Para ello, Valle-Inclán utiliza la parodia, humaniza los objetos y los animales y animaliza o cosifica a los humanos. Presentados de este modo, los personajes carecen de humanidad y se muestran como marionetas y fantoches.

Max Estrella y don Latino en una representación de *Luces de bohemia* dirigida por Lluís Pascual.

Narrativa

La producción narrativa de Valle-Inclán se inicia dentro de la estética **modernista**, y en esta etapa destacan las *Sonatas* (cuatro, una para cada estación del año), que relatan los amores del marqués de Bradomín, un don Juan «feo, católico y sentimental».

Las siguientes novelas son de temática **histórica**: *La guerra carlista* (1908-09), en la Galicia rural y supersticiosa, y *El ruedo ibérico* (1926-36), caricatura de la España de Isabel II.

En *Tirano Banderas* se relata la caída de un dictador suramericano y la sociedad que lo rodea.

Antonio Machado

Antonio Machado puede ser considerado como uno de los grandes poeta españoles del siglo XX y uno de los más emblemáticos representates de la generación del 98. Entre su obra destacan los siguientes títulos:

Soledades, galerías y otros poemas

Este libro (1907) proclama una poesía llena de emociones y sentimientos donde predomina la experiencia vivida sobre la imaginación creadora. En él se evoca el sentimiento melancólico de la **juventud perdida** y sin amor.

Antonio Machado fotografiado por Alfonso. (Biblioteca Nacional, Madrid).

El **modernismo** de Machado se observa en el ritmo, la rima y la herencia simbolista: el sueño, la tarde, el crepúsculo, la fuente, el agua, etcétera.

Campos de Castilla

Machado abandona la línea intimista anterior y se adentra en la geografía castellana y andaluza. En este libro ofrece una gran heterogeneidad de materiales y temas.

■ El **paisaje soriano:** Machado distingue entre la España épica y gloriosa del pasado y la España contemporánea, sumida en el desencanto.

Como Unamuno o Azorín, utiliza el paisaje como **vehículo** para descubrir el alma de España.

■ Desde **Baeza,** Machado recuerda con nostalgia el paisaje soriano, sublimado con la distancia y por el recuerdo de Leonor.

En este ciclo aparece la **crítica social** contra la España ignorante, inmovilista y tradicional.

■ *Proverbios y cantares:* son breves meditaciones acerca de los enigmas del hombre y del mundo, donde se combina lo filosófico y lo popular.

■ *Elogios:* esta sección está formada por catorce poemas autónomos donde homenajea a literatos y pensadores.

Ermita de San Saturio a orillas del Duero, en Soria. El paisaje castellano y sus gentes marcaron profundamente a Antonio Machado.

Antonio Machado (1875-1939). Estudió en la Institución Libre de Enseñanza. Consiguió una cátedra de Francés en el Instituto de Soria, donde conoció a Leonor, una joven de dieciséis años con la que se casó en 1909. Tres años después ella murió y Machado se trasladó a Baeza. Regresó a Castilla y en 1928 se enamoró de Pilar Valderrama («Guiomar»). Al final de la Guerra Civil tuvo que exiliarse.

El teatro de los Machado

Antonio Machado escribió en colaboración con su hermano Manuel siete obras dramáticas. El teatro de los hermanos Machado se inscribe dentro de la estética tradicional que dominaba la escena española y tuvo un gran éxito.

Reflexiones machadianas

Las preocupaciones filosóficas y estéticas que Machado había ya apuntado en algunos de sus anteriores escritos se recogen en «De un cancionero apócrifo» *(Nuevas canciones)* y *Juan de Mairena* (1936). Aquí Machado crea dos personajes, Abel Martín y Juan de Mairena, que exponen sus puntos de vista sobre temas tan trascendentales como el ser y la realidad y las relaciones entre poesía y filosofía.

El novecentismo (I). El ensayo

*En torno a 1910 aparece una nueva generación de escritores
más científica y sistemática que la anterior: el novecentismo.
Este movimiento cobra su mayor auge durante la década de los años
veinte y empieza a declinar hacia 1930. En el novecentismo
se inscriben intelectuales, pensadores y filósofos que convierten
el ensayo en instrumento principal de divulgación ideológica.*

El concepto

El novecentismo es un movimiento artístico-literario impulsado por un grupo de pensadores que ponderan la inteligencia, la disciplina en el trabajo y la perfección artística.

Desde el punto de vista estético, proclama la deshumanización de la obra de arte y el intelectualismo, lo que favorecerá la penetración y la consolidación de las vanguardias en España.

Eugenio d'Ors (1881-1954) nace en Barcelona. Se doctoró en Derecho y Filosofía y letras, y después estudió en Francia y Alemania. Desempeñó el cargo de secretario del Instituto de Estudios Catalanes y director de la Institución Pública. Escribió en los periódicos *La veu de Catalunya, El Debate, ABC* y *La Vanguardia.* Murió en Vilanova i la Geltrú (Barcelona).

Salvador de Madariaga

(1886-1978), estudió ingeniería, profesión que desempeñó durante un tiempo. Fue ministro de Instrucción Pública y de Justicia en 1934, y embajador en Washington y París. En 1936 se instaló en Inglaterra y ejerció la docencia en Oxford. Como periodista colaboró en el diario londinense *Times,* y como poeta publicó varios libros. También fue autor de numerosos ensayos, estudios literarios y biografías.

Características

- Sólida **formación** intelectual y **sistematización** de sus propuestas.
- **Europeización,** frente al tradicionalismo español.
- **Intelectualismo** frente a sentimentalismo.
- **Arte puro,** cuya única finalidad es el goce estético.
- **Preocupación por la forma.**
- **Clasicismo:** la serenidad de los modelos griegos y latinos vuelve a imponerse.
- Incorporación a la **vida activa** y oficial para aprovechar los resortes del poder en la transformación del país.

Eugenio d'Ors

Fue crítico de arte, filósofo y articulista de un género concreto: la **glosa,** artículo breve e ingenioso sobre las novedades culturales y políticas de España y Europa.

Acuñó el término «novecentismo» y fue el principal impulsor de la nueva corriente artístico-literaria en Cataluña. Junto con Ortega, contribuyó a la regeneración intelectual de España.

Su glosa *Amiel en Vic* se convirtió en un manifiesto contra la estética decimonónica. En ella se defendía la vuelta al clasicismo y la creación meticulosa y refinada de la obra de arte.

Portada de un número de la revista *España* (9- VIII-1917). Los novecentistas utilizan esta revista y la *Revista de Occidente,* fundadas por Ortega y Gasset, como órganos de difusión intelectual y artística.

Manuel Azaña

Político y escritor español (1880- 1940), estudió Derecho en Zaragoza, Madrid y París. Fue corresponsal en Francia e Italia durante la Primera Guerra Mundial. Dirigió la revista literaria *La Pluma* y el semanario político *España.* Creó el partido Acción Republicana. Fue presidente del Gobierno de 1931 a 1933, y presidente de la Segunda República desde 1936 y durante la Guerra Civil.

Se trata de un escritor sobrio, sagaz, dado a la polémica intelectual y a la crítica fría, precisa, a menudo irónica y desdeñosa.

Destacan sus **estudios** sobre Juan Valera (ver t24) y sus **ensayos críticos.** También fue autor de una obra de **teatro,** *La Corona;* traductor *(La Biblia en España);* ensayista *(Los gitanos en España, Plumas y palabras)* y orador.

Ortega y Gasset

José Ortega y Gasset es la figura cumbre del periodo novecentista, por su labor como filósofo, periodista y ensayista, y también por su interés hacia las nuevas formas de arte europeo.

Sus obras más importantes son *Meditaciones de don Quijote* (1914), *España invertebrada* (1921), *El tema de nuestro tiempo* (1923), *Ideas sobre la novela* (1924), *La deshumanización del arte* (1925), *La rebelión de las masas* (1930) y *Estudios sobre el amor* (1939).

La deshumanización del arte es una obra fundamental, pues los poetas de la generación del 27 la convirtieron en su programa e intentaron llevarlo a cabo.

Para Ortega, el nuevo arte de **vanguardia** se caracteriza por los siguientes aspectos:

José Ortega y Gasset, fotografiado por Alfonso (1932). (Biblioteca Nacional, Madrid).

- **Afán de originalidad,** con la supresión del sentimentalismo, el canto a los avances tecnológicos, etcétera.

- **Hermetismo,** que convierte a la vanguardia en arte de minorías.

- **Autosuficiencia:** el arte ha de ser independiente e intrascendente.

- **Antirrealismo y antirromanticismo,** evitando cualquier relación con lo humano.

- **Formas de expresión:** la espontaneidad y la metáfora.

Otros autores

Américo Castro: (Cantagallo, Brasil, 1885- Lloret de Mar, 1972) se licenció en letras y ocupó la cátedra de Lengua castellana en la Universidad de Madrid. Fue embajador de la Segunda República en Berlín y se exilió a Argentina y Estados Unidos, donde fue profesor.

Es autor de *Vida de Lope de Vega* (1919), de *Santa Teresa de Jesús y otros ensayos* (1929) y de *El pensamiento de Cervantes* (1925). También escribió numerosos estudios sobre gramática histórica, crítica literaria e historia.

Gregorio Marañón: Catedrático en la Facultad de Medicina de Madrid, Gregorio Marañón (Madrid, 1887-1960) fue miembro de diversas academias, como la de Medicina, la de la Historia y la Real Academia Española.

Sus ensayos gozaron de gran prestigio internacional. Además de sus obras científicas, en su producción destacan *Don Juan. Ensayos sobre el origen de su leyenda* (1940) y *Estudio biológico sobre Enrique IV y su época* (1942).

José Ortega y Gasset (1883-1955) se doctoró en Filosofía y Letras, estudió en diversas universidades alemanas y fue catedrático de metafísica en la Universidad Complutense de Madrid. En 1916 fue nombrado miembro de la Academia de las Ciencias Morales y Políticas. A partir de 1936 vivió en Francia, Holanda, Argentina y Portugal. Regresó a España en 1945 y fundó el Instituto de Humanidades.

Claudio Sánchez-Albornoz

(1893- 1984). Catedrático y académico de Historia, fue diputado en 1931 y ministro en 1933; embajador de España en Portugal y presidente de la Segunda República en el exilio.

A lo largo de su vida desempeñó una sólida tarea de investigación y docencia. Fundó los *Cuadernos de Historia de España* (1944). Entre sus obras sobresalen *España, un enigma histórico* (1957) y *Estudios visigodos* (1971).

El novecentismo (II). Poesía y novela

El poeta más acorde con los ideales estéticos del novecentismo (ver t32) fue Juan Ramón Jiménez, que, con su concepción de la «poesía pura», se acercó al intelectualismo renovador que preconizaban los ensayistas de dicho movimiento. Los principales representantes de la novela novecentista son Gabriel Miró, Ramón Pérez de Ayala y Wenceslao Fernández Flórez.

Juan Ramón Jiménez

Juan Ramón creía en la unidad de lo que llamaba su «Obra», es decir, concebía sus escritos como un todo orientado hacia la perfección. De ahí que para conseguir la pureza poética retocara constantemente sus composiciones.

Etapa sensitiva (1898-1915)

Está marcada por la **influencia** de Bécquer (ver t23), el simbolismo y el modernismo (ver t28).

Se trata de una poesía emotiva y **sentimental,** con paisajes otoñales y melancólicos, donde se trasluce la sensibilidad del poeta a través de una **estructura formal** perfecta.

Pertenecen a esta etapa *Rimas* (1902), *Arias tristes* (1903) y *La soledad sonora* (1911), entre otros.

Juan Ramón Jiménez y Zenobia Camprubí. Nueva York, 2 de marzo de 1916. El Diario de un poeta recién casado, escrito en 1916 a raíz de su boda con Zenobia, denota un profundo cambio en la poesía y en la vida de Juan Ramón. En este libro introduce el verso libre y poemas en prosa.

Etapa intelectual (1916-1936)

El descubrimiento del mar en su primer viaje a América constituye un hecho trascendental. **El mar** simboliza el eterno presente y es la belleza que le pone en contacto con lo eterno. Juan Ramón intenta identificarse con él.

Se inicia una evolución espiritual que lo lleva a buscar la trascendencia. Suprime toda la **musicalidad** y la aparatosidad ornamental anterior para adentrarse en la **depuración poética.**

Entre sus obras destacan *Diario de un poeta recién casado* (1916), *Primera antología poética* (1917) y *Eternidades* (1918), entre otras. *La Estación total* (1923-1936) recoge los últimos poemas escritos en España, antes de marchar al exilio.

Etapa última (1937-1958)

Pertenece a esta época todo lo escrito durante su exilio americano. Juan Ramón continúa replegado en sí mismo en busca de la belleza y la perfección. Su ansia por la trascendencia lo lleva a identificarse con Dios.

Tras un periodo de relativo silencio, publica *Animal de fondo* (1949), *Tercera antolojía poética* (1957), *El otro costado* (1936-1942) y *Dios deseado y deseante* (1948-1949).

Gabriel Miró

Las novelas de Miró se caracterizan por la melancolía, las descripciones minuciosas de percepciones sensoriales, el estatismo y, en consecuencia, por la falta relativa de acción.

Etapa decadentista (1901-1911)

A excepción de *La mujer de Ojeda* (1901), obra de juventud inscrita en la técnica naturalista (ver t26), Miró se inclina en esta primera etapa por los personajes y ambientes decadentistas y neorrománticos. Su obra de este periodo se compone de:

■ **Tres novelas extensas,** cuyos protagonistas, marcados por una sensibilidad especial, se ven abocados al fracaso: *La novela de mi amigo* (1908), *Nómada* (1908) y, la más importante de esta etapa, *Las cerezas del cementerio* (1910).

Gabriel Miró, óleo de Adelardo Parrilla. (Colección particular, herederos de Gabriel Miró, Madrid).

■ **Cuatro relatos breves,** donde se narran los fracasos amorosos de sus protagonistas: *La palma rota* (1909), *Niño y grande* (1909), *Los pies y los zapatos de Enriqueta* (1912) y *Dentro del cercado* (1912).

Etapa novecentista (1912-1928)

Alejado ya de la estética modernista y decadentista, Miró consolida su **nuevo estilo** en esta etapa, marcada por la **estética novecentista**. En ella adopta una actitud más crítica.

La **acción, mínima,** sirve de soporte para la descripción minuciosa de sensaciones y ambientes.

■ **Novelas extensas:** *El abuelo del rey* (1912), *Nuestro padre San Daniel* (1921) y *El obispo leproso* (1926).

■ **Relatos breves,** protagonizados por Sigüenza, doble literario de Miró: *El libro de Sigüenza* (1917) y *Años y leguas* (1928). Son retablos de lo que el protagonista ve, oye y siente ante diversos pueblos alicantinos.

En la misma línea se sitúa *El humo dormido* (1919), colección de **narraciones cortas.**

Ramón Pérez de Ayala

Prevalece en sus escritos la tendencia a **exponer ideas,** incluso en las novelas, con lo que se rompe en ocasiones el ritmo narrativo. Su estilo se caracteriza por una **prosa elegante** y precisa.

■ En una primera etapa, su narrativa fue principalmente **realista.** Destacan *Tinieblas en la cumbre* (1907), *A.M.D.G.* (1910), *La pata de la raposa* (1912) y *Troteras y danzaderas* (1913).

De la segunda etapa, **simbolista,** son *Belarmino y Apolonio* (1921) y *Tigre Juan* (1926), entre otras.

Pérez de Ayala incluye a veces formas experimentales propias de la **novela moderna.**

Gabriel Miró (1879-1930). Estudió derecho. En 1906 obtuvo un cargo administrativo en el Hospital Civil de Alicante y en 1911 fue nombrado cronista oficial de la ciudad.

En 1920 se instaló en Madrid y desempeñó el cargo de secretario en diferentes ministerios. Siempre alternó su trabajo con la publicación de novelas y colaboraciones en diversos periódicos.

Wenceslao Fernández Flórez

(1879- 1964), trabajó como comentarista político y crítico literario. Sus principales novelas son *Volvoreta* (1917), *Las siete columnas* (1926), *Relato inmoral* (1928) y *El malvado Carabel* (1931), además de *Los que fuimos a la guerra* (1930) y *Una isla en el mar rojo* (1939), relacionadas con la guerra. Sus obras presentan una visión humorística, irónica y ecléctica de la moral del hombre.

Ramón Pérez de Ayala (1881-1962). Nació en Oviedo y fue discípulo de *Clarín* (ver t25) en la Facultad de Derecho de esta ciudad. Fue corresponsal durante la Primera Guerra Mundial. Tras la Guerra Civil se instaló en Argentina. En 1955 regresó a Madrid, donde murió. Su obra abarca la poesía, la crítica, el ensayo, la novela larga, el relato breve y el periodismo.

Las vanguardias

Tras la Primera Guerra Mundial (1914 -1918) surge en Europa una nueva forma de entender el arte. El calificativo de «vanguardias» muestra el carácter combativo de los nuevos movimientos, que se rebelan contra las normas tradicionales. La ruptura total con las anteriores formas de concebir la creación artística y el intento de desligarse de cualquier referencia a la realidad convierten el arte vanguardista en una actividad sólo apta para una minoría selecta. En España, estas nuevas tendencias habían sido anunciadas por el intelectualismo de los novecentistas (ver t32).

Reverso de la cubierta del número 1 de la revista *La Révolution Surréaliste* (1-XII-1924).

El dadaísmo

Creado por **Tristan Tzara** (1896-1963) alrededor de 1916, fue un movimiento fugaz, pero de vital importancia, porque sentó las bases del surrealismo.

Para conseguir la liberación mental del «yo» creador, el poeta dadaísta se sirve de la espontaneidad, el azar, la ruptura de la lógica y la escritura automática.

El creacionismo

Su fundador fue el chileno **Vicente Huidobro** (1893-1948). En su manifiesto, *Non serviam* (1914), aboga por la autonomía completa del poema, el cual debe huir de cualquier representación o imitación de la realidad para crear su propia realidad mediante la supresión de lo anecdótico y la importancia de la imagen sorprendente.

Las vanguardias en Europa

El futurismo

Surge en 1909 tras la publicación del primer *Manifiesto* de Filippo Tommasyo **Marinetti** (1876-1944) y llega hasta después de la Primera Guerra Mundial. Se proclama la superación de la cultura tradicional, se rechaza el sentimentalismo y se aboga por los avances tecnológicos, el belicismo, el dinamismo, la aventura y el deporte.

Marinetti propone el infinitivo como única forma verbal, la destrucción de la sintaxis, la supresión de los adjetivos, adverbios y signos de puntuación y la **deshumanización** de la obra evitando cualquier referencia personal.

El cubismo

El cubismo literario deriva del arte pictórico de Pablo Picasso y Juan Gris, y consiste en la valoración tridimensional del espacio y en la **descomposición geométrica** de los objetos, que deben ser mentalmente reconstruidos por el destinatario de la obra.

Los **caligramas,** creados por **Guillaume Apollinaire** (1880-1918), reflejan la importancia de los aspectos visuales en la literatura: por medio de la disposición de los versos y de la técnica del *colage* se reconstruye un dibujo al que alude el contenido del poema.

El reloj, poema caligráfico de Apollinaire.

El surrealismo (o superrealismo)

Creado por André **Breton** (1896-1966), es el movimiento de vanguardia de mayor importancia y prácticamente el único que se ha mantenido vivo a lo largo del tiempo.

El surrealismo proclama la liberación del hombre y de su actividad creadora a través de la exploración de los **sueños** y del mundo desconocido del **inconsciente.**

Ligado al psicoanálisis de Freud, el surrealismo intenta explicar los mecanismos del pensamiento a través de la **escritura automática,** es decir, la que se realiza sin el control de la voluntad.

Se produce de este modo la ruptura de cualquier vínculo lógico, la mezcla de conceptos que la conciencia mantiene aislados y la entrada de imágenes oníricas, metáforas atrevidas, etcétera.

Las vanguardias en España

En España, las vanguardias europeas también tuvieron su representación, si bien con matizaciones.

Algunos movimientos, como el futurismo, apenas llegaron a cuajar, mientras otros se desarrollaron con mayor intensidad (creacionismo) o sufrieron importantes adaptaciones (surrealismo). Incluso se inventó algún «ismo» nuevo, como el ultraísmo.

Las nuevas inquietudes vanguardistas llegan de la mano de Ramón Gómez de la Serna y José Ortega y Gasset (ver t32).

El ultraísmo

Es un movimiento vanguardista de origen español, creado por **Guillermo de Torre** en 1919, a partir del futurismo, cubismo y creacionismo.

La **sede** del movimiento es el **Café Pombo,** y las **revistas** que le sirven de vehículo son *Cervantes* y *Ultra,* entre otras. Se considera que en 1923 este movimiento ya está extinguido.

Propugna el maquinismo, lo deportivo, la falta de signos de puntuación, la ausencia de rima y de enlaces sintácticos, la disposición visual de los versos, la valoración subjetiva de la metáfora, la supresión del sentimentalismo y la subjetividad, etcétera.

El surrealismo español

Los poetas españoles llegan al surrealismo a través de sus experiencias creacionistas o ultraístas.

Los principales poetas surrealistas españoles son **José María de Hinojosa** y **Juan Larrea,** que modificarán la literatura española con la introducción de este movimiento.

Ramón Gómez de la Serna

Preocupado por crear un ambiente cosmopolita y moderno, Gómez de la Serna (1888-1963) funda en 1915 una tertulia en el Café Pombo, que se convierte en la sede del nuevo arte de vanguardia.

Su extensa producción literaria comprende novelas, ensayos, biografías, teatro, etcétera. Pero lo más destacable y meritorio de Gómez de la Serna es la introducción de las vanguardias europeas en España y la invención de un nuevo género literario: la greguería.

Greguerías

La greguería es una sentencia ingeniosa y en general breve que surge de un choque casual entre el pensamiento y la realidad. El inventor la define esquemáticamente del modo siguiente:

   Metáfora + Humor = Greguería.

Las cuatro características básicas que definen la greguería son brevedad, ingeniosidad, humorismo y sorpresa.

Ensayos y biografías

El ambiente madrileño se convierte en el tema central de su producción ensayística.

Son también destacables las novedades del arte de vanguardia recogidas en *Ismos* (1931) y las **biografías** dedicadas a personalidades, como *Oscar Wilde* (1921), *Goya* (1928), etcétera.

Ramón Gómez de la Serna, fotografiado por Alfonso en el Café Pombo (años treinta).

Juan Larrea

(1895-1980) nació en Bilbao. Sus primeros poemas, publicados en las revistas *Grecia* y *Cervantes,* son marcadamente ultraístas. Su amistad con Vicente Huidobro en París le lleva a conocer de cerca el movimiento creacionista. Su obra, escrita en español y francés, se conoció en España gracias a la *Antología* de Gerardo Diego.

José María de Hinojosa

(1904-1936), conoció el surrealismo durante su estancia en París (1925-1926). Fruto de sus experiencias surrealistas es *La flor de California* (1928). Sus otros poemas se inscriben en el neopopularismo y la poesía pura. Hacia 1930 abandona la literatura, se introduce en el mundo de la política y se presenta a diputado por el partido conservador en las elecciones de 1936.

El efecto sorpresa

El efecto sorpresivo de las greguerías se obtiene a través de:

• La asociación visual de dos imágenes: «La luna es el ojo de buey del barco de la noche».

• La asociación de sonidos: «Las gallinas son tartamudas».

• La inversión de una relación lógica: «El polvo está lleno de viejos y olvidados estornudos».

• La asociación libre de conceptos contrapuestos: «Lo más importante de la vida es no haber muerto».

La generación del 27 (I). Introducción

En torno a la segunda década del siglo XX surge un nuevo grupo de poetas jóvenes que rechazan la poesía de moda, dominada por los malos imitadores de Rubén Darío y el ultraísmo. Los rasgos comunes a todos ellos son la formación universitaria, el origen familiar más bien acomodado, las actitudes progresistas en política y, en especial, el deseo de modernizar la poesía española.

Nómina del 27

Entre los miembros indiscutibles del 27 se suele citar a **Pedro Salinas, Jorge Guillén, Vicente Aleixandre, Luis Cernuda, Gerardo Diego** (ver t36), **Federico García Lorca** y **Rafael Alberti** (ver t37).

A esta lista suelen añadirse algunos nombres más: **Dámaso Alonso, Juan José Domenchina, Emilio Prados, Manuel Altolaguirre** y **Miguel Hernández** (ver t37).

Dámaso Alonso

Su contribución más importante es la revalorización de la figura de Góngora y su descubrimiento a los jóvenes autores del 27 del contenido mitológico y estético de su obra.

Como **autor**, sólo las obras de su primera etapa, influidas por Juan Ramón Jiménez y Antonio Machado, se inscriben en la estética del 27. En su segunda etapa destaca *Hijos de la ira* (1944), perteneciente a la «poesía desarraigada» de los años cuarenta y cincuenta (ver t40).

Manuel Altolaguirre

Nació en Málaga en 1905. Se alió a la causa republicana y, al acabar la guerra, se exilió a Cuba y a México. En uno de sus viajes a España murió en Burgos en 1959.

Es posiblemente el poeta más espiritual e intimista de la generación del 27. En sus composiciones se observa la huella de san Juan de la Cruz (ver t11), Garcilaso (ver t10), Juan Ramón y Salinas.

Dámaso Alonso

Dámaso Alonso (1898-1990). Obtuvo la cátedra de Lengua y Literatura de las universidades de Valencia y Madrid, tras impartir numerosos cursos en diversas universidades europeas y americanas. Miembro de la Real Academia Española desde 1945, fue su director entre 1968 y 1982. Además de su actividad poética desarrolló una intensa labor crítica y filológica.

Juan José Domenchina

(1898-1959). Participó activamente en la vida política del país y tuvo que exiliarse en 1939. En sus primeros libros, escritos en España, se observa la influencia de Juan Ramón y Guillén. Tras el exilio, sus poemas adquieren un gran dramatismo: el destierro, la desolación, la religión y el drama humano se convierten en temas recurrentes.

Emilio Prados

(1899-1962) nació en Málaga. Durante la guerra tomó partido por el bando republicano y, al acabar ésta, tuvo que exiliarse a México.

Sus primeros poemarios se inscriben en el neopopularismo andaluz, mientras que los siguientes pertenecen al surrealismo. La guerra le lleva a componer poemas sociales y combativos. Prados escribió numerosos poemarios que han permanecido inéditos.

Los miembros de la generación del 27 participaron, junto a otros intelectuales, en numerosos actos comunes. La fotografía muestra a algunos asistentes al homenaje a Góngora celebrado en 1927 en el Ateneo de Sevilla: *Rafael Alberti, Federico García Lorca, Juan Chabás, Mauricio Bacarisse, José María Platero, Manuel Blasco Garzón, Jorge Guillén, José Bergamín, Dámaso Alonso y Gerardo Diego.*

Etapas

Los factores históricos y las influencias europeas permiten distinguir dos etapas en el desarrollo del grupo:

- **1922-1928:** esta etapa está marcada por el dominio de la poesía pura y la admiración por Juan Ramón Jiménez. Se caracteriza por:

  - La **supresión del sentimentalismo** y el encomio de la inteligencia.

  - La **búsqueda absoluta de la belleza.**

  - El **rigor en la construcción poética** y la depuración del lenguaje.

  - La tendencia a la creación de **poemas breves.**

- **1928-1936:** la cohesión del grupo empieza a resquebrajarse. Algunos de sus miembros, como Guillén y Salinas, permanecen fieles a la poesía pura de Juan Ramón, mientras que Gerardo Diego, Vicente Aleixandre, Rafael Alberti, Luis Cernuda y García Lorca buscan nuevas formas de expresión a través de las vanguardias.

En esta segunda etapa domina la influencia del **surrealismo,** con matizaciones. Del surrealismo aceptan la rebeldía, la antirreligiosidad, la libertad imaginativa, el mundo de los sueños, pero rechazan la escritura automática.

La Guerra Civil (1936-1939) supone el final de la generación del 27. La mayoría de sus componentes han de exiliarse: Salinas, Guillén, Cernuda, Alberti, etcétera; otros, como Gerardo Diego, Aleixandre y Dámaso Alonso, se quedan en España, y otros son víctimas del régimen franquista: García Lorca y Miguel Hernández.

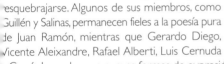

Las revistas literarias desempeñaron un papel fundamental en la difusión de la producción poética de la generación del 27. En la imagen, portada de *Litoral,* una de las revistas más destacadas del momento.

Características

- **Modelos:** Juan Ramón se erige como el único poeta español contemporáneo capaz de superar el modernismo y promover una auténtica renovación con su «poesía pura».

- **Ortega y Gasset** aparece como el maestro que marca el cambio ideológico respecto a la generación anterior, con su modernidad y europeización.

- **Lenguaje común:** los rasgos expresivos comunes a toda esta generación son:

  - Importancia del **lenguaje** y cultivo de la **metáfora.** De ahí la admiración por Góngora, al que consideran uno de los autores más originales en el manejo de la lengua.

  - Preferencia por los **factores estéticos:** la poesía ha de ser fiel a sí misma y no ha de convertirse en vehículo transmisor de problemas sociales, morales o ideológicos.

Tradición y vanguardia

Los escritores del 27 son muchas veces los protagonistas de los movimientos **vanguardistas:** utilizan el **verso** libre y consideran la metáfora como el elemento central del poema.

Pero, a la vez, enlazan con la tradición literaria y toman como modelo la **poesía popular,** a **autores clásicos** como Góngora y a determinados poetas en activo, como Juan Ramón Jiménez.

La Residencia de Estudiantes

El centro aglutinador del 27 como generación fue probablemente la Residencia de Estudiantes de Madrid, creada por la Institución Libre de Enseñanza. Allí se encuentran Lorca, Salinas, Guillén y Alberti, que, aunque no era residente, asiste a conferencias y reuniones.

En la residencia convivían estudiantes de las más diversas disciplinas, algunos de los cuales alcanzaron fama universal, como Luis Buñuel y Salvador Dalí.

La generación del 27 (II).
La poesía pura y las vanguardias

Pedro Salinas(1891-1951) se licenció en Derecho y se doctoró en Filosofía y Letras. Fue lector de español en la universidad de la Sorbona (París) (1914-1917). Después fue profesor en las universidades de Sevilla y Cambridge. En 1936 fijó su residencia en Estados Unidos. Además de algunas novelas y obras de teatro, escribió diversos ensayos sobre literatura.

De toda la generación del 27, fueron Pedro Salinas y Jorge Guillén los que se mantuvieron más próximos a la «poesía pura» de Juan Ramón. Gerardo Diego, Vicente Aleixandre y Luis Cernuda son tres nombres claves del vanguardismo español. No fueron los únicos vanguardistas, pero sí quizá los más activos. Diego afianzó las bases del creacionismo y el surrealismo en España. Aleixandre profundizó en el conocimiento humano a través de las imágenes surrealistas. Cernuda explota con el surrealismo su condición de poeta maldito y subversivo.

Pedro Salinas

Salinas siempre ha sido considerado el **poeta del amor** por excelencia. Su estilo es **formalmente sencillo** (versos cortos, sin rima ni apenas adjetivos), pero junto al lenguaje cotidiano destacan las **metáforas sorprendentes**. La obra poética de Salinas suele dividirse en tres etapas:

Etapa inicial (1923-1931)

Está marcada por la influencia de la **poesía pura** de Juan Ramón Jiménez. Se aprecia también alguna influencia **futurista**, con poemas dedicados a la máquina de escribir o a la bombilla.

Etapa de plenitud (1933-1939)

Está formada por la trilogía amorosa *La voz a ti debida* (1933), *Razón de amor* (1936) y *Largo lamento* (1939). En ella, Salinas se revela como poeta del amor, un amor real entre dos seres anónimos «tú y yo», que dota de sentido a la existencia.

Etapa del exilio (1940-1951)

Tras la guerra, Salinas desarrolla una **poesía existencial** de mayor dramatismo, centrada en temas que van de la reflexión moral a la preocupación por el destino de la humanidad.

Jorge Guillén

La obra de Guillén merece realmente el nombre de **poesía pura**, desnuda, esencial: el poeta hace abstracción de todo lo anecdótico para llegar a la **esencia**, y para conseguirlo tiende a eliminar los verbos y a escribir los nombres sin artículo.

A los treinta y cinco años publica su primer libro, *Cántico* (1923), que será ampliado en diversas ediciones. A éste sucederán *Clamor* y *Homenaje*, pero toda su obra aparece compilada en *Aire nuestro* (1968).

Cántico

En esta obra exalta el goce de existir, la armonía del cosmos, la luminosidad, la plenitud del ser y la integración del poeta en un universo perfecto donde muchas veces se confunden amada y paisaje.

Clamor

Guillén toma conciencia de la temporalidad y da entrada a elementos negativos de la historia. No obstante, no es un libro angustioso o pesimista. En él domina su deseo de vivir y de superar las fuerzas del mal.

Homenaje

Como indica su título, Guillén exalta a personas destacadas del mundo de las artes y las ciencias.

Jorge Guillén (1893-1984). Durante su juventud viajó por diversos países europeos. Enseñó literatura en las universidades de Murcia y Oxford. Volvió a España en 1931 y, al estallar la Guerra Civil (1936), decidió exiliarse, pero fue detenido. Siete años después consiguió la documentación para salir del país y estableció su residencia en Estados Unidos. Tras la muerte de Franco (1975) regresó a España.

Gerardo Diego

Su obra poética sigue dos líneas, que son simultáneas a lo largo de toda su producción:

- **Poesía tradicional:** comprende los poemas de corte tradicional y clasicista, donde recurre con frecuencia al romance, a la décima y al soneto, con temas muy variados: el paisaje, la religión, la música, etcétera. A esta línea pertenecen, entre otras obras: *Iniciales* (1918), *Soria* (1923) y *Alondra de verdad* (1941).

- **Poesía vanguardista:** su inclinación por el nuevo arte le lleva a iniciarse en el ultraísmo y en el creacionismo. Diego desarrolla la poesía como juego intrascendente, lleno de imágenes extraordinarias. Marcadamente creacionistas son sus obras: *Limbo* (1919-1921), *Imagen* (1922), *Manual de espumas* (1924) y *Fábula de Equis y Zeda* (1932).

Gerardo Diego (1967). Retrato dedicado por Ricardo Benardo, 1930.

Gerardo Diego (1896-1987). Estudió Filosofía y Letras en Deusto, Salamanca y Madrid. Fue catedrático de instituto en diferentes ciudades de España. Realizó numerosos viajes a Francia, Hispanoamérica y Filipinas y, en 1925, se le concedió el premio Nacional de Literatura. En 1948 fue nombrado miembro de la Real Academia Española y en 1979 obtuvo el premio Cervantes.

Vicente Aleixandre

Su obra está consagrada desde el principio a la indagación trascendental del conocimiento. La trayectoria poética de Aleixandre suele dividirse en tres etapas:

- **Poesía pura:** se aprecia la influencia de Juan Ramón, Salinas y Guillén. El hermetismo, la depuración léxica y estilística, el metro corto, la asonancia y la naturaleza como marco poético caracterizan esta primera etapa. A ella pertenece su obra *Ámbito* (1924-1927).

- **Poesía surrealista:** la adhesión al surrealismo supone una mayor libertad en la expresión y en la selección de los materiales poéticos, si bien Aleixandre solamente adoptó del surrealismo algunas técnicas. Todos sus poemas surrealistas están recopilados en *Poesía superrealista* (1971).

- **Poesía antropocéntrica:** en ella, el hombre se convierte en el centro de atención del universo poético en lugar de la naturaleza y el cosmos. Este antropocentrismo se puede observar en sus obras *Historia del corazón* (1954) y *En un vasto dominio* (1962).

Vicente Aleixandre (1898-1984), pasó la infancia en Málaga, a los trece años se trasladó a Madrid. Se licenció en Derecho y Comercio, y ejerció de profesor de derecho mercantil hasta 1925, en que se empezó a dedicar de lleno a la literatura. Obtuvo el premio Nacional de Literatura de 1933. En 1944 fue nombrado miembro de la Real Academia Española. En 1977 se le concedió el premio Nobel de Literatura.

Luis Cernuda

Toda su poesía se halla reunida en un volumen titulado *La realidad y el deseo*, (1936-1964) donde el autor condensa el sentimiento de desencanto de la vida, la tristeza, el pesimismo y la eterna oposición entre la realidad y el deseo, provocada, en parte, por su condición de homosexual en una sociedad opresora.

Los dos **temas** centrales son la soledad y el amor, que se desvela como la unión de placer y dolor.

Luis Cernuda en 1930.

Cernuda

Luis Cernuda (1902-1963), estudió Derecho en su ciudad natal. Fue lector de español en Toulouse. En 1929 regresó a Madrid, y en 1933 se afilió al Partido Comunista. Durante la guerra abandonó España y se instaló en Inglaterra. En 1947 se trasladó a Estados Unidos y en 1952 se instaló definitivamente en México.

La generación del 27 (III). La poesía popular

Federico García Lorca, Rafael Alberti, Miguel Hernández. En ellos se aúnan la tradición, el popularismo y la fuerza trágica, tanto en poesía como en teatro. Acaso fueron los autores más marcados por el drama de la Guerra Civil. La muerte de Lorca y Hernández a edades tempranas contrasta con la soledad y el largo exilio del escritor gaditano.

Federico García Lorca

Obra poética

La obra poética de Lorca sigue una clara evolución que va desde la **sencillez** de sus primeros poemas a la **fuerza** del *Romancero* y al atrevimiento vanguardista de *Poeta en Nueva York*.

Son libros de juventud: *Libro de poemas* (1921), *Canciones* (1927) y *Poema del cante jondo* (escrito entre 1922-1926), en el que Lorca recrea la poesía popular del cancionero y da entrada al folclore andaluz.

Llanto por Ignacio Sánchez Mejías (1935) es un largo lamento por la muerte de su amigo el torero Sánchez Mejías.

Romancero gitano (1928) mezcla lo popular y lo culto, lo espontáneo y lo reflexivo. Consta de dieciocho romances que giran en torno al mundo gitano, con sus fatalismos, presentimientos, despechos y venganzas.

Diván del Tamarit (1940) refleja la atracción que siempre sintió por el mundo oriental. Los temas centrales son la muerte y la identificación del poeta con la naturaleza.

Poeta en Nueva York (1940) comprende los poemas surrealistas de denuncia social escritos durante su estancia en Nueva York.

El teatro

Lorca se inicia en el teatro con *El maleficio de la mariposa* (1920). No obstante, su primer éxito lo obtiene con *Mariana Pineda,* una historia de amor, fidelidad y sacrificio. Mariana Pineda muere por la causa liberal y por no delatar a su marido.

Bodas de sangre, estrenada en 1933, desarrolla la tragedia de una pasión irrefrenable donde se desatan el amor, el odio y la muerte.

Yerma, estrenada en 1934, presenta el drama de una mujer rural estéril.

La casa de Bernarda Alba, escrita en 1936, desarrolla el tema de la autoridad y la libertad, en una casa donde Bernarda exige a sus hijas un luto de ocho años tras la muerte de su marido.

Mariana Pineda en el convento de Santa María Egipciaca, dibujo de Federico García Lorca en la portadilla de *Mariana Pineda.* (Biblioteca Nacional, Madrid).

Federico García Lorca (1898-1936). Se licenció en Derecho y en Filosofía y Letras por la universidad de Granada. En 1919 se trasladó a la Residencia de Estudiantes de Madrid y se introdujo en los círculos literarios más activos del momento. Viajó a Nueva York, Canadá y Cuba. Fue director de la compañía teatral La Barraca. En vísperas de la Guerra Civil regresó a Granada, donde, dos meses más tarde, fue fusilado.

Las farsas

Lorca también escribió farsas para guiñol (*Tragicomedia de don Cristóbal y la señá Rosita* y *Retablillo de don Cristóbal*); farsas para personas (*La zapatera prodigiosa* y *Amor de don Perlimplín con Belisa en su jardín*), en las que se representan los instintos del hombre y la sociedad, y teatro surrealista (*Así que pasen cinco años* y *El público*).

Rafael Alberti

Obra poética

■ **Poesía neopopularista:** los primeros libros de Alberti intentan revalorizar la poesía popular española. *Marinero en tierra* (1924) desarrolla el conflicto interior del poeta, que se debate entre el mar y la tierra adentro.

■ **Poesía neogongorista y vanguardista:** el afán gongorino que irrumpió en torno a 1927 influyó directamente en Alberti, como se puede comprobar en el clasicismo, el hermetismo y la belleza formal de *Cal y canto* (1929).

Rafael Alberti

■ **Poesía surrealista:** *Sobre los ángeles* (1929) aparece en el contexto de la adhesión al surrealismo y una profunda crisis personal. En la búsqueda que el poeta emprende del paraíso perdido, surge un pavoroso drama interior, la lucha con las fuerzas del inconsciente, simbolizadas por ángeles bélicos, vengativos, crueles...

Otros libros surrealistas son *Sermones y moradas* (1929-1930) y *Yo era un tonto y lo que he visto me ha hecho dos tontos* (1929), colección de poemas de carácter burlón y humorístico dedicados a cómicos de cine.

■ **Poesía civil y política:** a partir de 1931, los temas sociales y políticos se incorporan vigorosamente a sus poemas, que quedan recogidos en *El poeta en la calle* (1931-1935) y *Madrid, capital de la gloria* (1936-1938).

■ **Poesía nostálgica:** en el exilio, continúa la poesía cívica y política iniciada en España, al tiempo que escribe nuevos poemas marcados por la evocación de la niñez, la juventud y el paisaje.

Miguel Hernández

Por su inclinación a la estética neogongorina y surrealista de su primera época se suele considerar a Miguel Hernández como miembro de la generación del 27, aun cuando por su evolución posterior se le incluye en la generación del 36.

Su trayectoria poética se divide en cuatro etapas:

■ **Poesía pura:** su primer libro de poemas, *Perito en lunas*, desarrolla escenas de la vida cotidiana y temas como la muerte, los toros y el sexo, en una mezcla de elementos cultos y populares.

Miguel Hernández, retrato de Antonio Buero Vallejo.

■ **Poesía neorromántica:** *El rayo que no cesa* (1936), obra de madurez, conjuga el neogongorismo con sentimientos amorosos. En ella se incluye su famosa «Elegía» a Ramón Sijé.

■ **Literatura de urgencia:** la poesía vuelve a ser un arma de combate en *Viento del pueblo* (1937) y *El hombre acecha* (1939).

■ **Exploración interior:** a raíz de la muerte de su primer hijo y su ingreso en la cárcel escribe *Cancionero y romancero de ausencias* (1938-1941). En él da testimonio de la ausencia de aquello que da sentido a la vida: la libertad, la familia, etcétera.

Rafael Alberti nació en El Puerto de Santa María, Cádiz en 1902. Se trasladó a Madrid en 1917. Abandonó los estudios por su vocación de pintor. Tras un verano en la sierra de Guadarrama empezó a escribir versos. Por su afiliación al Partido Comunista, tuvo que exiliarse tras la Guerra Civil en 1939. Residió en París, Buenos Aires y Roma. En 1977 regresó a España. Entre los premios que ha recibido destaca el premio Cervantes (1983).

El teatro de Alberti

Su obra dramática está formada por:

•Un **auto vanguardista:** *El hombre deshabitado* (1930).

•**Teatro político:** *Fermín Galán* (1931), *De un momento a otro* (1939), *Noche de guerra en el museo del Prado* (1956).

•**Teatro poético:** *El trébol florido* (1940), *El adefesio* (1944), *La Gallarda* (1945).

•Algunas piezas de **teatro de circunstancias** escrito durante la Guerra Civil.

Miguel Hernández (1910-1942), hijo de familia humilde, tuvo una formación prácticamente autodidacta. En 1931 marchó a Madrid pero, desencantado, volvió a Orihuela. Tres años después consiguió entrar en los círculos intelectuales de Madrid. En 1936 se afilió al Partido Comunista. Al final de la Guerra Civil escapó a Portugal, donde fue detenido. Ya repatriado, fue condenado a muerte. Murió de pulmonía en la prisión.

La literatura de posguerra

La Guerra Civil sumió al país en una grave depresión económica, política y cultural, de la que se fue recuperando con dificultad.
Los años comprendidos entre el final de la guerra (1939) y la muerte de Franco (1975) constituyeron una etapa de búsqueda en la que sucesivas generaciones de novelistas, poetas y dramaturgos configuraron un particular paisaje literario, caracterizado por la vacilación entre el esteticismo y la denuncia social.

Cronología

Años cuarenta

La Segunda Guerra Mundial acabó con la victoria aliada sobre Alemania e Italia, lo cual dejó a España totalmente aislada. Los escritores españoles quedaron al margen de la literatura que se hacía más allá de nuestras fronteras.

La escasa literatura de estos primeros años de posguerra oscila entre el **esteticismo,** que ignora la realidad circundante, y la expresión de la **angustia** y desarraigo que la guerra ha creado.

En la entrevista que mantuvieron en Hendaya Adolf Hitler y Francisco Franco, el 23 de octubre de 1940, se decidió que España no participaría en la Segunda Guerra Mundial.

Años cincuenta

España empezó a abrirse al exterior (en 1955, se integró en la ONU). El reconocimiento internacional del franquismo se tradujo en mejoras económicas y en la comunicación con el exterior.

En literatura empezaron a tomar importancia los temas de crítica social. El resultado fue una nueva versión del realismo, tendente a la denuncia de la opresión y la injusticia.

Años sesenta

Con el desarrollo económico el franquismo se consolidó, a la vez que la oposición al régimen se hizo más sistemática.

En literatura, el experimentalismo vuelve a imponerse una vez agotado el realismo social.

De 1970 a 1975

En los últimos años del franquismo se confirmó la apertura de España al exterior. El país se sitúa entre los más industrializados gracias a las inversiones extranjeras y al turismo.

El eclecticismo derivado de la llegada de materiales extranjeros gracias a la apertura de la censura se resolvió finalmente con una vuelta a lo clásico.

La literatura del exilio

Los escritores del exilio siguieron escribiendo en los países elegidos como residencia, tomando como tema el canto a España, motivo de su nostalgia.

La poesía

Juan Ramón Jiménez (ver t33) y la mayoría de los poetas de la generación del 27 (ver t35 y 37), dispersos ahora por distintos países, prosiguen cada uno sus propios caminos poéticos.

Los novelistas

Las obras de los novelistas del exilio apenas fueron conocidas en España a causa de la censura. Se trata, pues, de una corriente literaria que evoluciona de una manera autónoma y paralela respecto a la narrativa que se va desarrollando en España.

Max Aub (1906-1972) comenzó su carrera literaria como dramaturgo vanguardista, pero lo mejor de su obra son las novelas que escribió en el exilio, agrupadas en el ciclo *El laberinto mágico,* dedicado a a la Guerra Civil, y escrito con técnica realista.

Ramón J. Sender (1902-1082)

Es el autor más representativo de la novela en el exilio. Su obra, caracterizada por el **compromiso** ideológico y por el uso de una personal técnica **realista,** es muy extensa y variada.

Comenzó su carrera novelística en los años treinta, con títulos como *Imán* (1930), *Siete domingos rojos* (1932) o *Mr. Witt en el cantón,* premio Nacional de Literatura de 1935.

En el exilio escribió decenas de novelas en torno a tres grandes temas: la **evocación autobiográfica** (*Crónica del alba,* 1942), la **Guerra Civil** (*Réquiem por un campesino español,* 1953, que es su obra maestra) y la **América española** (*Epitalamio del Prieto Trinidad,* 1942).

Ramón J. Sender.

Francisco Ayala (1906)

Antes de la guerra participó en los movimientos vanguardistas de los años veinte, con una narrativa deshumanizada y experimental.

Ya en el exilio, publicó dos colecciones de relatos breves, *Los usurpadores* (1948) y *La cabeza del cordero* (1949), ambientados en diversos momentos de la historia de España.

Son importantes también dos novelas que analizan críticamente una ficticia dictadura hispanoamericana: *Muertes de perro* (1958) y *El fondo del vaso* (1962).

A lo largo de toda su obra, Ayala ha mostrado un especial cuidado por el estilo y el lenguaje.

Francisco Ayala recibió el premio Cervantes en 1991.

Rosa Chacel (1898-1995)

También siguió las tendencias deshumanizadoras y vanguardistas en sus primeras obras.

En el exilio publicó unas cuantas novelas realistas, de estilo muy cuidado y ritmo lento. No tratan de temas sociales, ni siquiera de la Guerra Civil, sino que se centran en el minucioso análisis psicológico de los personajes femeninos.

Destacan: *Teresa* (1941), basada en la vida de la amante de Espronceda, y *Memorias de Leticia Valle* (1946), que narra el despertar amoroso de una adolescente.

La novela de posguerra

La novela no se vio afectada de la misma manera que la poesía (ver t40) por la Guerra Civil, ya que la narrativa de los años anteriores a ésta no se encontraba en una situación tan favorable. Por el contrario, la novela experimentó un resurgimiento a partir de este momento y se mostró como el género más apropiado para reflejar la terrible situación que el país acababa de vivir.

Principales tendencias

■ **La visión de los vencedores:** la novela de después de la Guerra Civil se desarrolló desde la perspectiva ideológica del bando vencedor.

■ **Los continuadores del costumbrismo:** otra corriente narrativa fue la que se centró en la descripción costumbrista de los ambientes de la burguesía.

■ **El recurso al humorismo:** la novela de humor satisfizo la demanda de literatura evasiva que hiciera olvidar la dura realidad social.

Camilo José Cela

Su primera novela, *La familia de Pascual Duarte* (1942), supone una novedad en el panorama literario de los años cuarenta. El argumento truculento, la violencia gratuita y la ambientación en un atrasado mundo rural suscitaron gran polémica en torno a ella. La visión del mundo subyacente no está muy lejos del **existencialismo** francés o del **neorrealismo** italiano de la época.

A ésta siguieron *Pabellón de reposo* (1943), *Nuevas andanzas de Lazarillo de Tormes* (1944) y *Viaje a la Alcarria* (1948).

Camilo José Cela, en 1948.

La obra más importante de Cela, *La colmena* (1951), inaugura el **realismo social** de los años cincuenta.

Cada uno de sus seis capítulos consta de una serie de **secuencias breves,** que desarrollan episodios que están mezclados con otros que ocurren simultáneamente. Esta fragmentación en anécdotas que conforman un conjunto de **vidas cruzadas,** como las abejas de una colmena, trata de reflejar objetivamente la **realidad social** de la posguerra.

El tratamiento de los personajes, sin esperanzas, muestra un **pesimismo existencial** constante en Cela.

Miguel Delibes

Miguel Delibes se dio a conocer con *La sombra del ciprés es alargada* (premio Nadal 1947), a la que siguieron *El camino* (1950), *La hoja roja* (1959) y *Las ratas* (1962).

Cinco horas con Mario (1966), su obra maestra, consiste en el monólogo interior de Carmen, una mujer de clase media que está velando el cadáver de su esposo. El contraste entre Mario, un profesor solidario y progresista, y Carmen, de mentalidad cerrada y convencional, refleja el de la España tradicional y el de la España progresista.

Con *Parábola del náufrago* (1969), Delibes se introdujo en el experimentalismo formal, pero retomó sus temas y su estilo en las novelas siguientes.

Nada

Carmen Laforet (1921), una desconocida escritora barcelonesa, ganó el premio Nadal en 1945 con *Nada.* La novela está emparentada con el existencialismo europeo y narra en primera persona las vivencias de Andrea, que llega a la ciudad para estudiar en la Universidad y se encuentra con el sórdido ambiente de sus familiares.

Frente al estilo retórico y clasicista de la época, *Nada* está escrita con una prosa fresca, directa, espontánea.

Camilo José Cela nació en Padrón, La Coruña, en 1916. Realizó estudios de Medicina y Derecho, que no llegó a terminar. Participó en la Guerra Civil en el bando nacional y trabajó algún tiempo como funcionario. En 1957 ingresó en la Real Academia y en 1989 le fue concedido el premio Nobel.

Miguel Delibes nació en Valladolid en 1920. Fue catedrático de Derecho Mercantil y desde 1974 es miembro de la Real Academia. De costumbres sencillas y gran aficionado a la caza, ha mostrado siempre su preocupación por la defensa de la naturaleza y ha criticado la sociedad deshumanizada y consumista. Otras novelas importantes son *Las guerras de nuestros antepasados* (1975), *El disputado voto del señor Cayo* (1977) y *Los Santos inocentes* (1981).

El realismo social

El cambio de rumbo que había marcado *La colmena* (1951) se manifiesta de manera espectacular en 1954, año en que se publican varias novelas de un grupo de escritores nacidos entre1924 y 1931, que tienen en común el **realismo social,** el afán de mostrar críticamente la sociedad española de su tiempo.

El realismo social en España se divide en dos grandes tendencias: el **realismo objetivista,** próximo al *noveau roman* francés (ver t75), y el **realismo crítico,** cercano al neorrealismo italiano (ver t77).

La novela social objetivista

La novela objetivista se basa en la **psicología conductista** y en el **lenguaje del cine,** por lo que sus principales técnicas narrativas son:

- Reducción al mínimo de la presencia del autor.
- Limitación del protagonismo de los personajes (**personaje colectivo**).
- Eliminación de la introspección y el análisis psicológico.
- Caracterización externa de los personajes.
- Disolución del argumento en una sucesión de anécdotas.
- Sencillez estructural y estilística.
- Concentración temporal y espacial.

Autores más destacados

Rafael Sánchez Ferlosio (Roma, 1927). Es autor de *El Jarama.* Es la mejor plasmación de la estética objetivista. El autor desaparece, asumiendo el punto de vista de una cámara que se limita a filmar todo lo que tiene delante. Por ello, el peso fundamental de la obra descansa en los diálogos.

Juan Goytisolo (Barcelona, 1931). Su **primera etapa** *(Juegos de manos, Duelo en el Paraíso)* tiene un fuerte sentido subjetivo que presenta la infancia como un paraíso perdido. En su **segunda etapa** (1956-1962) se percibe el compromiso político y la denuncia social. En la **tercera etapa** (a partir de 1966) abandona el realismo social para reivindicar las culturas y las minorías sofocadas, en especial la musulmana *(Señas de identidad,* 1966; *Reivindicación del conde don Julián,*1970; *Makbara,*1980).

Ignacio Aldecoa (1925-1969). Sus novelas *El fulgor y la sangre* (1954) y *Con el viento solano* (1956) están basadas en un crimen rural. Aldecoa narra desde un distanciamiento objetivista, tras el que late una cálida solidaridad con los humildes. Son muy valiosos sus **cuentos.**

Carmen Martín Gaite (Salamanca, 1925) obtuvo el premio Nadal con *Entre visillos* (1957), crítica visión de las chicas de una ciudad de provincias, obsesionadas con casarse. *Retahílas* (1974) es una de sus mejores obras.

Otros autores importantes son **Armando López Salinas** (Madrid, 1925), **Jesús Fernández Santos** (1926-1988), **Ana María Matute** (Barcelona, 1926), **José Manuel Caballero Bonald** (Jerez de la Frontera, 1926), **Juan García Hortelano** (1928-1994), **Alfonso Grosso** (Sevilla, 1928) y **Jesús López Pacheco** (Madrid, 1930).

Principales novelas del realismo social

- 1954: *Pequeño teatro,* de Ana María Matute; *Los bravos,* de Jesús Fernández Santos; *El fulgor y la sangre,* de Ignacio Aldecoa; *Juegos de manos,* de Juan Goytisolo.
- 1955: *El Jarama,* de Rafael Sánchez Ferlosio.
- 1957: *Entre visillos,* de Carmen Martín Gaite.
- 1958: *Central eléctrica,* de Jesús López Pacheco.
- 1959: *Nuevas amistades,* de Juan García Hortelano.
- 1960: *La mina,* de Armando López Salinas.
- 1961: *La zanja,* de Alfonso Grosso.
- 1962: *Dos días de setiembre,* de José Manuel Caballero Bonald.

El realismo crítico

El **realismo crítico** adopta una postura más comprometida que el objetivismo, debido a que la mayoría de estos escritores fueron militantes del Partido Comunista en la clandestinidad. Existen dos matices propios de esta corriente:

- Mayor explicitación de la intencionalidad crítica.
- Utilización de personajes representativos de una clase social.

Temas de la novela social

El tema básico de la novela social de los años cincuenta es la **sociedad española contemporánea,** pero no en un sentido global como sucedía en la novela del siglo XIX. De acuerdo con los temas que trata, podemos agruparlas en los siguientes apartados:

- El mundo rural.
- La clase obrera.
- La burguesía.

La poesía de posguerra

La generación del 36, conocida también como primera promoción de la posguerra y generación escindida, está constituida por poetas que padecieron la Guerra Civil, sufriendo, en muchos casos, la cárcel o el exilio, exterior o interior. Salvo Miguel Hernández (ver t38), que, en realidad, engarza con el 27, casi todos los demás autores habían realizado estudios universitarios y se habían criado literariamente con los poetas de esta generación o de la anterior.

El grupo *Cántico* de Córdoba

Cántico significa un islote estético marginal y de interés extraordinario. Se constituye en 1941 y la revista apareció en dos etapas (1947-1949 y 1954-1957). Estaba formado, básicamente, por **Juan Bernier** (1911-1989), **Pablo García Baena** (1923), **Ricardo Molina** (1917-1969) y **Julio Aumente** (1924).

Frente a *Espadaña* y a la *Garcilaso,* la revista pretendía crear una lengua poética elaborada que engarzase con la generación del 27 y con el modernismo.

El postismo

El **postismo** fue un movimiento marginal que pretendía apartarse de las poéticas del momento. Sus mentores fueron el poeta **Carlos Edmundo de Ory** (1923) y el pintor **Eduardo Chicharro** (1905-1964).

El *postismo* –abreviatura de *postsurrealismo*– se mueve en una zona confusa entre la tradición del peruano **César Vallejo** (1893-1938), los surrealistas tipo Juan Larrea y la poesía social.

Han sido más reconocidos por su carácter de poesía extravagante que por su influencia.

Revistas y tendencias

Esta generación se divide en dos grandes grupos, que se corresponden, inicialmente, a los dos bandos de la Guerra Civil. Dámaso Alonso llamó a la poesía del primer grupo *arraigada,* y a la segunda, *desarraigada.*

Escorial y *Garcilaso*

Los poetas de procedencia de derechas se agruparon en torno a dos revistas de Madrid:

Portada del número 13 de la revista *Garcilaso,* publicado en mayo de 1944.

Portada del primer número de la revista *Espadaña,* publicado en mayo de 1944.

- *Escorial* (1940-1950), dirigida por **Dionisio Ridruejo** (1912-1975) y con **Luis Rosales** (1910-1992) como secretario y después director.

- *Garcilaso* (1943-1946), dirigida por **José García Nieto** (1914; premio Cervantes 1996) y **Pedro Lorenzo** (1917).

Los poetas de este grupo abogaban por una poesía «humana», pero algunos de sus miembros cayeron en una estética neoclásica, formalista, alejada de la realidad social, tan dura, del momento.

Proel, Corcel, Espadaña

Frente a estas revistas sufragadas por el régimen, aparecieron otras como *Proel* (1944), en Santander; y *Corcel* (1943), en Valencia.

La más importante fue *Espadaña* (1944-1950), fundada en León por **Antonio García de Lama, Eugenio de Nora** y **Victoriano Crémer.**

El grupo quería proclamar una poesía existencial, más apegada al mundo y a sus problemas.

Poesía social

La poesía social es fruto del **existencialismo,** de la corriente *desarraigada* y de la **disensión política** contra el régimen de Franco.

Se trata de un poesía escrita para conseguir que el pueblo tomara conciencia de los problemas sociales y se levantara contra las dictaduras.

Sus más eximios representantes fueron **Blas de Otero** (1916-1979) y **Gabriel Celaya** (1911-1991). Poetas de otras generaciones como **José Hierro** (1922), **Ángel González** (1925), **José Agustín Goytisolo** (1928-1999) o **Carlos Sahagún** (1938) pueden incluirse en esa actitud testimonial.

Algunos poetas de posguerra

Leopoldo Panero (Astorga, León, 1909-1962)

Su primer libro, *La estancia vacía* (1944), ya manifiesta los temas íntimos y existenciales en torno a los que gira su poética. Otros títulos suyos son: *Escrito a cada instante* (1949) y *Canto personal* (1953).

Luis Rosales (Granada, 1910-1992)

Comenzó publicando *Abril* (1935), poemario de corte clasicista, pero en 1949 su libro *La casa encendida* influyó en la mayoría de los poetas de los años cincuenta y setenta. Sus *Obras completas* se han publicado en 1996.

Gabriel Celaya (Hernani, Guipúzcoa, 1911-1991)

Su verdadero nombre era Rafael Múgica Celaya, y estudió ingeniería. Su obra, muy extensa y variada, fue seleccionada por él mismo en la antología *Itinerario poético* (1973). Sus libros más importantes como «poeta social» son *Las cartas boca arriba* (1951) y *Cantos Íberos* (1955).

Blas de Otero (Bilbao, 1916-1979)

En su juventud escribió influido por los poetas místicos españoles. *Ángel fieramente humano* (1950) es un importante libro de poesía religiosa en el que el poeta expresa un profunda crisis. Otros poemarios son *Redoble de conciencia* (1951), *Pido la paz y la palabra* (1955), *Que trata de España* (1964) y *Poesía con nombres* (1977).

Blas de Otero

Miguel Labordeta (Zaragoza, 1921-1964)

Hermano del cantautor José Antonio Labordeta, suele ser incluido en el postismo, aunque en realidad es un claro surrealista, impregnado de existencialismo y poesía social. Es muy interesante su primer libro, *Sumido 25* (1945). En 1972 se publicaron sus *Obras completas*.

José Hierro (Madrid, 1922)

Perteneciente al grupo creado en torno a la revista *Proel* de Santander. Ha publicado su poesía con el título *Cuanto sé de mí* (1974). De gran importancia fueron *Con las piedras, con el viento* (1950), *Quinta del 42* (1951) y *Libro de las alucinaciones* (1964). Sus libros más recientes son *Agenda* (1991) y *Cuaderno de Nueva York* (1998). En 1998 recibió el premio Cervantes y en 1999 fue elegido miembro de la Real Academia Española.

Poeta social «a medias», es uno de los mejores poetas de la segunda mitad del siglo. También sobresale su actividad como ensayista.

José Hierro.

Juan Bernier

(1911-1989), fue uno de los fundadores del grupo *Cántico*, con el que comparte la idea de otorgar la primacía a la estética antes que al «mensaje». Sus poemas se caracterizan por la riqueza expresiva y sensorial. Entre sus principales poemarios están *Aquí en la tierra* (1948), *Una voz cualquiera* (1959), *Poesía en seis tiempos* (1977) y *Los muertos* (1986).

Eugenio de Nora

(Zacos, León, 1923), en su primer libro, *Canto al destino*, manifestó preocupación existencial en textos de ritmo muy cuidado. Otros poemarios son: *Contemplación del tiempo* (1948), *Siempre* (1953), *España, pasión de vida* (1954) y *Angulares* (1975).

José Luis Hidalgo

(1919-1947), fue profesor de la Escuela de Bellas Artes de Valencia. Entre sus libros destaca *Los muertos* (1947).

El teatro de posguerra (I). La alta comedia y el teatro humorístico

José María Pemán

(1898-1981), destaca tanto por sus dramas como por sus artículos, conferencias y poemas.

A través del teatro histórico, Pemán ofrece una visión simplista de la historia, en la que rezuma la ideología tradicional: *Cisneros* (1934), *Por la virgen capitana* (1940). También cultivó el teatro costumbrista y de tesis *(Hay siete pecados,* 1943; *La verdad,* 1947), pero tuvo más éxito con las comedias ligeras de ambiente andaluz *(Los tres etcéteras de don Simón,* 1958; *La viudita naviera* 1960).

Juan Ignacio Luca de Tena

(1897-1975), cultivó la comedia de costumbres, la farsa, la comedia psicológica, histórica y de enredo. Entre sus títulos sobresalen *¿Quién soy yo?* (1935), *Dos mujeres* (1948), dilema de un profesor universitario que ha de elegir entre la mujer tradicional española y la mujer moderna americana; *El cóndor sin alas* (1951), *Don José, Pepe y Pepito* (1952), *¿Dónde vas Alfonso XII?* (1957) y *¿Dónde vas, triste de ti?* (1959).

Edgar Neville (1899-1967), nacido en una familia noble, estudió Derecho y ejerció como diplomático en Washington. Al estallar la Guerra Civil viajó por diferentes ciudades europeas. Durante la posguerra trabajó para el cine y se dedicó a escribir.

Cultivó casi todos los géneros literarios y colaboró en diversas revistas, entre ellas *La Codorniz.*

El panorama teatral en la inmediata posguerra es bastante pobre. Las innovaciones más interesantes anteriores al conflicto desaparecen junto con sus autores, muertos (Lorca, Valle-Inclán) o exiliados (Max Aub o Alberti). En las salas comerciales seguía triunfando un teatro tradicional y evasionista: la comedia benaventina, trivial y entretenida. Junto a ésta, surge el teatro humorístico de Mihura y Jardiel Poncela, cuyos rasgos fundamentales son las situaciones inverosímiles y los diálogos regidos por una lógica poco convencional.

El teatro burgués de Jacinto Benavente

Un precedente de la alta comedia de posguerra es la comedia burguesa de principios de siglo. Su máximo exponente fue **Jacinto Benavente** (Madrid, 1866-1954), cuyas primeras obras *(Los intereses creados,* 1907) analizaban críticamente las clases medias y supusieron un innovación frente al teatro grandilocuente de José Echegaray (1832-1916).

Después fue adoptando una actitud más complaciente hacia el público burgués, lo que le proporcionó una enorme popularidad con obras como *Señora ama* (1908) o *La malquerida* (1924). Recibió el premio Nobel en 1922.

La alta comedia

Se trata de un tipo de teatro que concede una especial importancia a la **obra bien elaborada** en la construcción de la trama, los diálogos o los juegos escénicos.

El ambiente es siempre el de la **clase burguesa acomodada,** y su objetivo es simplemente el **entretenimiento** del público, con un argumento muy repetido centrado en el **adulterio** o la infidelidad. En estos argumentos, el final feliz defiende la ideología **dominante,** y triunfan la fidelidad, la honradez y el amor.

Junto a las obras fundamentalmente humorísticas aparecen también **dramas de tesis** y **piezas históricas.**

Los principales autores fueron **Edgar Neville** (1899-1967), **José María Pemán** (1898-1981) y **Juan Ignacio Luca de Tena** (1897-1975), entre otros.

Edgar Neville

Su trayectoria literaria evoluciona desde el **vanguardismo** de juventud, pasando por el **teatro comprometido** durante la guerra, hasta la **alta comedia** en obras como *El baile* (1952).

Sus obras se caracterizan por ofrecer una visión amable de la vida y tener como finalidad la **evasión** de la realidad por medio de la ficción literaria. Suele utilizar **escenarios madrileños,** con personajes de **clase alta,** elegantes y distinguidos, que suelen obedecer a **arquetipos:** el hombre triunfador, la gran dama, el marido aburrido...

La originalidad de Neville se basa en el humor irónico y en la hipérbole con intención desmitificadora, y también en las situaciones absurdas.

Enrique Jardiel Poncela

El **propósito** de Jardiel consistía en romper con las formas tradicionales de lo cómico, centradas en lo verosímil y sujetas a la realidad. Su propuesta dramática no llegó a materializarse, pues se vio obligado a hacer concesiones para satisfacer al público.

Su **originalidad** reside en la creación de situaciones grotescas, ridículas o inverosímiles. Esto lo consigue por medio de ironías, diálogos vivaces, equívocos, sorpresas o mezclando lo sublime con lo vulgar.

Enrique Jardiel Poncela.

En algunas obras como *Angelina o el honor de un brigadier* (1934) o *Madre (el drama padre)* realiza una dura crítica a la sociedad mediante el disparate más absurdo.

Jardiel Poncela (1901-1952), inicia su carrera literaria como novelista de éxito. Sus obras de teatro más importantes son *Cuatro corazones con freno y marcha atrás* (1936), *Un marido de ida y vuelta* (1939), *Eloísa está debajo de un almendro* (1940), *Los ladrones somos gente honrada* (1941) y *Los habitantes de la casa deshabitada* (1942).

Miguel Mihura

Empezó a escribir antes de la guerra, pero sólo estrenó con regularidad a partir de la década de los cincuenta.

Tres sombreros de copa, escrita en 1932 y estrenada veinte años después, está considerada como una de las obras maestras del teatro humorístico. Por su originalidad, supone una ruptura completa con el teatro cómico anterior.

Esta obra desarrolla el tema de la **libertad alcanzada y perdida.**

Representación de *Maribel y la extraña familia,* de Miguel Mihura.

Ese mismo tema aparecerá en *¡Sublime decisión!* (1955), *Mi adorado don Juan* (1956) y *La bella Dorotea* (1963).

A partir de la década de los cincuenta, la **sátira** se impone sobre el humor en obras como *El caso de la señora estupenda* (1953), *Ninette y un señor de Murcia* (1964), *Maribel y la extraña familia* (1959) o *Melocotón en almíbar* (1958).

Miguel Mihura (1906-1977). Fue durante un tiempo dibujante de la revista satírica *Gutiérrez*, dirigió la publicación humorística *La Ametralladora* y en 1941 fundó la revista de humor *La Codorniz*. Además de su labor como dramaturgo y articulista, es conocido por sus colaboraciones en guiones cinematográficos.

Alfonso Paso

Alfonso Paso (1926-1978) sabía que el público de la posguerra no estaba preparado para asimilar una renovación completa en el teatro, por lo que ensayó una **fórmula intermedia** entre el cambio y el gusto del público.

Finalmente, acabó cediendo y amoldándose a lo que el público pedía. Con ello, condenó su teatro a ser un objeto de consumo, destinado a una clase social determinada.

En sus numerosísimas obras demuestra una gran habilidad para enlazar y desenlazar la **intriga,** crear situaciones sorprendentes y manejar el diálogo con gracia.

Clasificación del teatro de Alfonso Paso

- El **teatro social** se caracteriza por denunciar la injusticia, poner al descubierto los trapos sucios de la alta sociedad y ensalzar la clase media: *Los pobrecitos* (1957), *La corbata* (1963).

- El **teatro policíaco** tiene como única misión entretener al público y hacerle pasar un buen rato: *Usted puede ser un asesino* (1958) y *Receta para un crimen* (1959).

El teatro social de posguerra (II). Teatro social y teatro poético

Dentro del pobre panorama teatral de la posguerra (ver t41), Antonio Buero Vallejo y Alfonso Sastre marcan dos hitos históricos en el teatro social y político de esta época. Movidos por su instinto de rebelión, muestran su disconformidad con el sistema vigente a través de sus escritos. Son dos formas diferentes de entender la protesta: política, en el caso de Sastre; social, en el de Buero Vallejo. En el extremo contrario, pero también como muestra de rechazo hacia la sociedad contemporánea, autores como Alejandro Casona y Antonio Gala llenaron sus obras de poeticidad y simbolismo.

Antonio Buero Vallejo

Cuando Buero Vallejo estrena *Historia de una escalera* en 1949 nace un nuevo drama español que, arraigado en la **realidad inmediata,** va en busca de la verdad y pretende remover la conciencia española.

El tema común que liga toda su producción es la **tragedia del individuo,** analizada desde un punto de vista social, ético y moral.

Antonio Buero Vallejo, fotografiado por Alfonso (1957). (Estudio Museo Alfonso).

Su obra se clasifica en:

- **Teatro simbolista:** *En la ardiente oscuridad, La tejedora de sueños.*

- **Teatro de crítica social:** analiza la sociedad española con todas sus injusticias, mentiras y violencias: *Historia de una escalera, Hoy es fiesta* (1956), *Las cartas boca abajo* (1957), *La fundación* (1964) y *El tragaluz* (1967).

- **Dramas históricos:** en ellos, Buero utiliza la historia como «espejo» de situaciones del presente: *Un soñador para un pueblo* (1960), *El concierto de San Ovidio* (1962) y *El sueño de la razón* (1970).

Alfonso Sastre

Para Sastre, el teatro debía ser un instrumento de agitación y transformación de la sociedad.

Escuadra hacia la muerte (1953) supone su consagración como dramaturgo. En ella, como en *El pan de todos* o *La mordaza,* Sastre escribe un teatro con tintes existencialistas. En otras obras (*El cubo de basura, Tierra roja* o *Muerte en el barrio*) se inclina por el realismo crítico de denuncia.

Los dramas de entre 1965 y 1972 están recogidos en *Teatro penúltimo.* Se caracterizan por una renovación en la puesta en escena y porque la acción se desarrolla en épocas anteriores.

Debido a razones políticas, muchas de sus obras no se representaron. Las referencias directas o indirectas a la situación española le impidieron estar en cartel.

Alejandro Casona

Los rasgos poéticos y la expresión lírica están más o menos presentes en todas sus obras, que se pueden dividir en dos bloques: **teatro fantástico** y **teatro pedagógico**.

Teatro fantástico

Podemos llamar teatro fantástico a la creación de una atmósfera irreal y mágica a través del lenguaje poético, donde se analiza la relación entre realidad y fantasía, el misterio y los sueños.

El mundo de lo real y lo imaginario forma parte de *La sirena varada* (1933), *Prohibido suicidarse en primavera* (1937) y *Los árboles mueren de pie* (1937).

El tema de los sueños aparece en *La llave del desván* y *Siete gritos en el mar.*

También pertenecen al teatro fantástico *Otra vez el diablo* y *La barca sin pescador.*

Antonio Gala

Los temas recurrentes en la obra de Gala son la frustración y la soledad.

Gala manifiesta una simbología compleja, no tanto por su significado como por su vaguedad e inconcreción.

Su primera obra es *Los campos del Edén* (1963), premio Calderón de la Barca. Otras obras importantes son: *El sol del hormiguero* (1966), fábula político-social; *Noviembre y un poco de yerba* (1967), que recoge el drama de la Guerra Civil; *El caracol en el espejo* (1970), donde analiza el sentimiento de frustración; *Los buenos días perdidos* (1972); y *Anillos para una dama* (1973), drama histórico en el que recrea la vida de doña Jimena, una vez muerto el Cid.

Escenografía de Francisco Nieva para *Los buenos días perdidos*, de Antonio Gala. (Museo Nacional del Teatro, Almagro. Ministerio de Educación y Cultura).

La narrativa desde los años sesenta hasta la actualidad

Tiempo de silencio

Tiempo de silencio (1962), de **Luis Martín Santos** (1924-1964) fue la novela que marcó la ruptura con el realismo y con la novela social. Sus innovaciones formales aparecen en la extraordinaria riqueza de técnicas narrativas y de registros lingüísticos. En su desarrollo ataca con igual ironía y distanciamiento los ambientes sociales más diversos: la clase alta, la intelectualidad y los marginados.

Luis Martín-Santos
Tiempo de silencio

La novela española de los sesenta estuvo marcada por el experimentalismo, cuyas causas principales fueron el agotamiento de la novela social (ver t39) y la incapacidad de la técnica realista para dar cuenta rápida y profunda de la transformación de la sociedad. En la década de los setenta, históricos acontecimientos (muerte de Franco en 1975, primeras elecciones democráticas en 1977) modificaron la situación política de España. La libertad creativa no ha propiciado una dirección única, sino la multiplicidad de orientaciones.

Características de la novela experimental

La principal novedad consiste en que, en estas obras, el lector debe asumir un papel activo, realizando su propia interpretación de la obra. Los principales **rasgos** con los que se busca esta participación del lector son:

- **Punto de vista múltiple:** frente al narrador omnisciente o el personaje interpuesto que eran el punto de vista exclusivo hasta ahora, surge la posibilidad de que varios personajes compartan la narración.

- **Limitación de la importancia del argumento:** en muchas ocasiones, el argumento apenas existe, no es más que un pretexto para elaborar artificiosos juegos formales.

- **Estructura compleja:** se rompe con la tradicional estructura de planteamiento, nudo y desenlace, basado en la linealidad temporal.

- **Monólogos interiores:** con los que los personajes expresan libre y desordenadamente el fluir de sus pensamientos.

- **Estilo y lenguaje:** se manejan con total libertad: frases de gran extensión, ausencia de puntuación, etcétera.

Algunos autores significativos

- **Gonzalo Torrente Ballester** (1910-1999) fue miembro de la Real Academia desde 1975, y en 1985 recibió el premio Cervantes. Su obra maestra es *La saga/fuga de J. B.* (1972), verdadero compendio de las técnicas renovadoras. Otras novelas importantes son la trilogía realista *Los gozos y las sombras* (1957-1962) y *Crónica del rey pasmado* (1989).

- **Juan Benet** (1927-1993) es el máximo representante de la tendencia formalista. Influido por Faulkner y García Márquez, crea un espacio mítico, Región, representativo del conjunto de España.: *Volverás a Región* (1967), *Saúl ante Samuel* (1980).

- **Javier Tomeo** (1932) ha visto su obra revalorizada en los ochenta: *Amado monstruo*, (1985); *El cazador de leones* (1987), *La ciudad de las palomas* (1989).

- **Juan Marsé** (1933) ambienta sus obras en los barrios populares de Barcelona: *Últimas tardes con Teresa* (1966), *Si te dicen que caí* (1973).

- **Francisco Umbral** (1935) usa una prosa muy trabajada, barroca y expresiva: *Memorias de un niño de derechas* (1972), *Mortal y rosa* (1975).

Características de la narrativa actual

No se puede hablar de grupos homogéneos o generaciones, sino de autores diversos sin apenas puntos en común.

■ En los **temas** se vuelve a la **subjetividad,** lo íntimo, por encima del análisis de la sociedad.

■ En las **técnicas** abunda el **eclecticismo,** la mezcla de técnicas tradicionales y vanguardistas. Las obras son de lectura más asequible que las de los años sesenta, y los argumentos vuelven a tener relevancia, lo que ha redundado en una **amplia difusión** entre el público.

Algunos autores

■ **Manuel Vázquez Montalbán** (1939). Su ideología progresista se expresa mediante gran variedad de temas, técnicas y registros. Es muy popular la serie protagonizada por el detective Pepe Carvalho. De sus novelas destacan: *El pianista* (1985) y *Galíndez* (1990).

■ **Álvaro Pombo** (1939) crea un universo narrativo muy personal, basado en el análisis psicológico de los personajes, en *El héroe de las mansardas de Mansard* (1983).

■ **Luis Mateo Díez** (1942) describe de manera realista, crítica e irónica los ambientes provincianos. Son también importantes sus cuentos.

■ **Eduardo Mendoza** (1943). Su primera novela, *La verdad sobre el caso Savolta* (1975), inauguró la vuelta al gusto por las historias interesantes utilizando técnicas innovadoras. Su obra maestra es *La ciudad de los prodigios* (1986).

■ **Juan José Millás** (1946). La angustia existencial y la incertidumbre son el centro temático de su narrativa, en la que destacan *El desorden de tu nombre* (1988), *La soledad era esto* (premio Nadal 1990) y *Tonto, bastardo, muerto e invisible* (1995).

■ **Soledad Puértolas** (1947) explora el mundo íntimo de los personajes de sus novelas. Destaca también en el relato breve y la crítica literaria.

■ **Javier Marías** (1951) es uno de los escritores más sobresalientes de su generación, con importantes premios y diversas traducciones. Con una cuidada prosa, se sirve de complejas intrigas para explorar el mundo interior de los personajes: *Todas las almas* (1989), *Corazón tan blanco* (1993), *Mañana en la batalla piensa en mí* (1994).

■ **Antonio Muñoz Molina** (1956), miembro de la Real Academia. Sus novelas, basadas en las intrigas argumentales, se caracterizan por la habilidad constructiva y la capacidad de atraer el interés del lector: *El invierno en Lisboa* (1987), *El jinete polaco* (1991), *Plenilunio* (1997).

La estrecha relación entre periodismo y narrativa tiene un claro ejemplo en las páginas del diario *El País,*

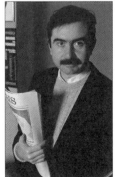

Antonio Muñoz Molina. Sus frecuentes intervenciones en la prensa hacen de él alguien muy cercano a los lectores.

Principales tendencias

•Novelas policíacas o de intriga. El género policial ha experimentado un gran desarrollo. Quien más éxito de público ha alcanzado en este género es **Arturo Pérez Reverte** (Cartagena, 1951): con obras como *La tabla de Flandes* (1990) o *El club Dumas* (1993).

•Novelas históricas. La recreación del pasado es una de las fuentes argumentales más importantes.

•Novelas intimistas.

•Novelas experimentales.

El cuento

En España, el relato corto ha sido tradicionalmente considerado un género menor en comparación con la novela. Sin embargo, durante el periodo posterior a la Guerra Civil se han escrito numerosos y muy valiosos cuentos, y apenas hay novelista que no haya cultivado el género.

La literatura y los medios de comunicación

Las tradicionales relaciones entre la narrativa y el periodismo se han estrechado en los últimos años. Por una parte, son muchos los novelistas que colaboran de manera asidua en la prensa: **Javier Marías, Juan José Millás, Antonio Muñoz Molina, Francisco Umbral,** etc. Por otra parte, cada vez son más frecuentes las aportaciones literarias de conocidos periodistas, como **Manuel Leguineche, Rosa Montero** o **Maruja Torres.** Todo esto ha dado lugar a un nuevo género: el **reportaje novelado.**

La poesía actual

En los últimos cincuenta años del siglo XX, gracias a la extraordinaria longevidad de algunos de sus componentes, han convivido o coexistido a la vez cinco generaciones de escritores. Junto a algunos autores de la generación del 27 (ver t35 a t37) y los poetas consagrados de la del 36 (ver t40), surgen tres nuevas generaciones: la de los cincuenta, los setenta y los ochenta.

La generación de los cincuenta

También llamado *grupo de los años cincuenta, segunda promoción de posguerra* o *grupo de los niños de la guerra,* estos autores nacieron entre 1925 y 1934, aproximadamente, y vivieron de niños la Guerra Civil.

Tienen en común con la generación anterior el realismo de situación, la propensión narrativa y el compromiso moral o político.

Las diferencias se encuentran en la concepción de la poesía como **experiencia** y no como **comunicación**. Esta concepción insiste en el carácter verbal del poema y recupera el cuidado por la forma.

Poetas de los cincuenta

- **Ángel González** (1925). Obtuvo el premio Príncipe de Asturias en 1985. *Palabra sobre palabra* (1985) recoge toda su obra poética anterior, que incluye *Grado elemental* (1962), *Tratado de urbanismo* (1967, 1976), etcétera.

- **José Manuel Caballero Bonald** (1928). Ha recibido el premio de la Crítica en tres ocasiones, dos como poeta y uno como novelista. Son antologías de su obra *Vivir para contarlo* (1969), *Poesía* (1979), *Selección natural* (1983) y *Doble vida* (1989).

- **Alfonso Costafreda** (Tárraga, Lérida, 1926-1974). Residió fuera de España muchos años, pero pertenece a la Escuela de Barcelona. Su obra es breve y está recogida en *Poesía completa* (1990).

- **José Ángel Valente** (1929). Reunió en la antología *Punto cero* (1972) su obra anterior, donde destaca *El inocente* (1970). En los libros siguientes el poeta escribe una poesía del silencio, cercana a san Juan de la Cruz, con una continua discusión personal y dialéctica sobre la poesía.

- **José Agustín Goytisolo** (1929-1999). Maneja motivos autobiográficos en su extensa obra poética, reunida en *Palabras para Julia y otras canciones* (1977).

- **Jaime Gil de Biedma** (1929-1990). Su influencia sobre las generaciones de los setenta y los ochenta ha sido muy significativa. Ente sus obras destacan *Moralidades* (1966) y *Poemas póstumos* (1968, 1970). En *Las personas del verbo* (1968, 1970) recogió su obra anterior.

- **Claudio Rodríguez** (1934). Es miembro de la Real Academia. Recopiló su obra hasta ese momento en *Desde mis poemas* (1983) y después publicó *Caso una leyenda* (1991) y *Elogio de la sombra* (1992).

- **Francisco Brines** (1932). Premio Nacional de Poesía por *El otoño de las rosas* (1987). Ha publicado una recopilación de su obra completa en *Poesía completa* (1960-1997).

El poeta *Jaime Gil de Biedma.*

La generación de los setenta

Los jóvenes poetas de los setenta **acentúan el aspecto verbal y la huida de la realidad.** Los principales rasgos de su poesía son:

- **Reserva sentimental y existencialismo negativo:** el yo del autor prácticamente desaparece para que su lugar lo ocupe otro inventado por el poeta. De ahí que con frecuencia busquen personajes de otras épocas en los que se representan. El existencialismo negativo se manifiesta en la incapacidad de creer, como hacía la generación anterior, en la poesía como un acto de conocimiento.

- **Lectura restrictiva de la tradición:** entre sus modelos, escogieron el 27, el simbolismo, el modernismo, el surrealismo y mucha cultura *camp, pop* y *folk:* cine, tebeos, Marilyn, Bogart, música, etcétera. Buscaron una lengua poética exuberante, de procedencia principalmente modernista.

Poetas de los setenta

- **Juan Luis Panero** (1942). Ha publicado su *Poesía completa* (1996). Sus poemarios más importantes son *A través del tiempo* (1968), *Antes de que llegue la noche* (1985) y *Galería de fantasmas* (1988).

- **Guillermo Carnero** (1947). Economista, filólogo y poeta crítico, es uno de los máximos representantes de los llamados novísimos. Su obra más significativa es *Dibujo de la muerte* (1967). En *Ensayo para una teoría de la visión* (1979) seleccionó su obra.

- **Antonio Carvajal** (1943). Es un poeta independiente. En *Extravagante jerarquía* recogió su obra anterior.

- **Pere Gimferrer** (1945). Además del emblemático *Arde el mar* (1966), publicó *Mensaje del tetrarca* (1963), *La muerte en Beverly Hills* (1968) y *Extraña fruta y otros poemas* (1969). Posteriormente ha expresado su poesía en catalán.

- **Luis Antonio de Villena** (1951). Ha sentido atracción especial por los «malditos», los marginales, el dandismo y el decadentismo. Su poemario *Huir del invierno* (1981) recibió el premio de la Crítica. Es autor, además, de antologías, ediciones críticas, ensayos y obras de narrativa.

Pere Gimferrer.

Generación de los ochenta

A mediados de los setenta ya se advierte una dispersión de las poéticas de los escritores de la generación anterior. Otros más jóvenes comienzan a presentar sus propuestas, que rechazan los aspectos más extremos de la estética «novísima» y vuelven a la poética de los años cincuenta.

- **Blanca Andreu** (1959). *De una niña de provincias que se vino a vivir en un Chagall* (1980) tuvo gran repercusión entre la crítica e influencia en los poetas jóvenes.

- **Luis García Montero** (1958) ha recibido el premio Nacional de Poesía por *Habitaciones separadas* (1983).

Nomenclatura de la generación de los setenta

Es conocida también como **generación del 68** –esto es, del **mayo francés**–.

A estos poetas se les llama también **novísimos** porque en 1970 se publicó una antología de ellos titulada *Nueve poetas novísimos.*

Finalmente, se les llama **venecianos** por el atractivo que sintieron por esta ciudad, a la que está dedicado el poema inicial de *Arde el mar.*

Rasgos y corrientes de la generación de los ochenta

- **Pluralidad:** debida a la facilidad de publicación.

- **Pastiche e ironía:** algunos autores remedan esquemas y títulos de la poesía de los Siglos de Oro.

- **Neosurrealismo.**

- **Minimalismo o conceptualismo:** intentan hacer una poesía en la que lo esencial es el objeto y no el «yo».

- **Poesía de la experiencia.**

- **Elegíacos y épicos:** es frecuente el tono elegíaco, desengañado, y hay ejemplos de poemas épicos.

El teatro en la actualidad

Desde finales de los sesenta y a lo largo de los años setenta surge un grupo de dramaturgos y de «compañías» que se rebelan contra el teatro comercial que triunfa en escena. Escriben y representan un teatro diferente que encuentra serias dificultades: la censura por un lado y los empresarios, que no se arriesgan a montar obras dirigidas a un público minoritario, por otro. A finales de los setenta y durante los ochenta la situación del teatro en España mejora notablemente, ya que empieza a conocerse la obra de dramaturgos silenciados.

Tipos de grupos independientes

Teatro amateur: realizado por aficionados con un repertorio amplio, pero con representaciones esporádicas.

Teatro de cámara: reduce al máximo la expresión escénica y depura la escritura para crear una unión entre actor y espectador.

Teatro universitario: teatro popular que desea llegar a amplios sectores de la población.

Teatro experimental independiente: representa obras marginadas y crea escuelas de actores, siguiendo el **método de Stanislawski**. (Ver t80).

Algunos grupos independientes actuales

Els Comediants: especializado en teatro de calle, verbenas y espectáculos con iconografía popular en los que se requiere la participación del público: *Moros y critians* (1975), *Dimonis* (1983), *la ceremonia de inauguración de las Olimpiadas de Barcelona 1992,* etc.

La Fura dels Baus: Hacen teatro urbano con improvisación y provocación del espectador: *Accions* (1984), *Tier Mon* (1988), *F@ust 3.0* (1998), etc.

Los grupos independientes

En 1975 existían alrededor de ciento cincuenta agrupaciones teatrales no comerciales, que aspiraban a que su repertorio fuese la «expresión» del grupo, a conseguir una **conciencia ideológica y estética** que los definiera.

Deseaban aproximarse a los **públicos populares,** y para eso realizaban seminarios y rompían con la convención comercial de representar en un espacio y con un precio determinados.

Algunos grupos independientes fueron *Els Joglars,* encabezados por *Albert Boadella,* basados en la parodia; *Los Goliardos,* que pretendían representar en España el mejor teatro contemporáneo; *Tábano,* que hacía un teatro popular; *Los Cátaros; Teatro Estudio Lebrijano,* etc.

Teatro realista de denuncia

Los **motivos** centrales de estas obras son la injusticia social, la explotación del hombre o las condiciones de vida de la gente trabajadora. Los **personajes** son siempre víctimas de la sociedad. Frente al **lenguaje** pulcro y cuidado de la comedia oficial, aparece el lenguaje barriobajero, directo, sin eufemismos.

Los principales **autores** de este tipo de teatro son:

■ **José María Rodríguez Méndez** (1925). La denuncia de una situación indigna y la crítica social se ven representadas en *Vagones de madera* (1958) y *La batalla de Verdún* (1961), entre otras.

■ **José María Bellido** (1922). Sus obras **alegóricas** pretenden desenmascarar las ideas consagradas que dominan la sociedad. Son teatro **realista** *Rubio cordero* (1970) y *Milagro en Londres* (1971).

■ **Carlos Muñiz** (1927). Desde el **realismo** (*El grillo* o *El precio de los sueños*) evoluciona hacia un **neoexpresionismo.**

■ **Lauro Olmo** (1923-1994). Evoluciona de un realismo cruel hacia formas alegóricas y esperpénticas: *La camisa* (1962), *Mare Nostrum* (1966).

■ **José Martín Recuerda** (1925). Sitúa sus dramas en una Andalucía trágica y violenta: *Las salvajes en Puente San Gil* (1961), *Las arrecogías del Beaterio de Santa María Egipciaca* (1970).

■ **Andrés Ruiz** (1928). Representa la tendencia más realista y cruda del teatro de posguerra: *La espera* (1961), *Como un cuento de otoño* (1964).

Teatro hermético

- **José Ruibal** (1925). Su teatro se caracteriza por el antidramatismo, dobles sentidos y una simbología animal difícil de descifrar: *Los mendigos* (1955), *El asno* (1962).

- **Antonio Martínez Ballesteros** (1929). Comenzó con teatro realista, para evolucionar hacia la alegoría y, posteriormente, la parábola: *El país de Jauja* (1963), *El camaleón* (1967).

- **Manuel Martínez Mediero** (1938). Con *El último gallinero* (1969) se interna en el teatro alegórico: *El convidado* (1971), *Las planchadoras* (1971).

Teatro experimental

Se propone la búsqueda de nuevas formas teatrales experimentando con los recursos de que dispone el actor. El resultado puede ser desde la falta misma de un texto para ser recitado en las tablas hasta la imprecación dirigida al espectador.

- **Fernando Arrabal** (1932). Tras la crítica adversa que recibió *Los hombres del triciclo* (1958) se marchó a Francia, donde ha escrito la mayor parte de su obra, ya que consideró que el público español no estaba preparado para asumir su teatro experimental e inconformista. Los personajes de sus obras (sobre todo en las primeras) no pueden integrarse en un sistema extraño y ajeno a sus principios: *Pic-nic, El triciclo, El laberinto,* etcétera (ver t83).

Escena de *Pelo de tormenta,* de Francisco Nieva, 1997. Dirigida por Juan Carlos Pérez de la Fuente.

Teatro puesto en cuestión

Durante los años setenta una serie de autores dramáticos escribe obras en las que se plantea la identidad del hecho teatral, y presentan alternativas a la representación tal como se había entendido tradicionalmente.

- **Francisco Nieva** (Valdepeñas, Ciudad Real, 1927). El lenguaje, los personajes y las situaciones se liberan en escena para que pueda tener lugar lo posible y lo imposible.

Su producción suele dividirse en «teatro de farsa y calamidad» *(Tórtolas, crepúsculo y... telón, El paño de injurias)* y «teatro furioso» *(Es bueno no tener cabeza, Pelo de tormenta, Nosferatu).*

Últimos dramaturgos

- **José Sanchís Sinisterra** (Valencia, 1940). Entre sus obras destacan *Demasiado frío* (1985), *Algo así como Hamlet* (1970) y *¡Ay, Carmela!* (1985).

- **José Luis Alonso de Santos** (Valladolid, 1942). Algunas de sus obras son: *La estanquera de Vallecas, Bajarse al moro* o *La sombra del Tenorio.*

- **Fernando Fernán Gómez** (Lima, Perú, 1921). Destaca como actor y director de cine *(El extraño viaje)* y de teatro y como novelista. Sus obra teatral más importante es *Las bicicletas son para el verano* (1984).

Algunos autores de teatro experimental

Luis Mantilla (1939). Sus obras presentan un cierto grado de pesimismo. Los personajes, atrapados en un mundo hostil, luchan por salir de él.

Jerónimo López Mozo (1942). Sus obras cortas se inspiran en el teatro del absurdo y el **happening.**

Diego Salvador (1938). Intenta conseguir la introducción del público en la obra.

Otros autores de teatro puesto en cuestión

Luis Riaza (1925). Pretende parodiar las formas de teatro existentes hasta el momento y las nuevas fórmulas dramáticas.

José Martín Elizondo (1922). Su teatro lo pone todo en cuestión: las técnicas, los temas, etc.

Hermógenes Sainz (1928). Su obra es una continua búsqueda de formas teatrales.

Miguel Romero Esteo (1930). El teatro es como una fiesta en la que participa todo el pueblo.

Algunos autores actuales

Fermín Cabal, autor de *Caballito del diablo* y *Esta noche gran velada.*

Domingo Miras es autor de *Fedra, La Saturna.*

Literatura griega (I).
Poesía épica y lírica

Entre las muchas aportaciones que la civilización debe a la antigua Grecia (la filosofía, la ciencia, la democracia), la literatura cobra una especial importancia. En efecto, la mayoría de los géneros, formas y tópicos que dominarán la tradición literaria occidental surgieron entre los siglos VIII y IV a. C. en la península Helénica, comenzando por la poesía épica y lírica.

De la mitología a la literatura

La mitología antigua consiste en un conjunto de leyendas y relatos, de trasfondo religioso, protagonizados por dioses y héroes. En sus orígenes pretendían servir para explicar los fenómenos de la naturaleza y los hechos del pasado. Aunque esta función sea cubierta después por la filosofía y la historia (ver t47), los mitos pervivirán, gracias a su belleza literaria y a sus apasionantes tramas, que serán fuente de inspiración para la creación literaria. Y no sólo en época griega, sino hasta nuestros días.

La amplitud y complicación de los mitos griegos hizo necesario recopilarlos y sistematizarlos. De ello se encargó **Hesíodo** (s. VIII a. C.). Sus principales obras son:

- *Teogonía:* poema donde se relatan los mitos del origen del mundo y se resume el parentesco entre los dioses.

- *Los trabajos y los días:* poema de intención moral que exalta el trabajo y la justicia. Incluye consejos sobre las labores agrícolas.

La poesía épica

La nobleza griega era muy aficionada a escuchar las heroicas hazañas guerreras de sus antepasados, con las que se identificaban. Los poemas **épicos** (de la palabra griega *epos*, «narración») que las relataban eran compuestos y transmitidos oralmente por unos poetas itinerantes, llamados *aedos* o *rapsodos*.

Los temas fundamentales de estos poemas estaban relacionados con las leyendas de la guerra de Troya: los griegos sitiaron esta ciudad después de que el príncipe troyano Paris raptara a la hermosa Helena, esposa del rey griego Menelao. Tras muchos años de luchas, los griegos consiguieron conquistar la ciudad fingiendo su retirada y ocultándose en un caballo de madera.

Otro tema era las dificultades del regreso de los héroes a sus tierras. En general, la épica se caracterizaba por:

Crátera griega con escena de banquete (Museo Arqueológico, Madrid). Los griegos, como después los romanos, comían reclinados y solían acompañar sus banquetes con música y recitación de poemas épicos y líricos.

- Repetición de fórmulas y adjetivos.

- Uso abundante de la comparación.

- Minuciosas descripciones.

Los grandes poemas homéricos

La mayoría de los poemas épicos griegos se han perdido, pero se conservan dos extensas obras compuestas por **Homero** (s. VIII a. C.):

■ La *Ilíada,* que narra un episodio de la guerra de Troya (*Ilión,* en griego). El principal héroe griego, Aquiles, enfrentado con el jefe Agamenón, se retira del combate. Ello favorece en la lucha a los troyanos, pero tras la muerte de su amigo Patroclo, Aquiles regresa y mata al jefe enemigo, Héctor. Los dioses participan activamente en la acción tomando partido por uno u otro bando.

■ La *Odisea,* que relata el largo viaje de Ulises (*Odiseo,* en griego) desde Troya hasta su patria, Ítaca. Gracias a su ingenio consigue superar numerosas aventuras entre seres fantásticos, como sirenas o cíclopes. A su regreso, deberá enfrentarse a varios nobles que pretenden casarse con su esposa Penélope y usurpar la corona.

La poesía lírica

Si la poesía épica narra los hechos gloriosos del pasado, la poesía lírica se ocupa de los sentimientos e inquietudes del presente. Su nombre se debe a que los poemas se cantaban acompañados por una lira o flauta. La época dorada de la lírica griega abarca del siglo VII al V a. C. y pueden distinguirse dos grandes grupos:

■ **Lírica coral:** largas y complejas composiciones, destinadas a ser cantadas por un coro en fiestas religiosas, funerales, bodas u otras celebraciones. Su mayor representante es **Píndaro** (s. VI-V a. C.), famoso por sus poemas en honor a los vencedores olímpicos.

■ **Lírica individual:** poemas más breves, de recitación individual. Sus temas son morales o satíricos (como **Arquíloco,** s. VII a. C., que se burla del heroísmo), pero sobre todo expresan la subjetividad del poeta: así, **Anacreonte** (s. VI-V a. C.) canta a los placeres de la vida y **Safo** (s. VII a. C.), al amor.

Los dos grandes poetas del siglo VIII a. C.

Hesíodo, un campesino que dominaba la técnica poética, cantaba la lucha diaria del labrador con la tierra y su deseo de justicia, pues perdió un pleito por una herencia debido a la corrupción del juez.

Homero era en cambio un **aedo** o poeta profesional itinerante, ciego según la tradición, relacionado con los ambientes de la nobleza, cuyas virtudes guerreras glorificaba en sus poemas.

Principales divinidades clásicas		
Nombre griego	Nombre romano	Ámbito
Zeus	Júpiter	Rey de los dioses y de los hombres
Hera	Juno	Esposa de Zeus
Poseidón	Neptuno	Dios de los mares
Hefesto	Vulcano	Dios del fuego
Hades	Plutón	Dios de los infiernos y los muertos
Febo o Apolo	Apolo	Dios de la adivinación y la música
Atenea	Minerva	Diosa de la sabiduría
Afrodita	Venus	Diosa del amor
Artemisa	Diana	Diosa de la caza y los bosques
Ares	Marte	Dios de la guerra
Hermes	Mercurio	Mensajero de los dioses
Dioniso	Baco	Dios del vino

Unos versos de Safo

La poetisa Safo expresa sus sentimientos ante una pareja: «*Me parece igual a los dioses aquel varón sentado frente a ti, que a tu lado escucha mientras hablas dulcemente y sonríes con amor. Ello hace que desmaye mi corazón dentro del pecho, pues si te miro apenas, mi voz no me obedece.*»

Literatura griega (II). Prosa y teatro

Además de crear la poesía lírica y épica, Grecia fue también la cuna de la prosa literaria y, sobre todo, del teatro. Las representaciones teatrales eran auténticas fiestas populares que servían tanto para hacer reflexionar a los espectadores, en el caso de la tragedia, como para divertirles, en el caso de la comedia.

El nacimiento de la prosa

Origen de la historiografía

Los dramáticos acontecimientos del siglo V a. C. (guerras contra los persas y conflicto del Peloponeso entre las ciudades de Atenas y Esparta) despertaron el interés de los griegos por conocer los hechos históricos despojados de mitos y leyendas. Así nace el género de la historia.

Los tres géneros literarios principales de la Antigüedad (épica, lírica y dramática) utilizaban el verso por estar vinculados al canto y la recitación. La prosa surge con otros géneros que cumplen distintas funciones, además de la puramente estética:

■ **Filosofía:** aunque los primeros filósofos escribieron en verso, los grandes pensadores griegos utilizaron la prosa, excepto Sócrates, que no escribió obra alguna. **Platón** (428-347 a. C.) cuidó mucho la forma de sus diálogos filosóficos *(Fedón, El banquete, República)* y recurre a menudo a mitos para sus explicaciones. **Aristóteles** (384-322 a. C.) es autor de un tratado literario muy influyente, la *Poética,* (ver t I).

■ **Fábulas,** o breves relatos con enseñanza moral protagonizados por animales: **Esopo** (s. V a. C.).

■ **Tratados científicos: Hipócrates** (s. V a. C.), famoso médico.

■ **Oratoria,** o arte del discurso político o judicial, necesario en democracia: **Lisias** (s. V a. C.), **Demóstenes** (s. IV a. C.).

■ **Historia: Heródoto** (484-424 a. C.), cuyas *Historias* reúnen un enorme caudal de noticias; **Tucídides,** que ofrece ya con su *Historia de la guerra del Peloponeso* una visión objetiva de historiador.

Orígenes del teatro. Esquilo

La representación teatral en Grecia

Las obras alternaban cantos y danzas del coro con los diálogos de los actores. Todos llevaban máscaras y vestiduras, lujosas en la tragedia y grotescas en la comedia. Los actores calzaban «coturnos», zapatos de grandes tacones que les hacían parecer muy altos.

El teatro surgió de las fiestas en honor del dios Dioniso, en las que un coro bailaba y cantaba, cuando se añadió un actor que dialogaba con el coro y su director, el **corifeo.** En Atenas pronto empezaron a celebrarse festivales dramáticos con premios para las mejores piezas. Éstas eran de dos tipos, tragedias y comedias, ambas en verso.

Los argumentos de la tragedia, extraídos siempre de leyendas mitológicas, se centran en las dramáticas consecuencias de la lucha del hombre contra su destino.

Esquilo (525-455 a. C.) fue el primero de los tres grandes trágicos. Redujo la importancia del coro en favor del diálogo al aumentar a dos los personajes. Sus obras, de trama sencilla, se agrupan en trilogías, como *La Orestíada,* que narra el asesinato del héroe Agamenón a su regreso de Troya y la venganza de su hijo Orestes.

Otras obras notables son *Prometeo encadenado,* sobre un héroe que robó el fuego a los dioses para entregarlo a los hombres, o *Los persas,* centrada en las guerras entre Grecia y Persia.

Sófocles y Eurípides

Sófocles (496-406 a. C.) aumentó hasta tres el número de actores y añadió más acción a las tramas. Sus personajes, aunque idealizados, resultan más humanos que las figuras semidivinas de Esquilo. Sus principales obras son:

■ *Ayax:* el héroe protagonista enloquece y ataca a un rebaño de animales, creyéndoles enemigos, como hará Don Quijote.

■ *Antígona:* la protagonista desafía la prohibición del rey de Tebas y entierra a su hermano, que se había rebelado contra su patria.

■ *Edipo rey:* el rey de Tebas, Edipo, abandonado de niño, mata a su padre y se casa con su madre. Al saber la verdad, se saca los ojos.

Sófocles.

Eurípides (480-406 a. C.) humaniza totalmente a sus personajes, sean humanos o divinos. Sus obras, complejas y truculentas, se centran en las pasiones de sus protagonistas, especialmente los femeninos:

■ *Medea:* la maga Medea, repudiada por su marido, se venga matando a su rival amorosa y hasta a sus propios hijos.

■ *Hécuba:* la anciana protagonista, reina de Troya, asiste impotente al aniquilamiento de sus hijos y de su ciudad.

■ *Las bacantes:* el rey Penteo se opone al culto del dios Dioniso y es despedazado por sus adeptas en trance, guiadas por su propia madre.

El humanismo griego

«Muchas son las cosas admirables, mas ninguna más admirable que el hombre. (...) Se enseñó a sí mismo el lenguaje y el alado pensamiento, y también las civilizadas maneras. (...) Nada del porvenir le encontrará falto de recursos. Sólo de Hades no tendrá escapatoria.»

Sófocles, *Antígona*

Eurípides.

Aristófanes y la comedia

La acción viva y rápida de la comedia refleja su intención satírica y ridiculizadora con abundantes chistes, peleas y burlas. Se ambienta en las calles de Atenas y refleja los problemas cotidianos de sus habitantes, caracterizados por sus vicios y debilidades humanas.

Su mayor representante es **Aristófanes** (445-387 a. C.), autor entre otras obras de *Las aves,* en la que dos atenienses hartos de los impuestos fundan una nueva ciudad con los pájaros en el cielo, o *Lisístrata,* en la que las mujeres de Grecia, cansadas de guerras, abandonan a sus maridos, obligándoles a firmar la paz.

En el siglo IV a. C., la llamada *«Comedia Nueva»* abandona la sátira sociopolítica para centrarse en tramas amorosas y costumbristas. Su principal cultivador es **Menandro** (342-293 a. C.)

Uno de los teatros griegos que mejor se han conservado es el situado en Epidauro, ciudad de la costa oriental del Peloponeso.

Literatura latina

A partir de su emplazamiento en el centro de Italia, los romanos construyeron en torno al Mediterráneo el más sólido imperio de la Antigüedad. Los poderosos conquistadores, sin embargo, fueron conquistados desde un punto de vista cultural por la sometida Grecia. Las grandes obras de la literatura latina son el producto de esta fusión de civilizaciones, conocida como cultura grecolatina.

El teatro: Plauto y Terencio

El género de desarrollo más temprano en Roma es el teatral. Parte de tradiciones propias, pero sólo madurará tras su contacto con la Comedia Nueva griega (ver t2). La **comedia latina** combina la ambientación griega con el carácter y el lenguaje coloquial latino.

Las tramas, muy recargadas y protagonizadas por las clases medias urbanas, giran siempre sobre los mismos motivos y figuras:

- Penas amorosas de dos jóvenes ayudados por un ingenioso esclavo.

- Mercaderes, viejos verdes o soldados fanfarrones burlados.

- Niños perdidos y hallados años después.

El más importante y prolífico comediógrafo romano es **Plauto** (254-184 a. C.). Su intención fundamental es hacer reír, para lo que no duda en recurrir a lo obsceno y grotesco. En sus diálogos se refleja el lenguaje popular latino. Entre sus numerosas obras destacan:

- *La olla:* un avaro es engañado por su hija y su novio.

- *Anfitrión:* Júpiter, para seducir a una mujer, toma el aspecto de su marido, con el consiguiente enredo y conflicto entre la pareja.

Las comedias de **Terencio** (184-159 a. C.), como *El eunuco* o *Heautontimorúmenos,* son de acción más sencilla y de personajes menos grotescos y más cuidados psicológicamente. Su latín es mucho más elegante que el de Plauto y fue modelo en las escuelas.

La **tragedia** tendrá menos importancia. El único nombre destacable, ya de época imperial, es **Séneca** (4 a. C.-65 d. C.), cuyas piezas imitan a Eurípides. Filósofo estoico, es autor también de las *Cartas a Lucilio.*

Prosa: oratoria e historiografía

La **oratoria** era fundamental en la educación de los jóvenes que aspiraban a la política en época republicana, si bien perdió importancia, como es lógico, al llegar el periodo imperial.

El mejor orador latino fue **Cicerón** (106-54 a. C.), que llegó a ser cónsul y escribió tratados filosóficos como *Discusiones tusculanas* o *De la vejez.* Sus *Catalinarias* y *Filípicas* son modelos de discursos contra las amenazas de la tiranía.

La **historia** es el otro gran género de la prosa latina. Uno de sus primeros cultivadores fue el general y político **Julio César** (100-44 a. C.), al escribir sobre sus propias campañas militares los *Comentarios a la guerra de las Galias* y *Comentarios a la guerra civil.* Otro historiador del periodo republicano es **Salustio** (86-35 a. C.).

En época imperial destacan dos nombres:

■ **Tito Livio** (59 a. C.-35 d. C.), es autor de una monumental crónica, *Desde la fundación de Roma,* cuyo objetivo es la exaltación patriótica del pasado latino, que culmina con el emperador Augusto.

■ **Tácito** (55-120 d. C.), por el contrario, describe en sus *Historias y Anales* los crímenes y luchas por el poder de los emperadores del siglo I, con mayor objetividad y un tono pesimista.

La gran poesía latina

La épica y la lírica griegas son la base de la poesía latina. Ésta, sin embargo, será de carácter culto y de transmisión escrita, frente al carácter oral y cantado de la poesía griega.

Los dos poetas más destacados de la época republicana son:

■ **Lucrecio** (¿99-55 a. C.?), autor de un extenso poema científico, *De la naturaleza,* donde expone la filosofía epicúrea y atomista.

■ **Catulo** (84-54 a. C.) escribió refinadas poesías en las que explora la psicología amorosa como mezcla de exaltación y sufrimiento.

El reinado de Augusto coincidió con una auténtica edad de oro de la poesía latina. Sus principales protagonistas fueron:

■ **Virgilio** (70-19 a. C.), el poeta nacional romano, autor de:

- *Bucólicas,* poemas pastoriles que cantan la sencilla vida rural.

- *Geórgicas,* poema didáctico sobre diversas técnicas agrícolas.

- *Eneida,* el gran poema épico latino.

■ **Horacio** (65-8 a. C.), quizá el mayor lírico latino, trata temas muy variados (sátira, filosofía, canto a la vida sencilla, crítica literaria) en sus *Odas y Epístolas.*

■ **Ovidio** (43 a. C.-17 d. C.). Ejemplo de poeta consagrado a su arte, escribió el *Arte de amar* (consejos para triunfar en el amor) y las *Metamorfosis* (recopilación de leyendas mitológicas). Desterrado de Roma, expresa su desesperación en *Tristes.*

■ **Tíbulo** (60-19 a. C.) y **Propercio** (47-14 a. C.), los llamados poetas elegíacos, de estilo grave y sentencioso, que tratan temas amorosos.

Otros nombres destacables de la poesía latina son **Lucano** (39-65), autor del poema épico *Farsalia,* el fabulista Fedro (10 a. C.-50 d. C.), o los poetas satíricos **Marcial** (40-104), famoso por sus **epigramas,** breves y agudas composiciones festivas, y **Juvenal** (50-140).

Virgilio con las Musas.

De origen campesino y poco dotado para la vida social, Virgilio vivió siempre retirado y dedicado al estudio. Gracias a la redacción de sus *Bucólicas,* logró salvar de la confiscación las tierras de su familia. Perfeccionista incansable, trabajó más de diez años en la *Eneida* y en su lecho de muerte, aún insatisfecho, pidió sin éxito el manuscrito para quemarlo.

La complejidad de los sentimientos amorosos

«Odio y amo. ¿Cómo es posible?, preguntarás acaso.

No lo sé, pero así lo siento y me torturo.»

Catulo

La *Eneida,* poema nacional

La *Eneida* imita en sus dos partes a Homero. La primera sigue a la *Odisea* en el azaroso viaje del héroe Eneas desde su Troya natal hasta Italia por voluntad divina; la segunda se inspira en la *Ilíada* para narrar las luchas de los troyanos contra algunos pueblos itálicos antes de asentarse. Sus descendientes fundarán Roma, que adquiere así un pasado mítico y se vincula con las leyendas griegas.

Literatura grecolatina tardía. Nacimiento de la novela

El cultivo de las letras grecolatinas no se limita al periodo clásico. La literatura griega siguió viva en época romana y el latín fue la lengua culta durante la Edad Media. Así se transmitió el rico caudal cultural de la Antigüedad, que además fue capaz de crear, ya en época tardía, un nuevo género, la novela.

La literatura griega posclásica

La literatura bizantina

Aunque durante la Edad Media la lengua griega fue desconocida en Occidente, sobrevivió en el Imperio romano oriental hasta el año 1435, cuando la capital, Constantinopla o Bizancio, fue conquistada por los turcos. En la cultura bizantina se cultivaron la poesía lírica, la épica (como el cantar caballeresco *Digenis Akritas*), la historiografía y, naturalmente, la novela de aventuras.

Con la unificación de Grecia bajo el poder macedonio, a finales del siglo IV a. C, acaba el periodo clásico de la cultura griega y empieza el **periodo helenístico** o alejandrino en honor a Alejandro Magno.

En la poesía lírica helenística, culta y erudita, destacan:

- **Calímaco** (310-240 a. C.), original revisor de los mitos.

- **Teócrito** (310-260 a. C.), cuyas breves y refinadas escenas dialogadas entre pastores crean el subgénero de la **poesía bucólica.**

La poesía épica está representada por *Las argonáuticas* de **Apolonio de Rodas** (295-215 a. C.), que narra las aventuras de un grupo de héroes, capitaneados por Jasón, en busca de la piel de un carnero de oro, el vellocino, que obtendrán gracias a la maga Medea.

Bajo dominación romana destacan dos grandes prosistas griegos:

- **Plutarco** (50-120), autor de una obra muy leída en todos los tiempos, las *Vidas paralelas,* biografías emparejadas de personajes griegos y latinos.

- **Luciano** (125-192), dotado de un agudo espíritu crítico e influido por la filosofía cínica, describe los vicios y vanidades humanas. De su amplia obra, destacan los *Diálogos.*

La aparición de la novela

De la épica a la novela

La evolución de la épica desde Homero se refleja bien en *Las argonáuticas* de Apolonio. Obra concebida para ser leída por un público burgués, tiene un tono claramente prenovelesco. Lo heroico cede importancia ante las aventuras y el amor, pues la única virtud de su apático protagonista Jasón son sus dotes de conquistador y la contribución femenina al éxito final resulta decisiva.

La novela surge como género narrativo derivado de la épica, pero con notables diferencias respecto a ésta:

- Se dirige a un público urbano, no aristocrático.

- Se escribe en prosa, al destinarse a la lectura y no a la recitación.

- La trama se complica con historias secundarias y descripciones.

- El destino de los personajes no se basa en la voluntad de los dioses, sino en el azar, a veces casi inverosímil.

Las primeras novelas aparecen en Grecia durante el siglo I a. C. en forma de un subgénero, más tarde denominado **novela bizantina,** que se centra siempre en el amor de dos bellísimos jóvenes, enamorados y castos. Por diversas razones, deben emprender un viaje repleto de peripecias (naufragios, raptos, etc.) que les obliga a separarse. Tras numerosas aventuras y conocer a otros múltiples personajes, se produce el reencuentro y el final feliz.

La novela más famosa de todas es *Las etiópicas* de **Heliodoro** (siglos III o IV), modelo del género por su verosimilitud y planteamiento narrativo, pues comienza en medio de la acción *(in medias res)* para ir revelando poco a poco todo lo sucedido.

La novela latina presenta, en cambio, un carácter misceláneo, que da cabida a lo picaresco, lo fantástico, lo obsceno, la parodia, etcétera:

- El *Satiricón,* de **Petronio** (siglo I), que se conserva incompleta, relata el vagar de tres amigos por el sur de Italia, sobreviviendo a base de engaños y artimañas.

- *El asno de oro,* de **Apuleyo** (siglo II) narra cómo el joven Lucio, víctima de un hechizo fallido que le transforma en asno inteligente, pasa por varios amos y diversas aventuras, antes de recobrar su forma humana. En la trama hay numerosos relatos intercalados.

Otras novelas en griego y en latín se basaron en hechos y personajes reales o supuestamente históricos (la guerra de Troya, Alejandro Magno, el rey Apolonio). De gran popularidad, darán origen a varias obras romances medievales.

La literatura latina en la Edad Media

En la Edad Media hubo una abundante producción literaria de todos los géneros en latín, la lengua de culta la época.

En **prosa** destacan obras de filósofos, como las autobiográficas *Confesiones* de **San Agustín** (s. V) o las cartas de Pedro Abelardo y Heloísa (s. XII); libros historiográficos, como la *Historia de los francos* (s. VI) de **Gregorio de Tours** o la *Historia de los reyes de Britania* (1136) de **G. de Monmouth;** o recopilaciones de vidas de santos, como la famosa *Leyenda dorada* (s. XIII).

Se cultiva también un teatro de carácter culto, a imitación de Terencio, concebido para la lectura más que para la escenificación. La monja Rosvita (s. X) escribe comedias sobre santos y mártires mientras que en el siglo XII nace en círculos escolares la «comedia elegíaca», de temas cómicos y picantes. Una de estas piezas, el famoso Pánfilo, influye en el Arcipreste de Hita (ver t5) y en *La Celestina* (ver t8).

También la **poesía** latina medieval dejará su huella en la literatura romance. Un precedente de los cantares de gesta es el poema épico *Walter de las manos fuertes* (s. IX). De especial importancia es la **poesía goliárdica,** como los *Carmina Burana,* poemas líricos profanos escritos por clérigos o estudiantes vagabundos, que cantaban al amor y al vino o satirizaban a la propia Iglesia.

Los viajes marítimos y los naufragios constituyen un elemento imprescindible en la novela griega de aventuras. Detalle de un mosaico de época romana, en el que aparece una nave de vela (Museo Arqueológico de Toledo).

Desprecio por la novela en la Antigüedad

La novela es desde sus orígenes una narración en prosa de hechos y personajes ficticios. Por surgir tardíamente, no fue tratada en la influyente *Poética* de Aristóteles (ver t1). Por eso, pese a la importancia que llegaría a adquirir con el tiempo, en la Antigüedad fue considerado como un género menor, sin valor especial.

Otras novelas griegas

Quéreas y Calírroe, de **Caritón** (siglo I), es el más antiguo ejemplo de novela que se conserva completa; *Leucipa y Clitofonte,* de **Aquiles Tacio** (siglo II), presenta la novedad de ser relatada en primera persona por su protagonista; *Dafnis y Cloe,* de **Longo** (siglos II ó III), de trama más sencilla y ambiente pastoril, narra el amor de dos adolescentes.

Grandes epopeyas medievales

La existencia de una poesía épica de exaltación heroica y nacional ha sido una constante desde la Antigüedad en todas las civilizaciones. No puede negarse, sin embargo, que la Edad Media fue la época dorada de la epopeya. En las recién nacidas culturas europeas, especialmente en Francia, proliferaron los cantares en verso consagrados a la vida y hazañas de nobles caballeros.

El variado mundo de los juglares

Las actuaciones de los juglares, vestidos con trajes de vivos colores, incluían junto al canto y recitación otras habilidades, como instrumentos musicales, juegos malabares, magia, disfraces grotescos, etc. Había juglares pobres e ignorantes, que viajaban a pie rayando en la mendicidad, y juglares ricos y de éxito, que viajaban en cabalgaduras y tenían criados. No faltaban cantores árabes o judíos, ni tampoco juglarescas.

Verdad y fantasía de la épica

Los hechos relatados en los cantares se consideraban verídicos y llegaron a ser incorporados a las crónicas históricas en prosa. Sin embargo, aunque algunos no carezcan de un fondo histórico, la mayoría son legendarios y tienen abundantes rasgos fantásticos. Cuanto más lejano en el tiempo o en el espacio era el tema de una cantar, más daba rienda suelta el juglar a su imaginación.

La poesía heroica de los juglares

La epopeya medieval refleja el afán de los pueblos europeos por crearse una identidad nacional, simbolizada por los héroes antiguos. Las biografías fabulosas y conflictos de honor de éstos son los temas de los **cantares de gesta** (ver t4). También servían para reforzar la estructura social feudal, al ensalzar a la nobleza dominante.

Los cantares épicos, anónimos, son difundidos de forma oral por los **juglares,** artistas ambulantes que, a cambio de comida, vestidos o dinero, los recitaban o cantaban de memoria en plazas y castillos junto a canciones o poesías líricas. No tenían, pues, una forma fija y cada juglar los alteraba a su manera: son de carácter **tradicional.**

Estas recitaciones gustaban tanto a los nobles, que veían reflejados en los héroes épicos sus propias virtudes, como al pueblo, pues suponían los únicos ratos de diversión en medio de la difícil vida de entonces. Además, eran un medio de difusión popular de la historia y de transmisión de noticias en la aislada Europa medieval.

Muchos poemas se han perdido, y las versiones que conocemos son las que se pusieron por escrito, generalmente mucho después de su aparición.

La épica germánica

La mitología y las antiguas leyendas de los pueblos bárbaros del Norte se nos han transmitido a través de varias composiciones épicas:

■ *Cantar de Hildebrando* (mediados del s. VIII): el cantar germánico más antiguo que se conserva. Muy breve, relata el motivo de la lucha entre un padre y un hijo que militan en ejércitos diferentes.

■ *Beowulf* (principios del s. IX): poema anglosajón en el que el histórico rey godo Beovulfo, transformado en paladín legendario, lucha contra monstruos y dragones en defensa de su pueblo.

■ *Los Edda:* conjunto de breves cantares noruegos e islandeses, de entre los siglos IX y XIII, cuyos temas abarcan desde leyendas mitológicas de la creación del mundo hasta sucesos coetáneos.

La obra maestra de la épica germánica es un extenso poema en alemán de nueve mil quinientos versos, el **Cantar de los Nibelungos,** de origen muy antiguo, pero cuya definitiva versión es de principios del siglo XIII.

Sigfrido, su protagonista, es un héroe invencible por haberse bañado en la sangre de un dragón. Tras numerosas hazañas, un traidor lo asesinará aprovechando su único punto débil en la espalda. Su viuda, la hermosa Krimilda, extraordinaria figura lanzada al centro de la acción, tramará y llevará a cabo una compleja venganza.

La gran epopeya francesa

Mucho mayor desarrollo alcanzaron los cantares de gesta en el área lingüística romá-nica, pues se conservan nada menos que un centenar de poemas. Aunque hay algunos castellanos, provenzales e italianos, la gran mayoría de ellos están en lengua francesa.

Este amplio conjunto de poemas épicos se caracteriza por:

- **Deformación legendaria de la historia de Francia.**
- **Inspiración cristiana y favor divino de los héroes.**
- Abundantes **elementos fantásticos y maravillosos.**
- Detalladas **descripciones de batallas** y atuendos.

La enorme selva de títulos puede agruparse en tres **ciclos:**

- **Ciclo de los reyes de Francia o de Carlomagno:** el más importante, cuyos cantares nos narran la historia de los padres de Carlomagno *(Berta la de los grandes pies),* la juventud del futuro emperador *(Mainete),* sus viajes por el mundo *(Peregrinación de Carlomagno)* o sus luchas contra los musulmanes *(Fierabrás, Cantar de Roldán).*

- **Ciclo de Garín de Monglane o de Guillermo:** centrado en un linaje de héroes defen-sores del poder real, pero mal recompensados por éste. Destacan piezas como *Ayme-ri de Narbona* o el *Cantar de Guillermo.*

- **Ciclo de Doon de Maguncia:** cantares sueltos de señores feudales rebeldes contra los reyes de Francia, como *Raoul de Cambrai,* con su feroz protagonista, o el popular poema *Renaut de Montauban.*

La pieza más antigua que se conserva, y la mejor, es el ***Cantar de Roldán.*** De finales del XI, narra la emboscada sarracena del desfiladero de Roncesvalles, en la que perecieron los mejores caballeros de la Corte de Carlomagno, los doce pares de Francia, con el gran héroe Roldán a la cabeza, y la posterior venganza del emperador franco.

Resulta inolvidable la figura de Roldán, valiente pero temerario y demasiado orgulloso para pedir ayuda, así como su buen amigo Oliveros, su amada Alda, que muere de dolor al saber la triste noticia, el traidor Ganelón, etcétera.

El mito del caballero

La figura literaria del caballero medieval fue idealizada como prototipo de virtudes guerreras y humanas (valor, fuerza física, religiosidad, defensa del débil). De la épica pasó a la narrativa cortés y sobrevivió al medievo a través del género renacentista de los libros de caballerías (ver t12). Con diversas adaptaciones ha perdurado hasta nuestros días, por ejemplo, en forma de vaquero solitario en las pantallas cinematográficas.

En esta miniatura de las *Grandes crónicas de Francia* (Biblioteca Nacional, París) aparece la muerte de Roldán en el desfiladero de Roncesvalles, tema central de la *Chanson de Roland.* Nótese la aureola de santo que rodea la cabeza del héroe muerto, señal del favor divino, y cómo su alma es llevada por los ángeles al cielo.

La lírica medieval.
La narrativa medieval

En sus orígenes, la literatura aparece siempre en verso, pues éste facilitaba el canto y la recitación, imprescindibles para difundir oralmente las obras entre un público analfabeto. En verso estarán, pues, en la Edad Media, tanto la lírica como la narrativa, aunque ésta última no tardará en servirse de la prosa.

Algunos trovadores famosos

Guilhem de Peitieu (1071-1126), poderoso noble, fue el primer trovador y el primer poeta románico de nombre conocido; Bernart de Ventadorn (s. XII) es quizás el mayor poeta amoroso; **Arnaut Daniel** (s. XII) se hizo célebre por su estilo difícil; **Guillem de Berguedà** (¿1138-1196?) fue el mejor trovador catalán; **Peire Vidal** (¿1183-1204?), hijo de un peletero, destacó por su ingenio y su fama de conquistador.

La lírica en la Edad Media

Durante casi toda la época medieval, la cultura escrita fue cultivada por clérigos, y exclusivamente en latín. El pueblo, en cambio, cantaba en las nuevas lenguas europeas una serie de cancioncillas de fiesta, amor o trabajo. La mayor parte de esta poesía se ha perdido, al ser anónima y tradicional, aunque nos han llegado algunos restos, principalmente en la península Ibérica (ver t3).

Poesía provenzal o trovadoresca

A comienzos del siglo XII aparece en el sur de Francia la primera escuela de lírica culta en una lengua vulgar: el provenzal. Su enorme influjo provoca imitaciones en otras lenguas europeas, sobre todo en francés, catalán, gallego-portugués *(cantigas)* o alemán *(minnesang)*.

Estas nuevas composiciones presentan varias novedades importantes. Ya no son anónimas, sino obra de autores conocidos, llamados **trovadores.** Éstos las componen y las difunden acompañadas de música. Son una especie de juglares, pero cultos (aunque no clérigos) y mucho más respetados. Habrá entre ellos desde nobles hasta plebeyos.

Según el tema, se distinguían los siguientes subgéneros:

- **Cansó:** poesía amorosa de refinada expresión literaria.

- **Sirventés:** poema satírico, de ataque personal o crítica moral.

- **Pastorela:** encuentro de un caballero con una bella pastora.

- **Planh:** lamento fúnebre.

- **Tensó:** debate entre dos poetas.

François Villon

Uno de los mayores poetas medievales fue el francés **François Villon** (s. XV). De agitada existencia, fue estudiante universitario, pero también ladrón y asesino, y poco le faltó para ser ahorcado. En sus poemas nos habla con gran sinceridad de la vida, del amor carnal, del vino, pero también del tiempo que pasa, de la muerte, del arrepentimiento o de sus sentimientos religiosos.

El amor cortés

El público de los trovadores era, fundamentalmente, una aristocracia cada vez menos guerrera y más refinada. A ella va dirigida una nueva concepción amorosa desarrollada por los trovadores y resumida en el tratado *Sobre el amor,* de **Andreas Capellanus** (s. XII), el **amor cortés.**

Se trata de una adaptación del feudalismo a la relación amorosa. El señor es la dama, noble y casada, a la que el poeta, obediente vasallo enteramente a su servicio, ama apasionadamente en secreto. Este amor imposible hace sufrir al enamorado, pero también lo perfecciona.

La narrativa medieval

Novela cortés o de aventuras

A finales de la Edad Media, cuando la épica deja de cultivarse, la materia caballeresca pervivirá bajo forma novelística. A diferencia de los cantares de gesta, el nuevo género, destinado a la lectura, es de mayor complejidad narrativa y de autor conocido y culto.

Los guerreros feudales y los ejércitos son sustituidos por solitarios **caballeros andantes,** siempre en busca de aventuras extraordinarias en defensa del débil y en lucha contra gigantes y monstruos, en un marco geográfico maravilloso. Además, el amor ocupa un lugar destacado, bajo el evidente influjo del amor cortés trovadoresco.

El primer paso corresponde a **Chetrien de Troyes,** en la segunda mitad del siglo XII. Sus breves obras, todavía en versos octosílabos, como *Erec y Enid, Lancelot o El caballero de la carreta* o *Perceval* o *El cuento del Grial,* consagran a la corte del rey Arturo y a los caballeros de la Mesa Redonda y su búsqueda del Santo Grial, la llamada «materia de Bretaña», como modelo definitivo de la caballería.

Su éxito dejó en la sombra otras novelas en verso del siglo XIII, basadas en personajes de la Antigüedad, o absorbió las dedicadas a los trágicos amores de Tristán e Isolda. También destaca la figura de **María de Francia,** autora de breves relatos de tema caballeresco.

Hasta entonces la prosa solamente se utilizaba para la historiografía o los libros científicos. En el siglo XIII aparecen ya versiones en prosa de las leyendas artúricas, como el extenso *Lancelot-Graal* francés o el *Tristán* alemán de Gottfried von Strassburg, que darán lugar a una enorme proliferación de novelas caballerescas y de aventuras en francés y en provenzal. En España pueden enmarcarse en esta corriente *La Gran conquista de Ultramar* y, sobre todo, *El caballero Zifar,* ambos del siglo XIV.

Otras obras destacadas

- *Roman de Renart* (s. XII-XIII): conjunto de poemas que parodian la épica y la novela cortés, están ambientados en una sociedad animal que remeda la humana y protagonizadas por Renart, el zorro.

- *Roman de la Rose:* extenso poema de más de veinte mil versos, de gran éxito en los siglos XIV y XV. La primera parte (unos cuatro mil versos), escrita por **Guillaume de Lorris** hacia 1225, es una especie de alegoría del amor cortés, en la que un joven penetra en un jardín y se enamora de la Rosa. El resto, añadido cuarenta años después por **Jean de Meung,** es de un tono más ensayístico y menos interesante.

Miniatura de una edición de 1490 del *Lanzarote del Lago* (Biblioteca Nacional de París) en la que se representa la entrada del rey Arturo en la ciudad de Camelot.

El teatro medieval

Sus orígenes recuerdan a los del teatro griego. En determinadas festividades (Navidad, Pascua), los sacerdotes intercambiaban entre sí y con el coro un corto diálogo. De ahí nacieron unas breves piezas de tema religioso, a las que se añadieron escenas cómicas para hacerlas más atractivas. Estos añadidos acabaron independizándose para crear el teatro profano, abandonando las iglesias.

La gran poesía medieval italiana. El cuento en la Edad Media

Las tres grandes figuras que la literatura italiana aporta a la cultura medieval europea anuncian ya el nuevo espíritu renacentista. Dos son poetas: Dante, que encierra en su gigantesca obra toda la época que está finalizando, y Petrarca, que inaugura la sensibilidad poética moderna. Boccaccio, por su parte, culmina uno de los géneros más apreciados en la Edad Media, la narración breve.

La *donna angelicata*

El **tópico** de la *donna angelicata* o «mujer angelical» fue creado por G. Guinizelli y perfeccionado por Dante. La mujer es vista como mensajera o símbolo de la perfección espiritual, que puede alcanzarse mediante el amor. A la vez se exaltan ciertos rasgos idealizados de belleza femenina (cabello rubio, piel blanca, ojos claros) que seguirán siendo prototípicos durante siglos.

Orígenes de la poesía italiana

Existe una larga tradición poética italiana anterior a Dante:

- **Poesía religiosa franciscana:** *Cántico de las criaturas* de **San Francisco de Asís** (1182-1226) y **Iacopone da Todi** (1230-1306).

- **Escuela siciliana:** poesía cortesana de la primera mitad del s. XIII, muy influida por el estilo cortés trovadoresco.

- **Dolce stil novo,** escuela poética florentina de la segunda mitad del s. XIII que supera el esquema cortés con un mayor análisis psicológico: **Guido Guinizelli** (1235-1276) **Guido Cavalcanti** (1250-1300).

Dante y la *Divina Comedia*

El florentino **Dante Alighieri** (1265-1321) participó activamente en las luchas políticas de su tiempo, lo que le costó el destierro de su ciudad natal. Fue un activo defensor de la unidad italiana. Escribió varios tratados en latín sobre literatura, política o filosofía.

En italiano escribió poesía amorosa *(Rime)* y la *Vita nuova,* en la que relata en prosa, intercalando poemas, su gran amor por Beatriz, conocida de niña y muerta muy joven. Por su estilo e ideas (Beatriz es una *donna angelicata),* estas obras se encuadran en el *dolce stil novo.*

La *Divina Comedia,* compuesta entre 1307 y 1321, es una de las obras maestras de todos los tiempos. En las tres partes del poema, escritas en tercetos encadenados, Dante narra un alegórico viaje al mundo de ultratumba. En el infierno y el purgatorio le sirve de guía el poeta Virgilio (ver t48) y en el paraíso, su amada Beatriz.

A través de quienes va encontrando, condenados o beatificados, Dante nos resume la historia de la humanidad y expresa la visión medieval del mundo, con sus problemas sociales, políticos y religiosos. Además, no puede ocultar su propia emoción ante los dramas de sus semejantes, anticipando el humanismo renacentista.

Encuentro de Dante y Beatriz en el purgatorio, según ilustración de Salvador Dalí para la *Divina Comedia.*

Petrarca: humanismo y poesía

El escritor toscano **Francesco Petrarca** (1304-1374) es ya un hombre moderno por su inquietud intelectual. Su vida se caracterizó por sus constantes viajes entre Francia e Italia. En 1340 fue coronado de laurel como poeta en Roma.

Está considerado el padre del **humanismo,** movimiento cultural basado en la recuperación de la Antigüedad, que será la base ideológica del Renacimiento. Fue un gran estudioso de los autores de la antigua Roma y escribió además numerosos libros en latín: tratados filosóficos y religiosos, obras históricas y poesía lírica y épica.

Sin embargo, es aún más importante su obra en italiano. En su *Cancionero* recogió y ordenó sus poesías de amor, dedicadas a Laura, a quien, como Dante a Beatriz, amó con un amor imposible truncado por una temprana muerte. La hondura de la indagación en sus sentimientos y la perfección formal y métrica de su estilo tendrán una gran influencia en la lírica europea posterior, especialmente en la renacentista (ver t55).

El cuento en la Edad Media

Los relatos breves con intención didáctica se denominan **ejemplos, apólogos** o **fábulas,** si los protagonizan animales. El gusto medieval los apreciaba mucho, por lo que solían ser incluidos en los sermones de los sacerdotes y recopilarse en libros, como *El conde Lucanor* de Don Juan Manuel (ver t50).

Los **fabliaux** son cuentos cómicos franceses, de ambiente urbano y realista. Su única intención es hacer reír, sin propósito moral. Escritos en verso entre los siglos XII y XV, ofrecen una visión veraz de la sociedad medieval, muy alejada del idealismo de la novela cortés.

El nuevo espíritu burgués, ya apreciado en los *fabliaux,* aparece plenamente en dos grandes autores de finales de la Edad Media.

■ El italiano **Giovanni Boccaccio** (1313-1375), hijo de un banquero, recibió una esmerada educación y fue un inquieto escritor, que practicó numerosos géneros (novelas en verso y prosa de tema clásico, pastoril, sentimental, caballeresco, etcétera). También fue humanista, amigo de Petrarca y el primer estudioso de Dante.

Su obra maestra es el *Decamerón* (1349-51), en la que un grupo de jóvenes refugiados en el campo para escapar a la terrible peste de 1348 se narran cuentos unos a otros para entretenerse. Los relatos son de muchos tipos, pero los más interesantes son los cómicos de ambientación realista en la sociedad de la época.

■ El inglés **Geoffrey Chaucer** (1340-1400) viajó por toda Europa en misiones militares, comerciales y diplomáticas. De excelente cultura literaria, fue poeta y dejó incompletos sus *Cuentos de Canterbury,* recopilación de relatos enlazados por un hilo argumental, el viaje de un grupo de peregrinos de distintas clases sociales. Aparte de los cuentos en sí, también resulta muy sugestivo el marco, es decir, las relaciones y discusiones entre los miembros del grupo.

Recursos literarios medievales

El **símbolo** es la representación de un concepto espiritual mediante un objeto material; la **alegoría** es un conjunto organizado de símbolos. El concepto de *autoridad,* es decir, el prestigio de las obras y los autores antiguos, es la base de los **tópicos.** Son un conjunto de temas o motivos tradicionales de gran prestigio, que realzaban el valor literario de las obras y demostraban la cultura de los autores: el *locus amoenus* o paisaje primaveral idílico, el *ubi sunt* o evocación de figuras famosas ya fallecidas, la oposición armas-letras, etc.

Fuentes de la cuentística medieval

La mayoría de los cuentos medievales proceden de la tradición grecolatina o india, transmitida ésta última por los árabes y difundida en Europa gracias a traducciones o recopilaciones realizadas en la península Ibérica, como la *Disciplina clerical,* obra en latín del judío de Huesca Pedro Alfonso (s. XII).

Literatura antigua en la India. Literatura precolombina

Además del Occidente europeo, otras grandes civilizaciones presentan tempranas manifestaciones literarias. Lo más destacado de la antigua literatura india es la vigencia de algunas obras. En la América anterior al desembarco de Colón florecieron brillantes civilizaciones, con su propio caudal literario.

La literatura india en sánscrito

En el subcontinente indio se hablan hoy en día un gran número de lenguas. Su antigua literatura, sin embargo, se escribió en **sánscrito**, el antiguo idioma del país y el más antiguo dialecto indoeuropeo conocido, vigente hasta el siglo VII y conservado después como lengua de cultura. Podemos distinguir dos épocas:

Periodo védico

La primera fase de la literatura sánscrita toma su nombre de la palabra *veda*, «ciencia». Básicamente, consiste en una amplia serie de textos religiosos (rezos y fórmulas rituales, himnos, tratados filosóficos, aforismos, etcétera.). Los más antiguos, agrupados en la recopilación denominada *Rig-Veda*, se remontan al siglo XV a. C.

Periodo clásico

Comienza hacia el s. IV a. C. y presenta ya una notable diversidad de géneros:

- **Épica:** la epopeya tradicional nos ha legado dos grandes obras, el *Mahabharata* y el *Ramayana*, ambas recogidas por escrito en el s. II. Siguiendo el modelo de ésta última, a partir del s. VII surgió una épica artística y culta de tema histórico y legendario.

- **Teatro:** desde el s. II a. C. se desarrolla una rica tradición dramática. Las obras, que alternan verso y prosa, y lengua culta y popular, son de una gran variedad temática. Destacan títulos como *Sakuntala* de Kalidasa, una bella historia de amor o el llamado *Romeo y Julieta* hindú, *Malatimadhava* de Bhavabhuti (s. VIII).

- **Poesía lírica:** el mejor poeta indio es **Kalidasa** (s. IV-V), autor de composiciones como *Ritusamhara* o *Meghaduta*. Fundamental figura de las letras hindúes, ya citado como gran dramaturgo y autor también de poemas épicos, fue admirado por los románticos europeos.

- **Narrativa:** de las abundantes recopilaciones de cuentos y fábulas indias, la más antigua y famosa es el **Panchatantra** (s. IV-V). A través de versiones árabes, llegó hasta la España medieval con el título de *Calila y Dimna* (ver t50).

- **Prosa:** muy popular por motivos extraliterarios es el tratado erótico *Kamasutra* (s. V). Por otro lado, en las abundantes obras inspiradas en la figura de Buda se basó una biografía árabe, *Barlaam y Josafat*, que a través del castellano llegó a Occidente.

(ver t50)

El *Mahabharata*

Este poema épico es la obra más extensa de la historia, con sus más de doscientos mil versos. Compuesto a lo largo del tiempo, adquirió la forma en la que lo conocemos en el s. II. Alrededor de una trama central legendaria sobre las luchas entre los descendientes de dos hermanos, se van intercalando descripciones, largos discursos, historias secundarias (como la de Nala y Dayamanti) y hasta un tratado filosófico, el *Bhagavadgita*.

El *Ramayana*

Atribuido en sus orígenes a un tal *Valmiki*, la versión del poema que nos ha llegado es del s. II. Narra los esfuerzos del rey Rama por rescatar a su esposa, raptada por el rey de los demonios. De gran cuidado formal, incluye leyendas y nociones de filosofía. Hoy en día, en ocasión de determinadas fiestas religiosas, siguen haciéndose lecturas públicas de este poema.

Ilustración de *Calila y Dimna*.

Literatura precolombina

Antes de 1492 hubo en tierras americanas tres grandes civilizaciones prehispánicas, como demuestran los monumentales restos artísticos y arquitectónicos que nos han dejado. Lo que se ha conservado de su literatura, de carácter oral, procede de transcripciones tardías o de traducciones de misioneros españoles.

Los maya-quichés

De este pueblo, asentado en el Yucatán y Centroamérica, nos quedan fundamentalmente obras en prosa, como los heterogéneos *Libros de Chilam Balam* o los *Anales de los Cakchiqueles,* pero sobre todo:

- *Popol-Vuh:* recopilación de antiguos mitos y leyendas, de tono religioso y cosmogónico. Considerada la «Biblia maya», fue transcrita en el s. XVI y traducida en el XVII.

Portada del *Popol-Vuh* (Biblioteca del Museo Nacional de Antropología e Historia, México). Entre las traducciones de esta obra destaca la del escritor guatemalteco Miguel Ángel Asturias (ver t87), quien además sacó de ella el título de su novela *Hombres de maíz.* Según se cuenta, los dioses, tras varios intentos fallidos, hicieron a los seres humanos de ese material.

- *Rabinal Achi:* pieza teatral del siglo XV que trata de la captura y ejecución de un guerrero. De acción mínima, se basa en largos y corteses diálogos y en danzas musicales.

Los aztecas

Este pueblo guerrero del centro de México, de lengua náhualt, cultivó todos los géneros literarios, pero destaca sobre todo en la poesía lírica. Muchos de sus reyes mostraron gran inclinación hacia las artes e hicieron de sus Cortes auténticos focos de cultura donde se practicaba una poesía filosófica y de gran complejidad formal.

La figura más destacada es la del rey **Netzahualcóyotl** (1402-1472), protector de las letras, jurista y filósofo. Como poeta, revela una fina sensibilidad al preguntarse sobre el sentido de la vida. Su hijo y sucesor, **Netzahualpilli,** fue también poeta.

Los incas

El extenso Imperio inca se extendía por los actuales Perú, Ecuador, Bolivia y el norte de Chile y Argentina. En su literatura, de lengua quechua, destaca una abundante poesía lírica de gran musicalidad, con múltiples subgéneros: «jailli», poesía sagrada; «arawi», canción amorosa; «aranway», composición satírica, etcétera.

De la gran afición inca al teatro sobreviven dos piezas, aunque transcritas ya en época colonial:

- *Ollantay:* el guerrero protagonista se rebela contra el emperador al negarle éste a su amada por razones de clase social.

- *Atahualpa:* este drama, sin actos ni escenas al modo tradicional inca, narra la prisión y muerte del emperador del mismo nombre a manos de Pizarro.

El fatalismo azteca

*«Así nosotros somos:
un breve instante a tu lado,
junto a ti, autor de la vida:
¡solamente viene uno
a darse a conocer en esta [tierra!
¡Nadie ha de quedar!...
Ya se rasga el plumaje de [quetzal,
va la pintura [desvaneciéndose,
allá la flor se seca...»*

Literaturas orientales

Las milenarias civilizaciones asiáticas desarrollaron tradiciones literarias antiguas y duraderas. En la cultura occidental ha sido particularmente notable la incidencia de las grandes obras hebreas y árabes. Las literaturas del Extremo Oriente, por su parte, aunque más alejadas geográficamente, testimonian la brillantez de sus culturas.

Literaturas antiguas de Oriente Medio

De los pueblos que desde el IV milenio a. C. habitaron en Mesopotamia (sumerios, babilonios, asirios, hititas) pervive una literatura compuesta fundamentalmente por textos e himnos religiosos y por poemas épicos sobre los orígenes míticos del mundo. En ellos encontramos motivos, como los del diluvio, comunes a otras civilizaciones.

■ En la **literatura egipcia** los más arcaicos testimonios (III milenio a. C.), son composiciones litúrgicas, literatura sapiencial *(Instrucción de Ptahhotep)* cantos de trabajo y textos de agudo pesimismo, como el *Diálogo de un hombre cansado de la vida con su espíritu.* Más adelante (II milenio a. C.) florecerá la narrativa, en la que destacan las *Aventuras de Sinuhé* o el *Cuento de un náufrago,* y la poesía sacra, con el célebre *Himno al Sol.*

■ La **literatura hebrea** antigua se concentra principalmente en los diversos libros bíblicos, algunos de los cuales, como el *Cantar de los Cantares* o el *Libro de Job,* poseen un notable tono literario. También en el *Talmud,* el otro libro sagrado del hebraísmo, abundan las partes narrativas. La literatura hebrea medieval más importante se cultiva en España, con grandes figuras como el poeta Selomó ibn Gabirol (s. XI) o el filósofo Maimónides (s. XII).

■ La **literatura árabe** se inicia con las **casidas,** composiciones orales cantadas por los beduinos desde el siglo VI a. C. El *Corán* (s. VII) da lugar a una rica producción religiosa y mística, a la vez que fija el árabe literario. La riqueza de vocabulario de éste contribuyó al gran desarrollo de la poesía, con nombres como **Abu Nuwas** (s. VIII) o **Al-Mutanabbí** (s. IX). Otro de los géneros predilectos árabes es el cuento, que culmina en la enorme recopilación de **Las mil y una noches.**

Más tarde, el árabe será sustituido como lengua literaria por el persa, idioma en el que escriben **Omar Khayyam** (s. XII), autor del *Rubaiyat,* o **Hafiz** (s. XIV).

El más antiguo poema épico

La obra más conocida de la literatura babilónica es el *Poema de Gilgamesh.* Compuesto hace más de cuatro mil años, es una especie de *Odisea* (ver t46) que narra los infructuosos viajes del protagonista para hallar un remedio contra la muerte, con el telón de fondo del enfrentamiento entre dioses y hombres.

La literatura de Al-Ándalus

La brillante cultura hispano-árabe da muestras del amor árabe por la poesía creando nuevas estrofas (la culta **moaxaja** o el más popular **zéjel**). Destacan los nombres de Ibn Hazm (s. XI), autor del famoso tratado sobre el amor *El collar de la paloma,* de los poetas Ibn Zaidún (s. XI) e Ibn Quzmán (s. XII), y del gran filósofo Averroes (s. XII), introductor del olvidado Aristóteles en Occidente.

La sugestiva cultura egipcia, una de las grandes civilizaciones antiguas, no ha dejado de ser fuente de inspiración para los artistas a través de los siglos y hasta nuestros días. Escena de la película norteamericana *Cleopatra,* dirigida en 1963 por Joseph Mankievicz.

China

Al I milenio a. C. se remontan los más antiguos textos chinos, la mayoría de tipo religioso, como el *I-Ching*, o filosófico, como las obras de **Confucio** o de los taoístas Lao Tze y Chuang Tseu.

■ La **poesía** es un género de larguísima tradición en la literatura china, desde las antiguas figuras de **Chu Yuan** (343-277 a. C.) o **Tao Quian** (¿365-427?) hasta **Mao Zedong** (1893-1976). El siglo VIII es la edad de oro de la poesía, con figuras como el bohemio **Li Bo, Du Fu** y **Bo Juyi**, más críticos y realistas, o el delicado **Wang Wei**.

■ El **teatro** es, desde el siglo XIV, toda una institución en la vida china. Las tramas en prosa (sencillas al principio aunque progresivamente complicadas) se combinan con comentarios en verso y canciones. La puesta en escena está fuertemente codificada y ritualizada.

■ La **narrativa** no se consolida hasta fines del siglo XIV, con la *Historia de tres reinos*, de **Luo Ben**, de argumento histórico. Los títulos clásicos son: *Viaje a Occidente* de **Wu Cheng'en** (s. XVI), de tono fantástico, *La ciruela del vaso de oro*, de **Wang Shizhen** (s. XVII), entre realista y erótica, y la novela amorosa *El sueño del pabellón rojo*, de **Cao Zhan** (s. XVIII).

Ya en nuestros días hay que destacar a **Lu Xun** (1881-1936), conocido como el «Gorki chino», autor de *Grito de llamada;* **Ba Jin** (1904) y su novela *La familia,* y el más joven, **Acheng** (1949).

Japón

Al igual que Roma respecto a Grecia, la cultura japonesa, si bien con su propia personalidad, es deudora de la china, de la que adopta la escritura ideográfica, el arte, el budismo, etcétera. Su punto de referencia más antiguo es la magna antología poética *Manyô-shû* (760), de la que surgen las características composiciones japonesas, breves y concentradas: la **tanka** y el aún más corto **haiku**, en el que sobresaldrá **Batso** (s. XVII).

■ El **teatro** adquirirá un gran desarrollo a partir del siglo XIV, aún más ritualizado que el chino. Entre los distintos subgéneros destacan:

el **kyôgen**, grotesco y realista;

el **kabuki**, largo y complejo),

y, el más importante es el **nô**, de escenario y acción muy sobrios.

■ La **forma narrativa** típica es el *monogatari* (relatos). Pueden ser breves, casi poéticos, como los *Cuentos de Ise* de **Aiwara no Narihina** (s. IX), o más extensos, con episodios enlazados por el mismo protagonista, según el modelo de *Ginge monogatari*, de la dama de Corte **Murasaki Shikibu** (s. X-XI), obra maestra de la literatura japonesa.

Los principales novelistas contemporáneos son **Junichirô Tanizaki** (1886-1975), **Yasunari Kawabata** (1899-1972), **Yukio Mishima** (1925-1970) y **Kenzaburo Oê** (1935).

La ambigüedad de la poesía china

La poesía china presenta una peculiar característica, que aumenta enormemente su atractivo. Debido a que en este idioma las palabras no poseen una categoría gramatical predefinida, sino que la adquieren en cada contexto, resulta posible efectuar varias lecturas de los textos, que se vuelven así misteriosos y sugestivos.

Literatura renacentista

El Renacimiento supone un cambio radical respecto a la Edad Media. A las notables transformaciones histórico-sociales (aparición de los estados modernos, afirmación de la burguesía, invención de la imprenta, descubrimientos geográficos, etcétera) se suma una nueva visión del mundo. El resultado será una extraordinaria eclosión artística y literaria que, ya activa en Italia en el siglo XV, se extenderá por toda Europa durante el siglo XVI.

El cortesano

El prototipo del perfecto hombre renacentista fue descrito por el italiano Baltasar de Castiglione en su obra *El cortesano* (1528). Siguiendo el afán de armonía de la época, debe ser tan experto en las armas como en las letras, saber conversar y tratar con sus semejantes, especialmente con las damas, y tañir algún instrumento musical.

Humanismo y antropocentrismo

El **humanismo** fue inicialmente un esfuerzo erudito que surgió en Italia para recuperar el conocimiento exacto de la cultura clásica grecolatina, muy deformada en la Edad Media. Inmediatamente se transformó en un amplio movimiento que aspiraba al **renacimiento** del arte y de la manera de pensar y de vivir de los admirados antiguos.

La principal consecuencia de ello fue una revalorización del mundo y del ser humano. En la Edad Media se pensaba que Dios era el centro del universo (**teocentrismo**) y que la existencia terrena era un mero trámite para llegar a la vida eterna. Ahora el hombre quedará colocado en el centro del mundo (**antropocentrismo**) y la vida se considerará digna de ser vivida a fondo.

Los humanistas italianos del XV, como C. Salutati o P. Bracciolini, siguiendo el ejemplo de los grandes autores del siglo XIV, Dante, Petrarca y Boccaccio (ver t52), se esforzaron por descubrir manuscritos latinos antiguos e imitar su forma y contenidos. En el siglo XVI, tras la masiva llegada de sabios griegos que huían de la recién conquistada Constantinopla, se conseguirá reconstruir la cultura grecolatina en su totalidad. El humanista más destacado es Lorenzo Valla.

El teatro renacentista

Aparte de un teatro culto y universitario, a imitación de Terencio (ver t48), lo más destacado del teatro renacentista italiano es la **Comedia del arte**, pequeñas piezas de amor e intriga protagonizadas por personajes fijos identificables con una máscara (Arlequín, Polichinela, Colombina). Fueron representadas en toda Europa por compañías ambulantes de actores, dando un gran impulso al desarrollo del teatro profano y profesional.

Italia, la plenitud del Renacimiento

En las ciudades-estado italianas el espíritu renacentista renueva las formas literarias ya desde el siglo XV. Por un lado, existe una importante literatura en latín: así los filósofos **Marsilio Ficino** (1433-1499) o **Pico della Mirandola** (1463-1494) divulgan las ideas platónicas. Por otra, los géneros y motivos clásicos se van adaptando al italiano:

- **Lírica:** junto a los imitadores de Petrarca, la poesía de **Angelo Poliziano** (1454-1494) plasma un mundo pagano, idealizado y mitológico. También destaca la figura de **Lorenzo de Médicis** (1449-1492), notable poeta, además de gobernante de Florencia en su máximo momento de esplendor.

- **Épica:** se recupera la epopeya culta con *Orlando enamorado* de Matteo Boiardo (1441-1494) y *Orlando furioso*, de **Ludovico Ariosto** (1474-1533), donde la temática carolingia se recrea con enorme fantasía. Un tono más heroico y cristiano caracteriza la *Jerusalén conquistada* de **Torquato Tasso** (1544-95), centrada en la primera Cruzada.

- **Novela:** Iacopo Sannazzaro (1456-1530) inaugura con su *Arcadia* la novela pastoril, que, al fundir conflictos amorosos y ambiente bucólico, se convertirá en un subgénero de enorme éxito (ver t12).

- **Prosa doctrinal: Nicolás Maquiavelo** (1469-1527) escribe el primer tratado político moderno, *El príncipe*.

Otras literaturas renacentistas

El resto del continente no se mostró insensible a las novedades provenientes de Italia. Aunque ya en el siglo XV pueden apreciarse rasgos anticipatorios, sólo en el XVI cabe hablar de un Renacimiento europeo, especialmente brillante en los países románicos.

En Francia destacan tres grandes figuras:

■ **François Rabelais** (1494-1553), médico y gran intelectual experto en griego, es el autor de *Gargantúa y Pantagruel,* novela cómica y miscelánea en la que, al hilo de las fabulosas andanzas de los dos gigantes protagonistas, se satiriza la sociedad de la época con desbordada creatividad lingüística y narrativa.

■ **Pierre de Ronsard** (1524-1585), prolífico poeta de inspiración petrarquista, reflejó en sus *Sonetos para Helena* un amor tardío. Otros poetas destacados son **Joachim du Bellay** (1522-1560) y **Theodore d'Aubigné** (1552-1630), autor de *Las trágicas,* epopeya sobre la guerra religiosa.

■ **Michel de Montaigne** (1533-1592) creó un nuevo género con sus *Ensayos,* reflexiones desde una óptica personal sobre todo tipo de temas.

■ En Portugal también hallamos poetas petrarquistas, como **Francisco Sá de Miranda** (1481-1558) y, sobre todo, al mayor poeta portugués, **Luis de Camoens** (1524-1580), autor de *Os Lusiadas,* epopeya culta y patriótica de casi nueve mil versos sobre las expediciones de Vasco de Gama.

■ El Renacimiento alemán se tiñe de tono religioso, pues el gran reformador **Martin Lutero** (1483-1546), muy poco humanista en realidad, crea el alemán literario y culto para poder difundir sus ideas.

■ En Inglaterra, la poesía italianizante es introducida por **Thomas Wyatt** (1503-42) y **H. Howard,** conde de Surrey (1517-47), con quien se asentó el endecasílabo blanco (sin rima) tan típico en la poesía inglesa. Los poetas más destacados son **Philiph Sidney** (1554-1586) y **Edmund Spenser** (1552-1599). El influjo clásico alienta un cierto desarrollo del teatro que anticipa la gran eclosión de época isabelina.

Inmejorable símbolo del nuevo espíritu antropocentrista es el *David,* famosa escultura de Miguel Ángel (1475-1564) que, con su exaltación de la belleza del cuerpo humano, enlaza con el ideal griego de armonía. El Renacimiento representó en todos los órdenes una vuelta a las normas clásicas.

Humanistas europeos

El humanista de mayor influencia en su época (ver t9) fue el holandés **Erasmo de Rotterdam** (1466-1536), autor del *Elogio de la locura* (1509). Su amigo, el inglés **Tomás Moro** (1478-1535), decapitado por Enrique VII al negarse a aceptar su reforma eclesial, escribió la famosa *Utopía* (1516), descripción de una sociedad ideal. El español **Juan Luis Vive**s (1493-1540) gozó también de gran prestigio.

El gran arte renacentista

Aun con su importancia, la literatura del Renacimiento palidece comparada con las bellas artes. Arquitectos como Alberti o Brunelleschi, escultores como Donatello, pintores como Boticelli o Rafael, y artistas completos como Leonardo da Vinci (pintor e ingeniero) o Miguel Ángel (pintor, escultor, arquitecto y hasta poeta) escribieron una de las páginas más brillantes de la historia del arte en los siglos XV y XVI.

El Renacimiento y el Barroco en Hispanoamérica

Con el desembarco de Cristóbal Colón, el 12 de octubre de 1492, se inicia el largo periodo de dominación española en América. En el ámbito literario, la literatura renacentista del siglo XVI refleja fundamentalmente los avatares del choque de civilizaciones, a cargo de autores nacidos en España. En el siglo XVII, o periodo barroco, surgen ya las primeras grandes figuras nacidas en tierras americanas.

La literatura y los conquistadores

Por un lado, las osadas navegaciones y los grandes descubrimientos consolidaron la fe renacentista en las posibilidades del hombre. Por otro, los conquistadores debieron recurrir a la literatura ante las maravillas del nuevo mundo.

Así, llamaron Amazonas, nombre del antiguo pueblo guerrero femenino de la tradición griega, al más importante río del continente y bautizaron toda una región con el nombre de California, denominación de un reino fantástico de las novelas de caballerías.

El Padre de Las Casas

El misionero Bartolomé de las Casas (1474-1566) fue el defensor por excelencia de los indígenas frente a los abusos de los españoles, expuestos en su famosa *Brevísima relación de la destrucción de las Indias* (1552). Nombrado por el rey «protector universal de los indios», dedicó el resto de su vida al estudio de su cultura y a su reivindicación práctica.

Literatura del descubrimiento y la conquista

Las impresiones que las nuevas tierras causaron en los primeros conquistadores quedan bien reflejadas en dos obras tempranas:

- *Diario de a bordo* (1492-1493) de Cristóbal Colón, en el que se destaca la agreste y rica naturaleza, así como las virtudes de los indígenas.

- *Cartas de relación* (1519-1526) de Hernán Cortés, donde informa al emperador de los pormenores de la conquista de Méjico, demostrando siempre gran admiración por la civilización azteca.

Más tarde surgen las **crónicas de indias,** subgénero de la prosa renacentista. Entre estas obras históricas sobresalen:

- *Historia general y natural de las Indias* (1535-1557), de **Gonzalo Fernández de Oviedo,** de carácter global y tono apologético.

- *Naufragios y comentarios* (1528-1536), de **Álvar Núñez Cabeza de Vaca,** texto autobiográfico de un español perdido entre los indios.

- *Historia verdadera de la conquista de la Nueva España,* de **Bernal Díaz del Castillo** (1496-1584), impresionante visión de la conquista de Méjico desde el punto de vista de un soldado de a pie.

El mestizaje, constante desde los inicios, tiene su primer gran representante literario en el **Inca Garcilaso de la Vega** (1539-1616), hijo de un noble español y una princesa inca. Sus *Comentarios reales* (1609) son un extenso tratado histórico en prosa sobre el pueblo incaico. En defensa de los indios se distinguió también el **Padre de Las Casas.**

Hernán Cortés manda prender a Moctezuma. (Museo de América, Madrid).

Poesía épica y lírica

El drama de la conquista de América inspira varias obras épicas. La más importante es *La Araucana,* ejemplo de poema épico culto renacentista en octavas, repleto de elementos mitológicos. Su tema son las luchas entre españoles y araucanos, antiguos habitantes del actual Chile, que su autor, **Alonso de Ercilla** (1533-94), vivió en persona. Se ensalzan al mismo tiempo las hazañas de los conquistadores y el valor de sus orgullosos enemigos.

Aparte de la extraordinaria difusión de los **romances** (Ver t4) y de algún ejemplo de poeta petrarquista, habrá que esperar al siglo siguiente para hallar otras figuras importantes.

Contraportada de la edición de 1700 de *Fama y obras póstumas,* de sor Juana Inés de la Cruz (Biblioteca Nacional, Madrid).

- En la época de transición entre Renacimiento y Barroco destaca **Bernardo de Balbuena** (1562-1627). Escribió novela y poesía épica, pero su mejor obra es la *Grandeza mexicana* (1604), poema descriptivo en nueve cantos sobre la ciudad de Méjico.

- La principal figura del Barroco es **Sor Juana Inés de la Cruz** (1651-1695), una de las más grandes escritoras americanas. La inmensa cultura, personalidad y talla intelectual de esta monja mexicana fueron la admiración de su época.

Escribió obras en prosa y dos comedias de enredo, pero destaca sobre todo por su poesía, muy variada en formas y temas (amor, filosofía, religión, etc.). Su principal obra es *Primer sueño,* largo poema culterano en silvas, a imitación de Góngora.

- El influjo del culteranismo (ver t15) fue muy amplio en los poetas barrocos americanos, como **Hernando Domínguez Camargo** (1601-1659) o **Luis de Tejada y Guzmán** (1604-1680). En cambio, **Juan del Valle Caviedes** (¿1652-1697?) es conocido como el «Quevedo peruano» por su poesía festiva y satírica.

Teatro y narrativa

Durante el siglo XVI hubo sobre todo un **teatro misionero y religioso,** aunque también se escribieron **entremeses cómicos.** En el XVII se da ya un importante teatro palaciego profano, muy influido por Calderón de la Barca.

El dramaturgo más importante es el mexicano **Juan Ruiz de Alarcón** (1581-1639), que desarrolló su carrera en España (ver t17). Destacan además:

- **Juan de Espinosa Medrano** (1632-88), autor también de un tratado en prosa en defensa de Góngora.

- **Pedro de Peralta Barnuevo** (1663-1743), mestizo peruano, que vivió en la primera mitad del siglo XVIII cuando seguía dominando la estética barroca.

Entre los prosistas hay que citar a **Juan de Palafox y Mendoza** (1600-1659), autor de *El Pastor de Nochebuena,* relato pastoril alegórico, y a **Carlos de Sigüenza y Góngora** (1645-1700) y sus *Infortunios de Alonso Ramírez* (1690), obra medio biográfica, medio picaresca que narra la azarosa existencia de su protagonista, personaje supuestamente real.

Unos versos feministas

«Hombres necios que acusáis
a la mujer sin razón,
sin ver que sois la ocasión
de lo mismo que culpáis. (...)
Pues ¿para qué os espantáis
de la culpa que tenéis?
Queredlas cual las hacéis
o hacedlas cual las buscáis.»
Sor Juana Inés de la Cruz

El Barroco en Inglaterra

Los relativamente estables reinados de Isabel I (1558-1603) y Jacobo I (1603-1625) alumbran la época dorada de la literatura inglesa, antes de los turbulentos años revolucionarios de mediados de siglo. El Barroco inglés contará con grandes poetas, como John Donne o John Milton, y con una rica tradición teatral, coronada por la gigantesca figura de William Shakespeare.

El teatro isabelino

A finales del siglo XVI, el teatro adquiere en Inglaterra su forma moderna, a lo largo de un proceso muy parecido al del coetáneo teatro barroco español (ver t16). Anteriormente, no había más que tres modalidades dramáticas:

- **teatro religioso.**
- **teatro culto** a imitación de los clásicos.
- compañías itinerantes, que representaban **piezas cómicas.**

Gracias a la protección de algunos nobles, surgen los primeros locales urbanos estables y el teatro se convierte en un **espectáculo de masas,** que gustaba a todas las clases sociales.

En estos nuevos locales abiertos las representaciones tenían lugar a primera hora de la tarde para aprovechar la luz del sol. El escenario tenía dos niveles y la escenografía era muy pobre: casi todo corría a cargo de la palabra en escena y a la imaginación del alborotador público. Más adelante surgió también un teatro cortesano que se representaba en locales cubiertos, anterior al cierre de los teatros de 1642, como consecuencia de la presión puritana y en vísperas de la guerra civil.

Los principales dramaturgos

El nuevo tipo de espectáculo y de público exige nuevas formas teatrales, cuyo mejor ejemplo son las obras de **William Shakespeare,** uno de los grandes genios de la humanidad (ver t58). Entre los autores anteriores a él podemos destacar a:

- **Thomas Kyd** (1558-1594), autor de *La tragedia española* (1587), una sangrienta pieza considerada antecedente de Hamlet.

- **Christhoper Marlowe,** cuyas obras principales son *Fausto* (1588), donde aparece por vez primera el famoso personaje que vende su alma al diablo, *El judío de Malta* (1589) y *Eduardo II* (1592), densa tragedia de tema histórico-patriótico.

Contemporáneo de Shakespeare y con mayor fama de autor culto fue **Ben Jonson** (1572-1637). Escribió sobre todo comedias, como la famosa *Volpone* (1606), sobre las intrigas de un rico caprichoso.

La tendencia predominante, con todo, fue la tragedia de truculenta trama centrada en el honor y la venganza, cultivada entre otros, por **Cyril Tourneur** (1575-1626), que escribió *La tragedia del vengador,* y **John Webster** (¿1580-1630?), autor de *El diablo blanco* y *La duquesa de Amalfi.*

Christopher Marlowe

Christopher Marlowe (1564-1593), poeta y el mayor dramaturgo de la época a excepción de Shakespeare, se caracteriza por una compleja personalidad, que fue tildada de atea y amoral. Participó en actividades de espionaje y en numerosas intrigas políticas y, probablemente por ello, fue asesinado en plena juventud de una puñalada.

La poesía barroca: Donne y Milton

El movimiento poético **eufuista,** una especie de culteranismo, marca la transición del Renacimiento al Barroco. Su nombre proviene de la novela *Euphues* (1597) de **John Lyly.** Otro género de moda entre los dos siglos es el poema erótico-mitológico, muy recargado de metáforas: así, **Marlowe** escribió *Hero y Leandro* y **Shakespeare,** *Venus y Adonis.*

Ya en el siglo XVII sobresale el grupo de los llamados **poetas metafísicos,** de orientación opuesta. Se trata de una poesía reflexiva y moral, de denso contenido cultural. Podemos citar a **George Herbert** (1593-1633), de honda religiosidad, y a **Henry Vaughan** (1622-1695).

John Donne

■ El representante más significativo del grupo es el gran poeta **John Donne** (1572-1631), famoso también por sus dotes de predicador y la belleza de sus sermones. En su poesía rechaza la musicalidad anterior y emplea un tono dramático y coloquial para expresar sus inquietudes y sentimientos más íntimos (amor, muerte, religión).

John Milton

■ El mejor poeta barroco inglés es **John Milton.** Tras una primera etapa poética juvenil, intenta fundir la belleza formal clásica con el pensamiento cristiano en sus obras de vejez:

- *Paraíso recobrado* (1671), poema épico cristiano en cuatro cantos.
- *Sansón agonista* (1671), tragedia.

La vida y la obra de John Milton coinciden con la dramática etapa de las guerras civiles inglesas entre el rey y el Parlamento, que llevarán, tras la dictadura republicana de Cronwell (1649-60) y la Restauración monárquica, a la revolución de 1688, que instaura el primer régimen liberal moderno.

Su obra maestra es el grandioso poema épico *Paraíso perdido* (1667), en doce libros. El verso libre adquiere un majestuoso ritmo y su lenguaje es culto y solemne. A través de la historia de Adán y Eva y su expulsión del paraíso, Milton crea una epopeya simbólica de la lucha humana entre la salvación y el pecado. Destaca el sugestivo retrato del rebelde Satán, figura melancólica de rasgos humanos.

John Dryden

■ La figura literaria más destacada del periodo de la restauración monárquica es **John Dryden** (1631-1700) quien en gran medida anticipa el futuro espíritu ilustrado. Su poesía, patriótica, religiosa y satírico-política, popularizó los dísticos endecasílabos, metro preferido del siglo siguiente. Como dramaturgo, destaca por sus comedias de costumbres, que reflejan la sociedad de su época.

Adán y Eva, representan en la obra de Milton la lucha entre la salvación y el pecado.

Una meditación sobre la muerte

«Nadie es una isla, completo en sí mismo; cada hombre es un pedazo del continente, una parte de la tierra. (...) La muerte de cualquier hombre me disminuye porque estoy ligado a la humanidad; por consiguiente nunca hagas preguntar por quién doblan las campanas: doblan por ti.»

John Donne

John Milton (1608-74), de culta familia puritana, estudió en Cambridge y viajó por Europa, gracias a lo cual conoció a fondo la poesía italiana. Dedicó muchos años de su vida a la defensa del puritanismo y de Cronwell, escribiendo numerosos tratados en latín y en inglés. Tras la Restauración, arruinado y ciego, se retiró a componer sus grandes obras.

William Shakespeare

Shakespeare no es sólo el más importante autor teatral del Barroco inglés, sino, sobre todo, uno de los grandes genios de la literatura universal. Con él, el género dramático alcanza la modernidad y recupera a la vez la hondura del teatro griego, perdido en la época medieval. Sus obras nos han dejado, además, un nutrido grupo de personajes inolvidables.

William Shakespeare (1564-1616) abandonó su ciudad natal de Stratford para unir su vida en Londres al mundo teatral. No sólo fue escritor, sino también actor y empresario de éxito, y llegó a poseer, con otros socios, su propio teatro, el famoso «*The Globe*», a orillas del Támesis.

El nacimiento del teatro moderno

Entre los siglos XVI y XVII el teatro adquiere, con dramaturgos como Lope de Vega, Calderón de la Barca, Molière (ver t14) o el propio Shakespeare, sus características modernas. Ello fue posible gracias a la nueva valoración de la vida humana surgida con el Renacimiento.

La literatura antigua pretendía representar un mundo ideal, de modo que en el teatro griego los conflictos nacían del destino previsto por los dioses para los personajes. La literatura moderna, en cambio, aspira a reflejar la vida real, y los conflictos de los personajes teatrales tendrán mucho que ver con sus sentimientos, vicios y virtudes, así como con su propia historia y con el ambiente que los rodea.

Buen ejemplo de todo esto son las treinta y siete obras teatrales que se conservan de **William Shakespeare**, en las que se mezclan el verso y la prosa. En estas piezas, igual que en la vida, aparecen juntos lo sublime y lo realista, lo trágico y lo cómico, lo importante y lo intrascendente.

Su producción puede ser dividida en tres grupos:

- Dramas históricos.
- Comedias.
- Tragedias.

Dramas históricos

Su tema fundamental es la despiadada lucha por el poder. Los personajes históricos aparecen humanizados, lejos del habitual tono legendario y mítico. Por su ambientación, se distinguen dos tipos:

- **Historia inglesa:** diez piezas en las que se repasan casi tres siglos de la historia de Inglaterra, especialmente conflictivos por sus continuas guerras civiles. Destacan los siguientes títulos:

  •*Ricardo III:* su malvado protagonista, el jorobado Gloucester, sirve al autor para reflexionar sobre el tema del mal.

  •*Enrique IV* (dos partes): un personaje secundario, el vividor, glotón y cobarde Falstaff, se hizo tan popular que obligó a Shakespeare a hacerle reaparecer en la comedia *Las alegres casadas de Windsor.*

- **Historia antigua:** de ambientación grecolatina, son:

  •*Julio César:* centrada en la figura de Bruto, que asesina a César para devolver la libertad a Roma, pero fracasa al ser víctima de la ambición de otros conjurados.

  •*Antonio y Cleopatra:* el amor de los protagonistas, un general romano y una reina egipcia, opuesto a los intereses políticos de la época, les conduce a la muerte.

Comedias: realidad y fantasía

Las **comedias** de Shakespeare destacan por el virtuosismo técnico del **enredo** y por su **indagación en los sentimientos**. En muchas domina un ambiente italianizante y cortesano, como en *Mucho ruido y pocas nueces, La fierecilla domada* o *Bien está lo que bien acaba*. Las dos piezas más importantes de este grupo son:

■ *Sueño de una noche de verano:* de carácter alegre y fantástico, narra varios enredos amorosos durante la noche de San Juan, en tres niveles distintos pero entrelazados: los pobres, los aristócratas y los seres mágicos del bosque. Es la obra más optimista del autor.

■ *El mercader de Venecia:* pese a su final feliz, la melancolía del protagonista y el odio del judío Shylock, que arremete contra el antisemitismo en un famoso monólogo, dan a esta pieza un fondo amargo.

Obras no teatrales

Aparte de dramaturgo, Shakespeare fue también poeta. Escribió algunos poemas narrativos de argumento mitológico típicamente renacentistas, como *Venus y Adonis*, y sobre todo numerosos sonetos, de estilo petrarquista (ver t6) y tema amoroso, algunos de gran belleza.

Grabado de The Globe theatre (Teatro del Globo) fundado en Londres en 1599.

Las grandes tragedias

Obras de madurez casi todas, son la cumbre del teatro de Shakespeare. A través de sus protagonistas, símbolos de las distintas pasiones del hombre, el dramaturgo traza un profundo retrato de la complejidad del alma humana y de las grandes dificultades de la vida.

■ *Romeo y Julieta:* la enemistad entre sus respectivas familias y la fatalidad se alían para impedir la unión entre los jovencísimos protagonistas, prototipos de amantes apasionados.

■ *Hamlet:* príncipe de Dinamarca, al protagonista se le aparece el fantasma de su padre asesinado exigiendo venganza. Las dudas y la indecisión, expresadas en famosos monólogos, torturan al joven, pues entre los culpables están su madre y el padre de su amada. Al final, a costa de su propia vida, consumará el sangriento castigo.

■ *Otelo:* el malvado Yago, fomenta los celos de Otelo, quien llegará a estrangular a su amada mujer, la inocente Desdémona.

■ *Macbeth:* la ambición de poder, alentada por su esposa, lleva al noble escocés Macbeth al crimen. Conseguirá la corona, pero ambos sufrirán terribles remordimientos antes de su trágico final.

■ *El rey Lear:* el anciano protagonista, tras intentar medir el amor de sus hijas, destierra a la única que le quiere de verdad, engañado por la hipocresía de las otras dos. Acabará destronado, abandonado por todos y medio loco.

El testamento espiritual de un dramaturgo

En su última obra, *La tempestad*, Shakespeare parece recuperar el sentido de la armonía vital tras el horror de sus tragedias. En una isla que simboliza la naturaleza humana y en la que conviven fantasía y realidad, el viejo Próspero va armonizando secretamente las vidas de los diversos personajes que en ella naufragan.

El Barroco en Francia y en otros países

El siglo XVII francés conoce, sobre todo con la monarquía absoluta del Rey Sol Luis XIV (1661-1715), un notable esplendor literario, especialmente en el teatro. Pese al barroquismo inicial, acabará imponiéndose un temprano clasicismo. Menos importancia tiene la literatura barroca en otros países europeos, aunque no falten autores de interés.

Del barroquismo al clasicismo

La poesía francesa del XVII no dio grandes figuras. Durante la primera mitad del siglo dominan las tendencias barrocas:

■ **Preciosismo:** poesía de expresión culta y refinada y tema galante, cultivada en selectas reuniones literarias en casas de nobles, llamadas «salones».

■ **Poesía burlesca y satírica:** sobresale **Paul Scarron** (1610-1660).

El prestigio del racionalismo filosófico de Descartes impulsa un estilo más sobrio y coloquial, de imaginación contenida y expresión clara, representado por **François de Malherbe** (1555-1628). Al poco tiempo se funda la **Academia Francesa** (1634), que impone la imitación de los clásicos y el respeto por las reglas en el arte.

Así nace el **clasicismo,** que dominará la segunda mitad del siglo y enlaza con la Ilustración. Las figuras poéticas más importantes son el fabulista **Jean de la Fontaine** (1621-1695) y **Nicolás Boileau** (1636-1711), autor de una influyente *Arte Poética* (1674) en verso.

En la narrativa destacan *Viaje a la Luna,* curiosa obra, entre satírica y de ciencia-ficción, de **Cyrano de Bergerac** (1619-55) y, sobre todo, *La princesa de Clèves* (1678) de **Madame La Fayette,** novelista psicológica y realista. También están en prosa las *Máximas,* reflexiones breves del duque de **La Rochefoucauld** (1613-1680).

Luis XIV.

Corneille, Racine y Molière

El teatro se convierte en el género más importante bajo la protección de Luis XIV y de la nobleza.

- **Pierre Corneille** (1606-1684) es el padre de la tragedia francesa. Su primera gran obra, *El Cid* (1636), inspirada en el teatro clásico español, fue criticada por no respetar las reglas.

Sus sucesivas tragedias se atendrán al estilo clasicista: *Horacio* (1640) y *Cinna* (1640) son de ambientación romana y tema político; *Polieucto* (1642), de tema religioso. También destacó como comediógrafo, con *El mentiroso,* basada en Ruiz de Alarcón.

- Con **Jean Racine** (1639-99) triunfa plenamente la tragedia clásica. Sus piezas, de gran belleza formal, tienen una escasa complicación argumental pero una enorme fuerza en la representación de las pasiones humanas. La mayoría son de tema clásico, como *Andrómaca, Británico* o *Mitríades,* o bíblico, como *Ester y Atalía.*

Su obra maestra es ***Fedra*** (1677), sobrecogedor análisis de la pasión y la culpa. Inspirada en Eurípides, escenifica la imposible pasión de la protagonista por su hijastro, el bello Hipólito.

- **Molière** fue durante muchos años actor ambulante y adquirió un profundo conocimiento de la vida, que plasma en sus comedias. En ellas ridiculiza las debilidades humanas: la pedantería en *Las preciosas ridículas,* la avidez en *El avaro,* la estupidez de los nuevos ricos en *El burgués gentilhombre,* etcétera.

En 1664 compuso tres grandes obras maestras, de mayor seriedad: *Tartufo,* severo ataque contra la hipocresía religiosa; *Don Juan,* recreación del famoso mito como librepensador, y *El misántropo,* de notable pesimismo.

El Barroco en otros países europeos

En **Italia,** el poeta más famoso es **Giambattista Marino** (1569-1625), autor de la extensa fábula mitológica *Adonis* (1623). A imitación de su estilo surgió una corriente poética, el **marinismo,** parecido al culteranismo, aunque menos complejo.

Es más interesante la prosa literaria de tres grandes pensadores y científicos, que prolongan el espíritu renacentista:

- **Galileo Galilei** (1564-1642), modelo de expresión científica.

- **Giordano Bruno** (1548-1600), autor de una comedia y del diálogo moral y literario *De los heroicos furores* (1585).

- **Tommaso Campanella** (1568-1639), poeta y autor del tratado utópico *La ciudad del sol* (1602).

En **Portugal** se nota el influjo gongorino en la poesía de **Sor Violante de Ceu.** Más importancia tiene la prosa, con **Francisco Rodrigues Lobo** (1580-1622), autor de novelas pastoriles, el aristócrata **Francisco Manuel de Melo** (1611-1667), o la oratoria de **António Vieria** (1608-1697).

En **Alemania,** arrasada por la guerra de los Treinta Años, surge una gran poesía lírica religiosa, de estilo barroco moderado, con **Martin Opitz** (1597-1639) y **Angelus Silesius** (1624-77). La mejor obra del periodo es *El aventurero Simplicísimo,* de **Hans von Grimmelshausen** (1625-76), una novela picaresca cuyo protagonista se hace pasar por loco para evitar los horrores de la guerra.

Jean-Baptiste Poquelin (1622-1673) adoptó el seudónimo de **Molière** para no deshonrar a su familia cuando se unió a una compañía teatral. Durante quince años, recorrió Francia como actor y director. A su regreso a París, empezó a escribir obras teatrales por su cuenta y llegó a tener su propia compañía, apoyada por el mismo rey Luis XIV, quien le admiraba mucho. Sólo la protección del rey pudo salvar al dramaturgo de los numerosos enemigos que se ganó por la virulencia de sus críticas. Murió repentinamente, mientras representaba *El enfermo imaginario.*

Retrato de Molière, obra de Pierre Mignard (Museo de Chantilly, Francia).

Literatura del siglo XVIII en Francia

Desde un punto de vista literario, el dominio del Neoclasicismo hace que el siglo XVIII sea en Francia una prolongación en muchos sentidos de la etapa anterior. Sin embargo, la fuerza subversiva de las ideas ilustradas inspirará, al final del siglo, la caída del Antiguo Régimen con la Revolución Francesa (1789).

El pensamiento ilustrado: los "philosophes"

Nacida en Francia, la filosofía ilustrada extendió por toda Europa sus novedosas ideas racionalistas y reformistas (ver t18). Sus principales figuras, pensadores polifacéticos y combativos, no dudaron en recurrir a la literatura para difundir su pensamiento.

■ El barón de **Montesquieu** (1689-1755) obtuvo un gran éxito con su tratado político *Del espíritu de las leyes* (1748), donde se defiende la separación de poderes en el Estado. En su novela epistolar *Cartas persas* (1721) traza una dura visión crítica de la sociedad francesa, a través de los ojos de unos viajeros persas que visitan este país.

■ **Voltaire** es el prototipo del *philosophe*, o pensador ilustrado. Aparte de su *Diccionario filosófico* (1764), escribió innumerables opúsculos y panfletos sobre todo tipo de temas *(Tratado sobre la tolerancia, El filósofo ignorante)* que su público devoraba.

Su producción literaria también es inmensa, pues fue poeta y dramaturgo. Tienen más vigencia sus relatos alegóricos, que exponen problemas morales con una visión pesimista del hombre. Entre ellos destacan *El ingenuo* (1767) y, sobre todo, *Cándido o el optimismo* (1759), su obra maestra, en la que la bondad natural del protagonista choca continuamente con la sociedad humana.

■ **Denis Diderot** (1713-1784) dedicó gran parte de su vida a la gigantesca empresa de *La Enciclopedia* (1751-1772), compendio de todo el saber ilustrado, de la que fue director. Además de obras de teatro (*¿Es bueno? ¿Es malo?*) y de teoría teatral, escribió varias novelas: *La religiosa,* confesiones de una monja sin vocación, *Jacques el fatalista,* o su mejor obra, *El sobrino de Rameau,* cuyo protagonista resume las principales ideas del autor.

■ **Jean-Jacques Rousseau** es el gran disidente de la Ilustración. Sostiene que es la cultura la causante de los males de la humanidad y exalta el sentimiento por encima de la razón, con lo que anticipa la sensibilidad romántica. Sus ideas políticas, expuestas en *El contrato social* (1762) influyeron mucho en la Revolución Francesa.

Su producción más propiamente literaria consiste en:

- *La nueva Eloísa* (1761): larga novela epistolar sobre el conflicto entre amor y deber, que obtuvo un enorme éxito.

- *Emilio o De la educación* (1762): libro a medio camino entre la novela y el tratado educativo, de enorme influencia en la futura pedagogía.

- *Confesiones:* la primera autobiografía espiritual desde San Agustín.

La literatura neoclásica

La **poesía** es el género más pobre del siglo. La estética neoclásica, basada en la imitación de los autores grecolatinos, las reglas y el propósito didáctico (ver t18), fue especialmente poco fructífera con ella. Sólo en los últimos momentos del neoclasicismo hay un autor de interés, **André Chénier** (1762-1794), con sus poesías bucólicas e idílicas.

Los mejores autores del **teatro** neoclásico, aparte del intento de drama sentimental burgués de Diderot, son comediógrafos:

- **Alain-René Lesage** (1668-1747) saquea el repertorio barroco español en su prolífica producción.

- **Pierre de Marivaux** (1688-1763) se hizo famoso por sus piezas de enredo amoroso y galante, como *El juego del amor y del azar* o *La doble inconstancia,* en las que no falta la crítica social y moral.

- **Pierre-Agustin de Baeumarchais** (1732-1799), de trepidante vida, es autor de dos ágiles y divertidas farsas de ambiente español, *El barbero de Sevilla* (1775) y *Las bodas de Fígaro* (1784).

La **novela** alcanza un nivel superior. La primera obra importante es la entretenida *Gil Blas de Santillana* de Lesage, supuesta imitación de una novela picaresca. También escribió Marivaux dos largas novelas sentimentales, *La vida de Mariana* y *El campesino enriquecido.*

Manon Lescaut (1731), de **François Prevost** (1697-1763) es ya una obra maestra por su análisis psicológico de una pasión amorosa arrebatadora que arrastra a los protagonistas.

El ambiente de relajación de costumbres hace florecer el subgénero de la **novela libertina,** de difusión clandestina por su mezcla de erotismo, anticlericalismo e ideas subversivas. Su culminación es el **marqués de Sade** (1740-1814), encarcelado por la inmoralidad de sus obras, como *Justine,* y muerto en un manicomio.

A finales de siglo obtuvo un gran éxito *Pablo y Virginia* (1787), de **Bernardin de Saint-Pierre** (1737-1814), historia de puro amor adolescente en un marco natural. La otra gran novela del siglo es *Las relaciones peligrosas* (1782), de **Choderlos de Laclos** (1741-1803), terrible retrato epistolar del libertinismo de la aristocracia.

Prosa memorialística

Un importante subgénero neoclásico fue el de las **memorias.** Las del **duque de Saint-Simon** (1675-1755) son un amplísimo retrato de toda una época, desde una perspectiva moralista. Destacan también las *Memorias* escritas en francés por el italiano **Giacomo Casanova** (1725-1778), quien recorrió toda Europa entre aventuras amorosas e intrigas políticas.

En este grabado de Aubert (Biblioteca Nacional, París) podemos ver a Voltaire, Diderot, D'Alambert y a otros pensadores ilustrados, a los que se considera ya como auténticos intelectuales modernos.

Literatura del siglo XVIII en Inglaterra

La Inglaterra del siglo XVIII, adelantada respecto al resto de Europa política, social y económicamente, sustituye a Francia en la hegemonía continental. Los dos fenómenos literarios más destacados de esta época son la consolidación de la novela en su camino hacia la modernidad y la afirmación prerromántica del sentimiento.

Inglaterra y la Ilustración

Aunque lo fundamental del pensamiento ilustrado del XVIII se desarrolla en Francia, Inglaterra será su modelo. Este país contaba desde el siglo anterior, tras la revolución de 1688, con un Gobierno liberal moderno, cuyo régimen de libertades y tolerancia era envidiado en el resto de Europa. Voltaire conoció en su exilio juvenil inglés las obras de Locke y de Newton y las difundió a su regreso.

La época dorada del pensamiento inglés

La reflexión política de los pensadores británicos es temprana, y ya en el siglo XVII surgen dos grandes concepciones opuestas:

- **Thomas Hobbes** (1588-1679), pesimista sobre la naturaleza humana («el hombre es un lobo para el hombre»), defiende el absolutismo en su tratado *Leviatán* (1651).

- **John Locke** (1632-1704) afirma, en cambio, que la obligación del Estado es velar por el bienestar de los individuos, que, libres e iguales, se agrupan en sociedades. Esta doctrina, llamada **liberalismo,** se expone en el *Ensayo sobre el gobierno civil* (1690).

Locke es un filósofo empirista, como lo serán en el siglo XVIII **George Berkeley** (1685-1753) y **David Hume** (1711-1776). Esta corriente filosófica enemiga de toda especulación fuera de la realidad sensible fue precisamente la que estimuló la reflexión sobre los problemas humanos concretos, como el de la convivencia social y política. Por su parte, el genio científico de **Isaac Newton** (1642-1727) revolucionó la física. Las consecuencias prácticas de ello inciden en la Revolución Industrial surgida en la segunda mitad del siglo.

El empirismo

Movimiento filosófico inglés defensor de que los únicos conocimientos auténticos provienen de los sentidos, y que las operaciones racionales son meras combinaciones de imágenes sensibles. Sus principales campos de investigación son la teoría del conocimiento y la reflexión ética y política. Se considera opuesto al idealismo racionalista de Descartes.

La Edad Augusta

La propia denominación de este periodo deja clara su raíz cultural clásica, cuyo ideal de equilibrio se adaptaba perfectamente al carácter inglés. Uno de los géneros más en boga fue el de la **literatura de viajes,** de puro testimonio, o utilizado como medio para criticar la propia realidad desde otros puntos de vista.

Uno de estos libros, las aventuras del náufrago *Robinsón Crusoe* (1719), de **Daniel Defoe** (1660-1731), obtuvo un enorme éxito. Aunque hoy se lee como libro juvenil, no deja de ser una epopeya del esfuerzo racional del hombre por vencer a la naturaleza. Otra famosa obra de su autor es *Moll Flanders* (1722), novela de tono picaresco.

El irlandés **Jonathan Swift** (1667-1745) fue un mordaz espíritu satírico. Sus *Viajes de Gulliver* (1726), son a la vez una parodia de la literatura de viajes y una dura crítica, desde un punto de vista ilustrado, de la sociedad humana. Curiosamente, suele leerse como libro infantil, eliminando las dos últimas partes, las más terribles.

Un tercer autor importante es el poeta satírico **Alexander Pope** (1688-1744), autor de la epopeya burlesca *El robo del rizo* (1713).

Grabado con la escena de la buena acogida de un europeo en una isla del Pacífico. El concepto del «buen salvaje», que nace del éxito de *Robinsón Crusoe* y se consolidará con Rousseau, tuvo gran aceptación en el siglo XVIII.

Inicios de la novela burguesa

En la segunda mitad del siglo aparece un tipo de novela más moderna, centrada en una temática amorosa y ambientes burgueses, buscando como público receptor a esta clase social ascendente.

El primer paso lo da **Samuel Richardson** (1689-1761) con *Pamela o La Virtud recompensada* (1740), novela sentimental epistolar de final feliz, que genera toda una moda. Esta obra es parodiada por **Henry Fielding** (1707-1754) en *Joseph Andrews* (1742), que sigue el modelo cervantino (trama itinerante, protagonista acompañado, constante ironía). Fielding es autor de otra gran novela, *Tom Jones* (1749).

También demuestra saber la lección de Cervantes **Laurence Sterne** (1713-1768) en *Tristam Shandy* (1759-1767), auténtico juego literario metanarrativo, de gran libertad constructiva. Escribió también un *Viaje sentimental por Francia e Italia* (1768).

Con la gran **Jane Austen** (1775-1817) culmina la narrativa de la época. Sus novelas describen, con clara elegancia e ironía, conflictos psicológicos finamente analizados en ambientes burgueses de provincia. Sus obras más destacadas son *Sentido y sensibilidad* (1811), *Orgullo y prejuicio* (1813), y sobre todo, *Emma* (1816).

El prerromanticismo de la segunda mitad del siglo

■ En la **poesía** aparecen elementos anticipadores del romanticismo, como en *La queja* de **Edward Young** (1684-1765), que introduce el elemento nocturno, o en la *Oda al atardecer,* de **William Collins** (1721-1759). A la vez, surge cierta moda medievalista que genera un curioso fraude literario: **James Macpherson** (1736-1796) publica las *Poesías de Ossián* (1765), supuestas piezas de un antiguo poeta celta, que durante mucho tiempo se tendrán por auténticas.

La figura poética más destacada es **William Blake** (1757-1827) que también fue pintor. Sus composiciones, entre lo simbólico-visionario, lo religioso y el realismo, son de difícil clasificación pues anticipan el Romanticismo, pero también el simbolismo de finales del XIX.

■ También aparece un subgénero novelístico popular, **la novela gótica:** folletines de ambientación medieval o exótica, con crímenes, noches de luna, misterios, etcétera. Destacan títulos como *El castillo de Otranto* (1764), de **Horace Walpole;** *El monje,* de **M. G. Lewis** y, sobre todo, *El Doctor Frankenstein* de **Mary Shelley** (1797-1851).

Escena de la película *Frankenstein de Mary Shelley,* dirigida en 1994 por Kenneth Branagh.

Prosa no novelística

En los recién aparecidos periódicos, intelectuales como J. Addison o R. Steele difunden el ideal del *gentleman* como modelo de vida. **S. Johnson** (1709-1784) es el primer intelectual que vive de sus publicaciones, gracias al reconocimiento legal de los derechos de autor. **E. Gibbon** (1737-1794) es autor de la monumental *Decadencia y caída del Imperio romano,* un clásico de la historiografía.

El siglo XVIII en Alemania e Italia

*Alemania e Italia, dos naciones fragmentadas políticamente, fueron
las zonas europeas más influidas por la cultura ilustrada francesa.
En el caso alemán, la estética neoclásica tendrá un breve desarrollo
y pronto será reemplazada por el prerromanticismo, que anticipa
la edad dorada de la literatura germánica. En Italia, el género más
importante será el teatro.*

La Ilustración alemana

El pensamiento ilustrado alemán, muy influido por el francés, es poco original. Sin embargo, cuenta con una figura excepcional, **Inmanuel Kant** (1724-1804), quizás el más importante filósofo moderno.
Sus grandes aportaciones son el estudio de la razón y de los límites del conocimiento (*Crítica de la razón pura*) y la ética de las acciones humanas (*Crítica de la razón práctica*).

Ilustración y neoclasicismo en Alemania

En las pequeñas Cortes de los innumerables estados alemanes, a imitación de Versalles, se desarrolla una lírica rococó de escaso valor. Predomina una **estética clasicista**, didáctica y de respeto a las reglas, difundida por las teorías de J. Gottsched (1700-1766).

Más interesante resulta el temprano descubrimiento del **paisaje**, que tan importante será para los románticos. **A. von Haller** (1708-1777) escribe en 1729 el poema descriptivo *Los Alpes* y **F. Klopstock** (1724-1803) refleja sus sentimientos en los fenómenos de la naturaleza.

En la **narrativa**, el interés por la Antigüedad se refleja en *Historia de Agatón,* de **C. Wieland** (1733-1813), novela de ambiente griego. *La isla Felsenburg,* de **J. Schnabel** (1698-1752) describe, con ecos del *Robinsón,* la comunidad utópica formada por unos náufragos.

La única gran figura de esta época es **Gotthold Lessing** (1729-1781), importante por sus tratados de estética, como *Laocoonte,* y como dramaturgo. Escribió «dramas burgueses» de final feliz, como *Minna von Barnhelm;* y tragedias como *Emilia Galotti,* de ambientación italiana, y un drama simbólico-religioso, *Natán el sabio.*

Sturm und Drang. Schiller

Hacia 1770 empieza a difundirse un nuevo estilo, llamado *Sturm und Drang (Tempestad y empuje)*. De sensibilidad ya prerromántica, defiende el sentimiento y la libre fantasía frente a la razón y las reglas clásicas. Su principal teórico es **J. G. Herder** (1744-1803), quien al identificar lengua y espíritu nacional, estudia la poesía popular y el folclore.

Friedrich von Schiller (1759-1805), el más importante escritor del siglo, tuvo un carácter rebelde y una obsesión por la libertad que le acercan al espíritu del *Sturm und Drang*. Poeta (*El canto de la campana*) y estudioso de estética, es sobre todo dramaturgo.

Sus primeras piezas dramáticas, que escribió muy joven, están protagonizadas por jóvenes rebeldes y exaltados:

- *Los bandidos* (1782), drama burgués en prosa sobre un joven arrastrado al delito por una falsa acusación.

- *Don Carlos* (1783-1787), tragedia histórica en verso sobre la rebeldía entre política y amorosa del hijo de Felipe II.

Con el tiempo, por influjo de su amigo y rival Goethe, Schiller evoluciona hacia un estilo que conjuga temas románticos (rebeldía, libertad) con una forma más clásica. Ello se advierte en sus piezas en verso de madurez: la trilogía *Wallenstein, María Estuardo* y, sobre todo, *Guillermo Tell* (1804), sobre el libertador suizo.

Guillermo Tell

Tell, un cazador suizo, culpable de no saludar a un sombrero expuesto por el injusto gobernador imperial, es obligado a disparar a una manzana sobre la cabeza de su hijo. Acierta, pero es encarcelado por reservar otra flecha para el gobernador. Logra escapar y matar al tirano, lo que desencadena la rebelión de los cantones suizos, que alcanzan su libertad.

Literatura neoclásica italiana

■ Los pensadores ilustrados italianos más importantes son **G. B. Vico** (1668-1744), cuyas reflexiones sobre la historia anticipan el romanticismo, y **C. Beccaria** (1738-1794), autor de *De los delitos y las penas* (1764), donde se aplican al Derecho los ideales humanitarios y racionales de la Ilustración, atacando la tortura y la pena de muerte.

■ En la lírica predomina la llamada corriente **arcádica**, poesía expuesta como juego, de tema pastoril y mitológico y formalmente antibarroca. Su mejor expresión se encuentra en los libretos de ópera de **Pietro Metastasio** (1698-1782).

Muy distinto es *El día,* largo poema narrativo en el que se satiriza la frívola vida de los aristócratas. Su autor, **Giuseppe Parini** (1729-1799) es el mejor poeta de la época.

■ El dramaturgo más importante del siglo es **Carlo Goldoni** (1707-1793). Sus comedias *(La posadera, El café, Las riñas de Chioggia)* son de leve trama amorosa o de enredo y de estructura clásica. Sin embargo, su ambientación realista en las calles de Venecia y su lenguaje coloquial las hacen muy modernas. También tuvieron mucho éxito las comedias de magia y exotismo de **Carlo Gozzi** (1720-1806).

El único apunte de prerromanticismo en Italia se halla en **Vittorio Alfieri** (1749-1803), más en el contenido (rebeldía, conflicto poder-libertad) que en la forma de sus tragedias, algo enfáticas y perfectamente clásicas, como *Filippo* (1775), *Saúl* (1782) o *Mirra* (1784). Alfieri narró su inquieta existencia de aristócrata y viajero en su autobiografía en prosa *Vida.*

Una visión falsa del arte griego

La influyente *Historia del arte de la Antigüedad,* de **J. Wincklemann** (1724-1803), estudioso ilustrado de estética, es la responsable de la visión inmaculadamente blanca del arte clásico, que ha perdurado hasta hoy. En realidad, los edificios y estatuas de la Grecia antigua estaban pintados de vivos colores.

La vieja tradición del teatro popular italiano de la *Comedia del arte* (v t55) se refleja en las obras de Goldoni. En la imagen, uno de sus personajes característicos, Giangurgolo.

El Romanticismo alemán

El romanticismo es un vasto movimiento cultural y vital (ver t21), estrechamente vinculado con las revoluciones liberales de la Europa del XIX que instaurarán la nueva sociedad burguesa. Surge como reacción ante el clasicismo del siglo XVIII, en el que ya habían aparecido rasgos prerrománticos en algunos países, como Inglaterra y, sobre todo Alemania, auténtica cuna del movimiento, que dará, además, a la literatura, la extraordinaria figura de Goethe.

Goethe, entre dos épocas

Johann Wolfgang Goethe (1749-1832), nacido en Francfort en una acomodada familia burguesa, estudió Derecho y ejerció algún tiempo como abogado. Poeta, dramaturgo, novelista, su amplia obra abarca todos los géneros, hasta los estudios científicos. Sus primeros éxitos literarios le llevaron al ducado de Weimar, donde ocupó cargos políticos y administrativos, y lugar que se convirtió gracias a él en un importante foco cultural. Tras un decisivo viaje a Italia (1786-88), volvió a Weimar, donde convertido en figura de prestigio europeo, vivió dedicado a su obra hasta su muerte.

Johann Wolfgang Goethe es el escritor alemán más importante y uno de los grandes genios de la literatura universal. Sus primeras obras están vinculadas al grupo *Sturm und Drang* (ver t62). Tras un viaje a Italia, sin embargo, adoptó una estilo más clásico, sin renunciar a los temas románticos.

Su libro juvenil *Penas del joven Werther* (1774), novela epistolar que narra la historia de un amor no correspondido que provoca el suicidio del protagonista, tuvo un éxito extraordinario. En toda Europa, la juventud vestía y hablaba como sus personajes.

Otras novelas destacables son *Años de aprendizaje de Wilhem Meister,* historia de la formación y maduración de un joven, y *Las afinidades electivas* (1809), centrada en la mutua atracción entre los miembros de dos parejas, de fino análisis psicológico.

Sus primeras composiciones poéticas revelan un interés romántico por la naturaleza y la armonía cósmica. Mayor clasicismo hay en sus *Elegías romanas* (1789).

Como dramaturgo, pasa del clasicismo de *Ifigenia en Táuride* a la lucha romántica por la libertad de *Torquato Tasso.*

Su principal obra, en la que trabajó casi toda su vida, es *Fausto,* largo y complejo drama poético-filosófico. En él se reflexiona sobre el destino humano a través de la historia del protagonista, que vende su alma al diablo a cambio de la sabiduría y la juventud.

La primera generación romántica

Los primeros autores románticos, bajo la supervisión de Goethe, desarrollan el programa del movimiento o muestran todavía restos de clasicismo. Así, los hermanos **August** (1767-1845) y **Friedrich Schlegel** (1772-1829) son los teóricos de la nueva estética:

- Oposición al clasicismo y a la racionalidad.

- Arte basado en la libertad, el sentimiento y la espontaneidad.

- Recuperación del folclore y de la Edad Media.

Este programa es aplicado por **G. von Hardenberg** «*Novalis*» (1772-1801), autor de los *Himnos a la noche,* y de *Heinrich von Ofterdingen,* novela inacabada sobre un trovador medieval alemán.

Heinrich von Kleist (1777-1811) se suicidó siendo muy joven, pero en su obra se muestra como un autor de transición desde el clasicismo. Entre sus piezas dramáticas destacan *El príncipe de Homburg,* en cuya trama tienen gran importancia los sueños y la graciosa comedia *El jarrón roto.* También escribió narraciones breves, como *La marquesa von O.*

La segunda generación romántica

▪ El interés por el pasado nacional y por el folclore popular está presente en las rigurosas recopilaciones de **cuentos tradicionales** de los **hermanos Jakob y Wilhelm Grimm** (1785-1863, y 1786-1859, respectivamente).

En cambio, dos poetas, **C. Brentano** (1788-1842) y **A. von Arnim** (1781-1831), publican en 1805 *El cuerno de la abundancia del muchacho,* recreación libre de poesía tradicional, que puso de moda las composiciones breves. Arnim es también autor de la novela *Isabel de Egipto* (1819), fantasía sobre un supuesto amor juvenil de Carlos V.

▪ La **narración fantástica** se convierte en uno de los géneros preferidos del Romanticismo, con su mezcla de terror y humor:

▪ **E. T. A. Hoffmann** (1776-1822): en sus cuentos fantásticos, como *El elixir del diablo,* los límites entre realidad y fantasía se confunden.

▪ **F. de La Motte-Fouqué** (1777-1834): *Ondina,* historia de una sirena enamorada.

▪ **A. von Chamisso** (1781-1838): *La maravillosa historia de Peter Schlemihl,* en la que un hombre vende su sombra al diablo.

▪ Entre los románticos más tardíos destaca **Heinrich Heine** (1797-1856). Judío exiliado de Alemania y amigo de Marx, cantó su relación de amor y odio con su patria en el largo poema satírico *Alemania, un cuento de invierno.* Su *Libro de canciones* se hizo muy popular, pero es sobre todo un gran prosista. Las crónicas periodísticas con las que se ganaba la vida están llenas de agudos comentarios sociopolíticos.

▪ El dramaturgo **Georg Büchner** (1813-1837) es autor de *La muerte de Dantón* (1835), en la que el famoso revolucionario francés se muestra lleno de dudas, y *Woyzeck,* pieza incompleta sobre un pobre soldado que mata a su amante infiel.

Hölderlin

Friedrich Hölderlin (1770-1843), uno de los más importantes poetas románticos, apenas fue conocido en su época, en parte porque pasó la mitad de su vida encerrado en un manicomio, donde murió. Experto en griego, funde clasicismo y romanticismo en sus poesías, de gran sencillez expresiva y temas como el amor a la libertad, los ideales revolucionarios, la mitología pagana y el cristianismo, etc. Es autor también de la novela epistolar *Hyperion.*

La noche romántica

«*Cómo siento las aguas de la muerte sus ondas [agitar, en bálsamo que expira, en [aire mi sangre se transforma. Guardián de mi fe vivo de día con mi coraje, pero de noche, oh de noche, muero de amor en el fuego que arde dentro [de mí.»* Novalis

Paisaje de invierno, óleo de Caspar David Friedrich, 1811.

El Romanticismo inglés y francés

Inglaterra es, junto a Alemania, la cuna del Romanticismo. Con una fuerte tradición prerromántica ya en el siglo anterior, la literatura inglesa de la primera mitad del XIX se caracteriza por sus grandes poetas y por el importante subgénero de la novela histórica. En el Romanticismo francés, más tardío, sobresalen la novela y el teatro, con la gran figura de Víctor Hugo.

Nueva poesía y nueva novela en Inglaterra

Los escritores ingleses de principios del XIX manifiestan la típica rebeldía del Romanticismo de dos maneras:

- **Rechazo de la sociedad burguesa** e industrializada, para evadirse en el paisaje rural, el pasado histórico o países exóticos.

- **Nuevo lenguaje literario** basado en el sentimiento y lo irracional, la subjetividad y la libertad del artista frente a toda regla.

El Romanticismo inglés arranca con las *Baladas líricas* (1798), cuyas poesías, de sencillo lenguaje, reflejan el misterio y la emoción de la naturaleza. Sus dos autores, **William Wordsworth** (1770-1850) y **Samuel Coleridge** (1772-1834), formaban parte del grupo de los «poetas de los lagos», refugiados en los lagos escoceses.

Walter Scott (1771-1832) es el creador de la narrativa histórica uno de los géneros románticos preferidos. Sus numerosas novelas, ambientadas en la Edad Media y de tono rebelde y nacionalista, tuvieron gran éxito y fueron imitadas en toda Europa. Los títulos más significativos, como *Ivanhoe* (1820) o *Quintin Durward* (1823), están protagonizados por héroes que luchan contra la tiranía o la opresión.

Tres grandes poetas

- **Lord Byron:** logró una enorme fama en su tiempo, en parte por su escandalosa existencia, en parte por sus extensas obras. Sus primeras composiciones poéticas son plenamente románticas, como *Las peregrinaciones del joven Harold* (1812-18), que narra los viajes del melancólico protagonista por el sur de Europa, *El corsario* (1814) o *El prisionero de Chillon* (1819), leyendas en verso con héroes individualistas y rebeldes.

Su obra maestra es el extenso e incompleto *Don Juan* (1819), mezcla de poema heroico y satírico sobre el famoso conquistador, que por su ironía puede considerarse una parodia del romanticismo.

- **Percy Shelley** (1792-1822): amigo y compañero de viajes de Lord Byron, abandonó esposa y patria para recorrer Europa y murió ahogado en un naufragio. Escribió extensas obras entre dramáticas y poéticas, como *Prometeo desatado* (1820), en la que expresa su fe en la humanidad. Sus poemas líricos, más breves, como la *Oda al viento del Oeste*, destacan por su musicalidad y abundantes metáforas.

Retrato de Lord Byron (National Portarit Gallery, Londres), vestido de turco. El gusto por el exotismo y la provocación son típicos de la actitud *dandy* de este gran poeta romántico.

- Quizá el mejor poeta de los tres sea **John Keats** (1795-1821), muerto muy joven de tuberculosis, tras un amor desgraciado. Escribió largos poemas narrativos, como *Endymion*, un homenaje a la cultura griega, pero su fama se debe a sus poemas breves, como sus extraordinarios sonetos o sus grandes odas. En ellos reflexiona sobre la condición humana, el tiempo y el arte, dando rienda suelta a sus sentimientos.

El Romanticismo francés

En Francia, de gran tradición clasicista, el Romanticismo aparece tardíamente, y ofrece desde el principio dos tendencias:

- **Liberal,** que insiste en la rebeldía y la libertad.

- **Conservadora,** que se centra en las tradiciones y el pasado nacional.

- El primer gran autor, de tendencia conservadora, es el vizconde de **Chateaubriand** (1768-1848), que insertó dos breves novelas, *Atala y René,* de trama dramática ambientada entre los pieles rojas, en su obra apologética *El genio del cristianismo* (1802).

La **poesía** romántica francesa no cuenta con personalidades significativas, sobre todo si se compara con los grandes autores de finales de siglo. El poeta más destacado es **Alfred de Vigny** (1797-1863), que escribió además la tragedia *Chatterton* (1835) y fue sobre todo narrador, con los relatos intercalados en su *Servidumbre y grandeza de la vida militar* (1835).

También fue poeta **Alfred de Musset** (1810-1847), pero es más interesante como dramaturgo *(Lorenzaccio)* y por su novela *Confesiones de un hijo del siglo,* de fondo autobiográfico (1835).

- La gran figura del Romanticismo francés es el prolífico **Víctor Hugo** (1802-1885), que evolucionó en su larga vida del conservadurismo al progresismo y cultivó todos los géneros. Como dramaturgo, el escandaloso estreno de *Hernani* (1830) marcó el inicio del teatro romántico. Ya en el prólogo a *Cromwell* (1827), había establecido sus características (ver t23).

Sus novelas se encuadran dentro del género histórico, pero con una visión realista, lejos del idealismo de Scott, como *Nuestra Señora de París* (1831), de ambientación medieval, o *Los miserables* (1862).

Otros autores destacables son dos cultivadores del cuento fantástico, **Prosper Merimée** (1803-1870) y **Theophile Gautier** (1811-1872), el gran crítico **Sainte-Beuve** (1804-1869) y el poeta **Gerard de Nerval** (1808-1855), cuya obra y cuyo suicidio anticipan la poesía maldita.

Víctor Hugo.

El Romanticismo italiano. Literatura del siglo XIX en Hispanoamérica

Las letras italianas de la primera mitad del XIX son de signo romántico. En Hispanoamérica, clasicismo y Romanticismo se suceden a lo largo del siglo. En ambos casos, sin embargo, la literatura está estrechamente ligada a los movimientos nacionalistas que conducirán tanto a la independencia de las nuevas naciones sudamericanas respecto a España como a la unidad italiana de 1870.

Los escritores del Risorgimento

Los principales intelectuales y políticos italianos románticos, como G. Mazzini o M. D'Azeglio, fueron asimismo escritores que se centraron en el problema nacional, llamado *Risorgimento*. La *Historia de la literatura italiana,* de F. de Sanctis tiene también una intención patriótica. Abundan también los libros de memorias con referencias históricas, como *Mis prisiones* de S. Pellico o *Confesiones de un italiano* de I. Nievo.

Un canto al infinito

«Siempre me fue querida esta [desnuda colina

Y este seto que excluye de la [mirada

el último horizonte. (...)

Y, como oigo el viento [susurrar entre las plantas,

aquel infinito silencio con [esta voz

comparo, y evoco lo eterno,

y las muertas estaciones, y la [presente

viva y sus sonidos. Así, entre [esta

inmensidad se ahoga mi [pensamiento;

y naufragar me es dulce en [este mar.»

Giacomo Leopardi

Literatura romántica italiana

El romanticismo italiano presenta dos características:

- Pervive un tono clasicista que atenúa las novedades formales.

- El tema fundamental del sentimiento nacionalista y patriótico resta espacio a asuntos como el amor, la subjetividad, el paisaje, etcétera.

Ugo Foscolo (1778-1827) es autor de la novela *Últimas cartas de Jacopo Ortis* (1799). Su protagonista, que recuerda al *Werther,* de Goethe (ver t63), se suicida tras luchar inútilmente por su amada y por la libertad de su patria invadida. También escribió el largo poema *De los sepulcros* (1806).

Más importante es la figura de **Alessandro Manzoni** (1785-1873). Escribió poesía patriótica y teatro de tema histórico sin respeto a las reglas, como la tragedia *Adelchi* (1822).

Su obra principal es la novela histórica *Los novios* (1827), uno de los libros nacionales italianos. Narra las desventuras de una pareja perseguida por un noble encaprichado de la muchacha. Su ambientación, en el siglo XVII bajo dominación española, era un claro símbolo de la opresión de Italia en época del autor.

Giacomo Leopardi (1798-1837) es uno de los grandes poetas románticos europeos. Su cuerpo deforme y salud débil influyeron en su carácter sombrío y pesimista, que se refleja en sus poemas, muy románticos en su contenido aunque de forma clásica. Fue también un notable prosista, tanto en su diario *Zibaldone,* como en sus *Obrillas morales,* diálogos en los que expone el sinsentido de la vida.

Alessandro Manzoni.

Literatura del siglo XIX en Hispanoamérica

Primera mitad del siglo: Neoclasicismo

En poesía, destacan dos nombres:

- **José Joaquín de Olmedo** (1780-1847), activo político ecuatoriano, escribió poesías comprometidas y patrióticas, algo retóricas.

- **Andrés Bello** (1781-1860), venezolano, es una de las grandes figuras intelectuales del siglo. Fue filósofo, gramático, historiador, periodista y hasta redactor del Código Civil chileno. Como poeta, canta a los pueblos y hombres americanos, en versos de gran cuidado formal y contención sentimental.

- Respecto a la **narrativa,** en este siglo aparece la **novela.** Un claro antecedente es *El Lazarillo de ciegos caminantes* (1773), de **Alonso Carrió de la Vandera,** crónica satírica y social, escrita en primera persona y que narra un viaje por el continente sudamericano.

La primera novela hispanoamericana es *El Periquillo Sarniento* (1816), del periodista y patriota mexicano **José Joaquín Fernández de Lizardi** (1776-1827). El relato de las andanzas picarescas de su protagonista tiene un claro propósito moral y educativo.

Segunda mitad del siglo: Romanticismo

El Romanticismo se desarrolla en Hispanoamérica entre 1845 y 1890. Junto a las características típicas del movimiento tiene algunos rasgos propios:

- Descripciones realistas y juego de contrastes.

- Reflejo costumbrista de las nuevas sociedades.

Un antecedente del Romanticismo es el poeta cubano **José María Heredia** (1803-1839), autor de las odas *En el Teocalli de Cholula* y *Niágara,* aunque el movimiento propiamente dicho comienza con el argentino **Esteban Echeverría** (1805-1851), que escribió poesía, como el largo poema narrativo *La cautiva* (1837), y la novela breve *El matadero* (1838).

También es argentino **José Hernández** (1834-86), autor de la obra maestra del siglo, *Martín Fierro,* en dos partes (1872 y 1879). Este poema narrativo relata la vida de un gaucho y recitador obligado a ir a la guerra y empujado al bandolerismo por las injusticias sociales.

- La **narrativa** alcanza un amplio desarrollo, con un tema fundamental, típico de las sociedades en formación: el choque entre civilización y barbarie. Además, se combina la trama sentimental romántica y la denuncia política de las dictaduras. Contienen estos elementos dos importantes novelas, *Amalia* (1855) del argentino **José Mármol** (1817-1871), y *Cecilia Valdés* (1839), del cubano Cirilo Villaverde (1812-1894).

María (1867), del colombiano **Jorge Isaacs** (1837-1895), historia de un amor desgraciado, es la más famosa novela romántica hispanoamericana. También hay que citar los relatos costumbristas semihistóricos de las *Tradiciones peruanas,* de Ricardo Palma (1833-1919). Otros nombres destacados son el brasileño **Joaquim María Machado de Assis** y la escritora cubana **Gertrudis Gómez de Avellaneda.**

Literatura y política en Hispanoamérica

La larga pervivencia del estilo barroco en el siglo XVII explica la tardía aparición del clasicismo. Fue, sin embargo, muy importante, porque las ideas ilustradas ayudaron a desarrollar la ideología nacional y liberal que llevó a la independencia de España. Tras ésta, sin embargo, surgieron diversos regímenes autoritarios, a los que se opuso la rebeldía de los autores románticos en la segunda mitad del siglo.

Ilustración para una edición de 1874 del *Martín Fierro,* de José Hernández, obra que tiene una relevancia especial en la literatura argentina.

Literatura norteamericana en el XIX

La joven nación estadounidense lleva a cabo durante el siglo XIX su expansión hacia el oeste del territorio, se va consolidando como Estado y acentúa su desarrollo económico. Sus escritores darán testimonio de todo ello en una literatura que manifiesta desde el principio una enorme vitalidad y calidad.

Los primeros escritores

En los primeros pasos de las letras estadounidenses se aprecia el influjo europeo. **Washington Irving** (1783-1878) fue el primer autor de éxito con relatos de ambientación exótica y medieval, como los *Cuentos de la Alhambra* (1832).

Las novelas de aventuras de **James Fenimore Cooper** (1789-1851) muestran que la nueva literatura va afianzando su propio carácter tratando asuntos de su propia realidad, como la lucha de los pioneros o la gran naturaleza norteamericana. Su obra más famosa es *El último mohicano* (1826), que narra la desaparición de un clan indio en el proceso de colonización.

Edgard Allan Poe

(1809-1849), hijo de actores, quedó huérfano y fue criado por un rico comerciante con el que tuvo difíciles relaciones. Fue expulsado de la universidad y de la Academia de West Point. Se ganó pobremente la vida gracias al periodismo, pero tras la temprana muerte de su mujer se agudizó su angustia existencial. Su prematura muerte se debe probablemente al alcoholismo.

Edgar Allan Poe es el primer gran escritor del siglo. Es autor de textos teóricos de estética y sus poemas, de extraña musicalidad, como *El cuervo*, influyeron en la poesía europea de finales de siglo.

Su fama se debe a sus extraordinarios cuentos, que combinan una tendencia hacia lo fantástico con la exactitud realista y la intriga de la trama. Algunos son de tipo policiaco (*La carta robada, Los crímenes de la rue Morgue*), otros de misterio y de terror (*El corazón delator, La caída de la casa Usher*). Es también autor de un relato largo, *Aventura de Arthur Gordon Pym* (1837), historia de un viaje alegórico en busca del polo Sur.

Retrato de Edgar Allan Poe.

Romanticismo puritano

La eclosión literaria de mediados de siglo tiene su centro en Boston, alrededor del **trascendentalismo** de **R. W. Emerson,** quien, influido por el romanticismo europeo y las doctrinas orientales, animaba al individuo a alcanzar la divinidad a través de la naturaleza. Su discípulo **H. D. Thoreau** relata en *Walden* (1854) su experiencia de vida eremítica en los bosques, que le hace precursor del moderno ecologismo.

Nathaniel Hawthorne (1804-1864) explora en sus novelas el tema del pecado y el mal, tan obsesivo para la religión puritana. Sus principales obras son *La letra escarlata* (1850), ambientada en la vida de los primeros colonos, o *La casa de las siete torres* (1851), de tono fantástico. Lo sobrenatural también caracteriza sus cuentos.

Herman Melville (1819-1891), la otra gran figura de la época, es el autor de *Moby Dick* 1851), una de las grandes novelas de todos los tiempos. Fue marinero en su juventud, experiencia que refleja en sus primeras novelas: *Taipi* (1846), idealizada visión de los mares del Sur, y *Blusón blanco* (1850), sobre la dureza de la vida de a bordo.

Melville destaca también en la narrativa corta, con tres grandes títulos: *Bartelby, el escribiente*, relato prekafkiano (ver t27) sobre un oficinista, *Benito Cereno*, de angustiosa intriga, y *Billy Bud*, su obra póstuma, sobre la injusta muerte de un joven marinero.

En poesía destacan dos grandes figuras:

Walt Whitman (1819-1892) es autor de un único libro, constantemente ampliado, *Hojas de hierba*. Los vigorosos versículos de sus largos poemas, de audaz libertad para su tiempo, cantan al individualismo, a la democracia, a la vida de todos los días.

■ **Emily Dickinson** (1830-1886) vivió aislada y desconocida en su época. Sus breves y icónicas poesías, adelantadas a su tiempo, son como chispazos intuitivos sobre los grandes temas: muerte, amor, Dios, etcétera.

Narradores de finales de siglo

El más importante es **Samuel L. Clemens** (1835-1910), que adoptó el seudónimo *Mark Twain*. Fue piloto de río en su Missouri natal y buscador de oro antes de convertirse en periodista y conferenciante. Su espíritu satírico y su visión pesimista del ser humano se aplican tanto al pasado (*Un yanki en la corte del rey Arturo*, 1889) como a la actualidad (*El hombre que corrompió a Hadleyburg*, 1900).

Sus mejores novelas son *Las aventuras de Tom Sawyer* (1876) y su continuación, aún mejor, *Las aventuras de Huc- leberry Finn* (1884). Las andanzas picarescas de sus juveniles protagonistas reflejan los problemas sociales y raciales de la sociedad americana.

Otros autores y obras destacables son:

■ **H. Beecher-Stowe,** y su alegato antiesclavista *La cabaña del tío Tom.*

■ **Stephen Crane,** autor de *La roja insignia del valor,* la mejor novela sobre la crueldad de la guerra civil americana.

■ **Bret Harte,** autor de cuentos sobre el lejano Oeste.

■ **Jack London,** cantor de la vida salvaje de Alaska en *La llamada de la selva.*

Samuel L. Clemens, *Mark Twain.*

Moby Dick

Moby Dick es la obra maestra de Melville. El narrador, Ismael, relata la obsesiva persecución de una ballena blanca asesina por el capitán Ahab, con numerosos detalles sobre la vida marinera, hasta el desastre final. La trama se convierte en una metáfora del afán del hombre, heroico y soberbio a la vez, por vencer a la naturaleza o al mal, según se interprete al misterioso cachalote.

El nuevo canto americano

«Yo escucho la canción de [América; variados cantos escucho.

Los de los mecánicos, cada [uno cantando su fuerza y alegría.

El carpintero canta mientras [mide el tablón y la viga,

el albañil canta al preparar [su trabajo o cuando lo [abandona (...)

Cada uno cantando lo que [es suyo, de nadie más.»

Walt Whitman

Novela realista francesa

La segunda mitad del siglo XIX es la época dorada de la novela, asociada al triunfo social de la burguesía. En toda Europa los escritores describen con espíritu crítico y realista la nueva sociedad, pero no hay nación que, en conjunto, pueda disputar a Francia su supremacía, con sus cuatro grandes novelistas: Stendhal, Balzac, Flaubert y Zola.

El triunfo de la novela realista

La novela demuestra ser el género más adecuado para retratar la sociedad capitalista, movida por el poder y el dinero. Sus rasgos (ver t21) facilitan una perspectiva amplia y objetiva en la descripción de ambientes y psicologías. El tema central de las novelas realistas es la compleja y conflictiva relación entre sociedad e individuo, siempre con el fracaso de éste.

Gracias al desarrollo de la prensa periódica, que solía incluir entregas coleccionables de novelas y folletines, el público lector se amplía considerablemente.

Del Romanticismo al realismo

■ **Henry Beyle** (1783-1842), más conocido por su seudónimo, **Stendhal,** llevó una vida de romántico en perpetuo conflicto con la ruin sociedad francesa de su tiempo, de la que procuró huir, especialmente a Italia, país que adoptó como segunda patria. Escribió libros sobre pintura, viajes, biografías, y hacia el final de su vida novelas.

El rojo y el negro (1830) es la historia del fallido intento de ascenso social y de conquista de la propia felicidad por parte de un plebeyo, sin más medios que su ambición. Ello permite al autor, con una actitud neutral y un sobrio estilo, trazar una radiografía de la hipócrita sociedad burguesa francesa.

La cartuja de Parma (1839), ambientada en Italia, narra las vicisitudes de un joven aristócrata repudiado por su familia que emprende una carrera entre eclesiástica y política, en la que triunfará a costa de numerosas intrigas y de sacrificar su gran amor.

■ Tanto la vida como la obra de **Honoré de Balzac** (1799-1850) se desarrollan bajo el signo del exceso. Tras una juventud pobre y bohemia, el éxito le permitió llevar una existencia de lujo y derroche (con las consiguientes deudas) marcada por numerosos amoríos que culminarán en su matrimonio con una aristócrata ucraniana.

Sus primeras obras son novelonesTextos de las dos obras históricos y fantásticos de tono romántico. Hacia 1830 concibe el vasto proyecto literario de la *Comedia humana.* En él hay desde novelas históricas hasta simbólicas, como *La piel de zapa,* o policiacas como *Un asunto tenebroso.*

La mayor parte describe críticamente la sociedad de entonces. Destacan *Eugenia Grandet* (1833), centrada en un avaro que impide la felicidad de su hija, *Papá Goriot* (1834) que, por el contrario, narra los sacrificios de un padre por satisfacer los enredos y caprichos de sus hijas.

El rojo y el negro

La trama de la novela de Stendhal es la siguiente: Julien Sorel, de humildes orígenes, debe abandonar su puesto de preceptor en una rica familia al saberse los amores que mantiene con la señora de la casa. Emprende estudios eclesiásticos y consigue enamorar a la hija de un marqués. Cuando la boda está a punto de realizarse, su anterior amante le denuncia como seductor. Julien dispara contra ella y es condenado a la guillotina.

La *Comedia humana* de Balzac

Esta ambiciosa serie aspiraba a ofrecer una visión sintética y total de la humanidad. Se divide en tres partes: *Estudios de costumbres, Estudios filosóficos* y *Estudios analíticos,* y debía abarcar 137 novelas, de las que Balzac llegó a escribir más de noventa en pocos años, con un ritmo desenfrenado de trabajo. La unidad del conjunto se refuerza por la aparición de muchos de los dos mil quinientos personajes en varias obras.

Flaubert: el arte y la realidad

Gustave Flaubert (1821-1880) es el más moderno de los realistas franceses por su ahondamiento en la psicología de los personajes y su cuidadosa descripción de ambientes. Escribió cuentos, novelas históricas y fantásticas y dos grandes novelas realistas:

■ Madame Bovary (1857), su obra maestra, le costó un proceso judicial por inmoralidad. En esta novela, que es una especie de homenaje a Don Quijote y, a la vez, una crítica al Romanticismo, traza un despiadado retrato de un caso de intoxicación idealista en un ambiente de asfixiante vulgaridad provinciana. La protagonista, Emma, aburrida mujer de un médico rural, alimenta su fantasía con lecturas de novelas sentimentales que le llevan una serie de aventuras eróticas. Al final, abrumada por sus deudas, acaba suicidándose.

Gustave Flaubert, por Eugéne Giraud. En la vida de este escritor apenas hay nada reseñable, pues la pasó prácticamente recluido en una finca de su propiedad, consagrado a alcanzar con sus obras un ideal de perfección literaria basado en la objetividad y la impersonalidad.

■ En La educación sentimental (1869) narra la historia de un joven burgués y de sus frustrados amores con una mujer casada. La triste constatación final de cómo el tiempo arruina toda ilusión constituye una profunda crítica de los ideales burgueses.

Otros novelistas franceses

Guy de Maupassant (1850-1893) fue un maestro del cuento (Bola de sebo, La casa Tellier) y autor de novelas de indagación psicológica, como Bel-Ami.

Alphonse Daudet (1840-1897) es famoso por Tartarín de Tarascón y Tartarín en los Alpes, protagonizadas por un provinciano fanfarrón, pero escribió también cuentos y novelas de un naturalismo menos ácido.

El naturalismo de Zola

Émile Zola (1840-1902), influido por el positivismo de su época, intentó dotar al realismo de mayor valor científico, analizando la conducta humana y social mediante las leyes de la herencia, el influjo del medio ambiente y el método experimental.

Siguiendo el ejemplo de Balzac, escribió entre 1871 y 1893 una serie de veinte novelas, Los Rougon-Macquart, centrada en las distintas ramas de una familia. En ella se presentan los aspectos más crudos de la sociedad francesa de final de siglo (taras, alcoholismo, enfermedades, miseria). Obras como La taberna (1877), Nana (1880) o Germinal (1885) se caracterizan por la fuerza de sus descripciones y por tener como protagonista a la emergente clase proletaria.

Retrato de Émile Zola por Manet.

El caso Dreyfuss

Al final de su vida, Zola publicó una serie de artículos bajo el título «J'accuse» («Yo acuso»), denunciando la manipulación política y racista del caso Dreyfuss, un militar judío acusado de traición y utilizado, en realidad, como chivo expiatorio. Se le considera por ello el primer intelectual comprometido, figura que tan frecuente se hará en el siglo XX.

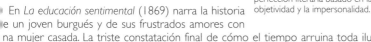

La novela realista en Inglaterra y otros países

Toda Europa vive, durante la segunda mitad del XIX, una compleja situación económica, social y espiritual motivada por la Revolución Industrial y el acceso al poder de la burguesía. La narrativa realista se encargará de ser testigo de todo ello y, lógicamente, su desarrollo será mayor en aquellos países con sociedades burguesas más consolidadas, como Inglaterra. Allí brilla con luz propia la figura de Charles Dickens.

Charles Dickens
(1812-1870), es el mayor novelista de la época victoriana. Bajo el largo reinado de Victoria (1837-1901), en Inglaterra se afianzaron la sociedad industrial, el conservadurismo y las desigualdades sociales. Dickens, fundamentalmente conformista, protesta a veces con ternura y humor sobre las duras condiciones de vida de su tiempo.

Poesía inglesa del realismo

El realismo no dio grandes frutos en poesía.
Los poetas victorianos más interesantes son **Robert Browning** (1812-1889), que cultivó el «monólogo dramático» puesto en boca de algún personaje histórico, y su mujer **Elizabeth Barret** (1806-1861), famosa por sus *Sonetos del portugués*. **Dante Gabriel Rossetti** (1828-1882) y su hermana **Christina** (1830-1894) adelantan tendencias posteriores espiritualistas y decadentes.

Dickens y la nueva situación del escritor

Inglaterra era ya un país de arraigada tradición lectora. La consolidación de la **novela por entregas** o **folletín**, vendida por capítulos a poco precio o con el periódico, provoca una auténtica pasión que hace a los escritores ídolos de su público. Condicionadas por este sistema, las novelas de la época suelen ser extensas, de estructura itinerante y llena de suspense, y con final feliz.

Charles Dickens es un perfecto ejemplo de este nuevo tipo de escritor de éxito cuyas entregas mensuales esperaban ávidamente los lectores. En su infancia, sin embargo, se vio obligado a trabajar duramente cuando su padre fue encarcelado por deudas.

Sus primeras obras fueron *Los papeles póstumos del Club Pickwick*, de tono humorístico, y *Oliver Twist*, sombría historia de un pobre huérfano. Este filón melodramático sentimental se prolonga en *La pequeña Dorrit* o el famoso cuento *Canción de Navidad*.

Más adelante escribió sus mejores novelas, como la autobiográfica *David Copperfield* (1849-1850), *Tiempos difíciles* (1854) sobre la vida de los obreros, y *Grandes esperanzas* (1860-1861).

Ilustración de H. K. Browne para una edición 1850 de *David Copperfield*.

Otros novelistas ingleses

William Thackeray (1811-1863) publicó por entregas *La feria de las vanidades* (1848), visión crítica, tierna e irónica de la sociedad de su tiempo a través de una trama sentimental.

Wilkie Collins (1824-1889) se hizo famoso por sus novelas de intriga *La piedra lunar* y *La dama de blanco.*

Un caso especial es el de las **hermanas Brönte,** desconocidas en su época por su vida aislada y el tono misterioso y romántico de sus novelas, en las que la pasión amorosa desempeña un papel fundamental. **Emily** (1818-1848) sólo escribió *Cumbres borrascosas* (1847); **Charlotte** (1816-1855), *Jane Eyre* (1847), entre otras; y **Anne** (1820-1849), *Agnes Grey.*

George Eliot es el seudónimo de **Mary Ann Evans** (1819-1880), cuyas novelas *(Silas Marner,* 1861; *Middlemarch,* 1871) destacan por su descripción de ambientes provincianos y conflictos morales.

Otros países europeos

■ En **Alemania,** la debilidad de la burguesía no estimula la novela realista. Perduran los narradores románticos, como **H. Storm,** y el subgénero de la «novela de formación», como *El veranillo de San Martín* (1857) de A. Stifter o *Enrique el Verde* (1855) de **G. Keller.**

El único auténtico realista es **Theodor Fontane** (1819-1898), cuya novela *Effi Briest* (1893), una de las mejores del siglo, narra una relación adúltera en un ambiente aristocrático.

■ En **Italia** la transición desde el Romanticismo está marcada por la *scapigliatura,* un grupo de literatos milaneses influidos tanto por la poesía maldita francesa como por el naturalismo. Entre ellos destaca **Camillo Boito,** autor de *Senso* (1883).

El **verismo** o realismo llegará con dos escritores sicilianos:

■ **Luigi Capuana** (1839-1915), admirador de Zola, describe la vida de la ciudad *(Giacinta,* 1879) y del campo *(El marqués de Roccaverdina,* 1901) a través de personajes de compleja psicología.

■ **Giovanni Verga** (1840-1922) es la mayor figura del periodo. Es autor de cuentos *(Relatos rústicos,* 1883) y novelas *(Maestro don Gesualdo,* 1889) centrados en la vida rural y en las clases pobres. Su obra maestra es *Los Malasangre* (1881), que narra el hundimiento de una mísera familia marinera siciliana.

■ **Portugal** ya había dado un gran novelista romántico, **Camilo Castelo Branco** (1826-1877), autor de *Amor de perdición.* Mayor será la fama de **José María Eça de Queirós** (1845-1900), en cuyas novelas se analiza fría y críticamente la aristocracia *(La ilustre casa de Ramires,* 1897) y la burguesía *(Los Mayas,* 1888, y su obra maestra *El primo Basilio,* 1878, historia de un adulterio).

La pobreza, como la retratada en este grabado, *Familia depauperada cosiendo para subsistir,* es un tema muy común en la narrativa del XIX.

Dos mundos de fantasía

En plena época realista aparecieron dos novelitas de tono declaradamente fantástico, que pasan por clásicos infantiles cuando son mucho más. *Alicia en el país de las maravillas* (1865) y su continuación *A través del espejo* (1871) de «Lewis Carroll», seudónimo de **Ch. Dogson,** juegan con la lógica y la mirada infantil para satirizar a los adultos. *Las aventuras de Pinocho* (1883) del italiano **Carlo Collodi,** trata de un muñeco de madera en busca de su humanidad.

Otros realistas europeos

El realismo florece en toda Europa y empiezan a aparecer nombres importantes en literaturas hasta ahora marginales. El polaco **Henryk Sienkiewicz** (1846-1916) fue un escritor realista, aunque su fama se deba a la novela histórica *Quo Vadis?.* Los deliciosos *Cuentos de la Mala Strana* hicieron célebre al checo **Jan Neruda** (1834-91), cuyo apellido adoptaría como seudónimo el gran poeta chileno Pablo Neruda.

Literatura rusa del siglo XIX

*Rusia no irrumpe en el mapa de la literatura europea hasta el siglo
XIX, pero lo hace con una fuerza inusitada. Las atormentadas
obras de sus grandes escritores (Pushkin, Dostoievski, Tolstoi) reflejan
la complejidad de una sociedad sometida al despótico y represor
gobierno de los zares y marcada por la miseria de sus campesinos,
sometidos como siervos a la nobleza.*

La literatura rusa anterior al XIX

Desde la Edad Media se transmitían oralmente **poemas épicos,** como el *Cantar de la hueste de Igor,* y **bilinas,** relatos en verso sobre bandidos generosos. A partir del siglo XVI se escriben también crónicas históricas, libros didácticos, sermones, etcétera. Con el despotismo ilustrado del siglo XVII y el influjo francés se produce la europeización de la literatura rusa: se regulariza la poesía, se fundan revistas y empieza a cultivarse el teatro. Destacan los nombres de **G. Derzhavin** y **N. Karamzin.**

El Romanticismo ruso

La peculiar situación de Rusia hizo que la palabra de los escritores fuera considerada la voz del pueblo, puesto que los rusos son tradicionalmente muy amantes de la poesía y de la literatura. La censura zarista les tenía, por ello, estrechamente vigilados.

Las dos grandes figuras de la lírica romántica son **Vasili Zhukovski** (1783-1852), traductor de poetas europeos y, sobre todo **Fiódor Tiutchev** (1803-1873), poeta de profunda sensibilidad.

Alexander Pushkin (1799-1837) es la gran figura del periodo y el renovador de la literatura rusa. Aristócrata y funcionario, estuvo desterrado por sus ideas liberales y murió aún joven en un duelo. Cultivó todos los géneros: poesía lírica, filosófica o satírica, épica, leyendas folklóricas, teatro *(Boris Godunov)*, narrativa *(Cuentos de Bielkin)*, etcétera. Sus dos obras más importantes son:

- *Eugenio Oniegin,* novela romántica en verso, de ambiente realista.

- *La hija del capitán,* novela histórica, que relata un azaroso amor.

Mijail Lermontov (1814-1841), amigo de Pushkin y muerto en duelo como él, es autor de la novela episódica *Un héroe de nuestro tiempo.*

La narrativa realista

Nikolai Gogol (1809-1852) es el iniciador del realismo ruso en sus primeros relatos *(Diario de un loco, El retrato)*, en los que no falta lo romántico *(Taras Bulba)*, lo grotesco *(La nariz)* y lo fantástico *(El abrigo)*. Su obra teatral *El inspector* (1836), en la que denuncia la corrupta burocracia zarista, provocó un escándalo.

Su novela más famosa es *Almas muertas* (1842), que describe la miseria del campo ruso a través de un estafador que obtiene tierras y subsidios alegando tener siervos que en realidad han muerto.

Iván Goncharov (1812-1891) trazó, con el simpático protagonista de su novela *Oblómov* (1851), un retrato de la pereza y la pasividad, consideradas defectos prototípicos del espíritu ruso.

Iván Turgeniev (1818-1883), rico y noble, viajó por Europa y trabó amistad con varios escritores franceses. Fue dramaturgo *(Un mes en el campo)*, escribió relatos breves *(Un rey Lear de la estepa)* y novelas *(Nido de hidalgos,* 1859; *Padres e hijos,* 1862) de ambientación rural y temática común: frustración vital, amores fallidos, crítica a la vida rusa en boca de un recién llegado, etc.

Dos gigantes de la literatura

■ **Fiodor Dostoievski** es uno de los mayores escritores de la historia por la hondura de los problemas existenciales que plantea y por la complejidad psicológica de sus personajes.

Sus primeras novelas *(Pobres gentes,* 1846; *Las noches blancas,* 1848) muestran la preocupación del autor por el sufrimiento humano. Su experiencia en la prisión siberiana se refleja en *Apuntes de la casa de los muertos* (1862). *Apuntes del subsuelo* (1866) anuncia ya la complejidad psicológica y argumental de sus obras maestras:

•*Crimen y castigo* (1866): el joven Raskolnikov comete un crimen, creyéndose superior a la moral común, pero no puede soportar sus terribles remordimientos y se entrega.

•*El idiota* (1869): historia de un bondadoso personaje que fracasa en su intento de redimir a una mujer por amor.

•*Los hermanos Karamazov* (1880): análisis de la ambigua complejidad del alma humana a través de una familia.

Portada de una edición de *Los hermanos Karamazof* (Biblioteca Nacional, Madrid), una de las grandes novelas del realismo ruso, centrada en una familia dominada por un brutal padre que acaba siendo asesinado.

■ La amplia obra de **Liev Tolstoi** forma un gigantesco cuadro descriptivo del carácter y las costumbres rusas. En su juventud escribió una autobiografía en tres partes y reflejó su experiencia bélica en los *Apuntes de Sebastopol* (1855-1856), cuyo crudo realismo le causó problemas con la censura.

Su primera obra maestra es la monumental *Guerra y paz* (1863-1869), crónica de las campañas de Napoleón en Rusia a través de los avatares de dos familias nobles. Otro gran éxito fue *Ana Karenina* (1877), historia de una pasión amorosa que lleva a la protagonista al adulterio y al suicidio. Junto al fino análisis psicológico destaca la crítica al puritanismo de las convenciones sociales.

Convertido en un patriarca de la cultura rusa, escribe las novelas cortas *La muerte de Ivan Ilich* (1886) y *La sonata a Kreutzer* (1889). Su última novela, *Resurrección* (1899), refleja las preocupaciones religiosas y caritativas de su vejez.

Dostoievski

Fiodor Dostoievski (1821-1881) era hijo de un noble brutal y disoluto asesinado por sus siervos. Empezó muy joven a dedicarse a la escritura. Fue detenido por simpatizar con ambientes de oposición zarista y, tras un fingido fusilamiento, pasó cuatro años en Siberia. Aquejado de epilepsia y endeudado por su afición al juego, viajó por toda Europa y trabajó como periodista hasta su muerte.

Tolstoi

De noble familia, **Liev Tolstoi** (1828-1910) participó tras sus estudios universitarios en varias guerras y viajó por Europa. A su regreso, se retiró a una enorme finca rural, cuya explotación compaginó con la literatura. Tras una profunda crisis espiritual, abrazó en su vejez una especie de anarquismo cristiano que le llevó a fundar una escuela para niños campesinos y a renunciar a sus riquezas en favor de sus siervos.

Poesía francesa de finales del siglo XIX

*Si el fracaso de la rebeldía romántica había llevado a los novelistas
a la observación realista del mundo en la segunda mitad del XIX,
los poetas simbolistas franceses se inclinarán por la exploración
de su propia interioridad y la persecución de la belleza
a través de la palabra, abriendo el camino a la poesía del siglo XX.*

Orígenes de la renovación poética: Baudelaire

Charles Baudelaire
(1821-1867). Desde pequeño vivió un perpetuo conflicto con su padrastro y su madre, a la que adoraba. Participó en la fracasada revolución de 1848 y llevó una vida de disipación. Adoptó una ostentosa actitud de dandy y una desenfrenada entrega a lo que él mismo llamaba los «paraísos artificiales»: el alcohol, las drogas, las prostitutas.Su familia, para evitar que dilapidase su fortuna, le sometió a tutela judicial, y el poeta respondió con un intento de suicidio. Pasó los últimos años de su vida entre dificultades económicas y una sífilis contraída en su juventud.

Charles Baudelaire fue, además de extraordinario poeta, un inteligente crítico de arte y teórico de estética. Tradujo a E. A. Poe y escribió *El spleen de París* (1863), recopilación de prosas poéticas.

Su único libro de poesías, *Las flores del mal,* constantemente ampliado, le valió un proceso por obscenidad, y es el arranque de la poesía moderna al superar y ampliar la herencia romántica:

- La **inspiración** se completa con la inteligencia en la creación artística.

- La poesía debe descifrar el **sentido de la vida,** pero sin renunciar a un exquisito sentido de la forma.

- El ansia de **evasión** (viajes, excesos, muerte) no excluye la indagación en la nueva realidad burguesa e industrial.

- El **lenguaje cotidiano** se incorpora a la poesía.

- La **angustia vital** romántica se enriquece con nuevos conceptos: la masa, el solitario anonimato urbano, el tedio ciudadano.

Corrientes poéticas de finales de siglo

A partir de Baudelaire surgen varias tendencias poéticas, que coinciden en la búsqueda imposible de un ideal de belleza perfecta:

- **Parnasianismo** (**Leconte de Lisle, Th. Banville, J. M. de Heredia**): defiende un ideal poético que, como contraposición al romanticismo, se caracteriza por la impasibilidad y el clasicismo.

- **Decadentismo** (**I. Ducasse, Ch. Cros**): movimiento rebelde y estetiicista, que adopta el dandismo y la bohemia como actitud vital y se evade hacia lo irracional, lo misterioso o lo exótico.

- **Simbolismo** (**J. Laforgue, J. Moréas, E. Verhaeren**): representa una fase posterior, de mayor reflexión poética. La lírica se concibe como expresión de sugerencias sensoriales (forma, música, color, efectos visuales), mediante la metáfora, la sinestesia, el verso libre, etc.

Los poetas malditos

La popularidad de la nueva poesía se vio impulsada por **Los poetas malditos** (1884), la serie de semblanzas que Verlaine dedicó a sus figuras más destacadas.

■ **Paul Verlaine** (1844-1896), tras una juventud bohemia se había convertido en un plácido padre de familia burgués. En 1872 abandonó todo para seguir al adolescente Rimbaud, de quien se hizo amante y al que acabó hiriendo de un disparo. Tras salir de la cárcel su vida transcurrió entre su obra literaria y una miserable bohemia salpicada de crisis violentas y entregada a todo tipo de excesos.

Las aportaciones más importantes de su obra son la defensa de la **musicalidad** como esencia misma de la poesía, el sentido del coloquialismo lírico y un cierto tono de vaguedad melancólica.

■ **Arthur Rimbaud** (1854-1891) pasó como un meteoro, fugaz y deslumbrante, por la literatura. Apenas adolescente inició una vida errante a la que arrastró a Verlaine durante cierto tiempo. Aunque sus precoces composiciones poéticas causaron asombro en los salones parisinos, Rimbaud abandonó para siempre la poesía al cumplir los veinte años, para viajar por el mundo como soldado y contrabandista. Enfermo de cáncer, regresó a Francia para morir.

Los poemas que escribió en apenas cuatro años fueron publicados por Verlaine en los libros *Una temporada en el infierno* e *Iluminaciones*. De gran libertad formal y repletos de imágenes, sus versos oníricos y visionarios profundizan en los aspectos irracionales del ser humano.

Mallarmé y el drama de la belleza

La vida de **Stephane Mallarmé** (1842-1898), funcionario y profesor de inglés, apenas ofrece nada destacable, salvo su insomnio crónico, que le permitía dedicar las noches a escribir.

Su obra busca la **belleza absoluta,** la poesía pura, a través de unos poemas oscuros y progresivamente herméticos, que van eliminando todo lo que no sea palabra poética. Su virtuosismo le lleva incluso a innovar la forma tipográfica de las poesías.

Sin embargo, su conciencia de la intrínseca imposibilidad de la «obra perfecta» que perseguía, llenó de angustia y depresiones sus últimos años. De todas formas, la fe en la palabra de los simbolistas se convertiría en la base de las vanguardias y la poesía moderna.

Retrato de Stephane Mallarmé por Manet.

Prosa simbolista

El simbolismo también se manifestó en la narrativa postnaturalista, como en los imaginativos cuentos de **Villiers de L'Isle Adam** o en las obras de **M. Maeterlinck.** La novela más representativa del clima esteticista es *Al revés* (1884), de J. **Huysmans,** cuyo protagonista se encierra en un castillo rodeado de objetos hermosos. Otro nombre destacable es **J. Renard,** autor de *Pelo de zanahoria.*

Otros poetas europeos de la segunda mitad del XIX

El portugués **Antero de Quental** (1842-1891) de atormentada personalidad que le llevo al suicidio, puede compararse con Baudelaire por la profundidad reflexiva de sus versos. En Italia destacan **Giosuè Carducci** (1835-1907), que combina clasicismo y realismo en sus *Odas elementales,* y **Giovanni Pascoli** (1855-1912), más en línea simbolista. Un caso curioso es el de **Frédéric Mistral** (1830-1914), que resucitó la antigua lengua provenzal en sus poesías.

La novela en lengua inglesa de principios del siglo XX

La riqueza de la novela de los siglos XIX y XX en los distintos países de habla inglesa es muy notable. En la transición entre ambos siglos, tras el agotamiento del realismo y antes de la gran renovación de los años veinte, un importante grupo de narradores ensaya diferentes caminos. Uno de los más importantes, en pleno auge del imperialismo europeo, será el de la novela de aventuras.

La superación del realismo

El realismo algo descriptivo que había dominado la narrativa victoriana en Inglaterra es sustituido en el periodo de entresiglos por una tendencia a profundizar en la **psicología y moral de los personajes** y a acentuar la **crítica social.**

No faltan los continuadores del estilo realista tradicional, como **John Galsworthy** (1867-1933), con la serie novelística *La saga de los Forsyte.* Pero **George Meredith** (1828-1909) se concentra ya en el análisis de la psicología amorosa individual en sus novelas.

Más interesante es **Thomas Hardy** (1840-1928), que también fue poeta. En sus novelas *(Tess, la de los Ubervilles,* 1891, o *Judas el oscuro,* 1895), de tono radicalmente pesimista, las desgracias sentimentales y sociales se abaten sobre los protagonistas.

Henry James (1843-1916) fue un rico americano que vivió muchos años en Europa. Sus largas novelas, como *Retrato de una dama* (1881) o *Las alas de la paloma* (1902), se centran en las clases altas y profundizan en las diferencias entre la mentalidad americana y la europea, analizando la conciencia de los personajes.

Sherlock Holmes

Sherlock Holmes, el más famoso detective de la historia, resuelve con impecable lógica científica y agudeza psicológica los más intrincados casos, narrados por su inseparable doctor Watson en *Estudio en escarlata* (1887), *El perro de los Baskerville* (1902), *Las aventuras de Sherlock Holmes* (1903), etc.
Su autor, Conan Doyle, eclipsado por la fama de su personaje, intentó «matarlo», pero el público no se lo consintió.

Arthur Conan Doyle.

También destaca por sus novelas cortas como *Otra vuelta de tuerca* (1898), estremecedora historia de fantasmas, o *La lección del maestro,* sobre su otro tema preferido: la creación artística.

Otros escritores norteamericanos son **Edith Wharton** (1862-1937), discípula de James en *Ethan Frome* (1905) y *La edad de la inocencia* (1920), y **Theodore Dreiser** (1871-1935), que ambienta sus trágicas novelas *(Una tragedia americana,* 1926) en el mundo de los negocios.

La novela de aventuras y de género

La aventura exótica y la imaginación, que agrupa a una serie de excelentes narradores, supuso otra alternativa al realismo.

■ **Robert L. Stevenson,** escritor dotado de un gran estilo, demuestra su notable capacidad fabuladora en sus novelas de aventuras (*La isla del tesoro,* 1883; *La flecha negra,* 1888; *El señor de Ballantrae,* 1889). Es autor de numerosos cuentos y del relato de miedo *El extraño caso del Dr. Jekill y Mr. Hyde* (1886), análisis del bien y del mal a través de un caso de doble personalidad.

■ **Joseph Conrad** (1857-1924) fue un exiliado polaco que adoptó el inglés como lengua de su tardía obra literaria. Su larga experiencia marinera se refleja en sus novelas de viajes (*Lord Jim,* 1900; *El corazón de las tinieblas,* 1902; *Nostromo,* 1904) con personajes de destino trágico. Otras novelas, igualmente pesimistas, se centran en el terrorismo, como *El agente secreto* (1907).

■ **Ruyard Kipling** (1865-1936), poeta, narrador y Premio Nobel en 1907, fue cantor oficial del imperialismo británico, aunque no sin crítica. En su India natal se ambientan sus mejores novelas, *El libro de la selva* (1894) y *Kim* (1901). También destacan sus cuentos.

■ En un segundo plano quedan **A. Conan Doyle** (1859-1930), creador del inmortal detective Sherlock Holmes y autor de emocionantes novelas de aventuras (*El mundo perdido*), y **Herbert G. Wells** (1886-1946), cuyas novelas de ciencia-ficción (*La máquina del tiempo,* 1895; *El hombre invisible,* 1897; *La guerra de los mundos,* 1898) revelan las preocupaciones sociales del autor.

Portada de una edición de 1889 de *La isla del tesoro* de Stevenson, historia de la maduración del niño Jim Hawkins a través de la arriesgada búsqueda del tesoro de unos piratas. Personaje inolvidable por su ambigüedad es Long John Silver, terrible y despiadado bucanero, por el que Jim no puede evitar sentir amistad.

El escocés **Robert L. Stevenson** (1850-1894) tuvo una juventud rebelde y viajó por todo el mundo por afán de aventura y en busca de remedio a su tuberculosis. Casado con una norteamericana divorciada y con hijos, se refugió con su familia en una isla de los mares del Sur. Los nativos, a los que defendió a menudo contra los abusos de los blancos, le llamaban *Tusitala,* «el narrador de historias».

El esteticismo: Oscar Wilde

El afán por la búsqueda de la **belleza perfecta,** tan importante en la poesía francesa coetánea (ver t70), también existe en la literatura inglesa de finales de siglo. Su difusor fue **Walter Pater** (1839-1894), teórico del «**arte por el arte**», concepto que refleja alegóricamente en su novela histórica *Mario el epicúreo* (1885).

El mayor representante del esteticismo fue **Oscar Wilde,** ideal que aplicó también a su vida de *dandy* y *snob* provocador de una sociedad que primero le admiraría para repudiarlo más tarde.

Obtuvo un gran éxito con piezas teatrales de enredada trama, llena de ingenio y paradojas que no ocultan la crítica social, como *El abanico de lady Windermere* (1892) o *La importancia de llamarse Ernesto* (1895). *Salomé* (1894), más decadente, fue prohibida.

Como narrador, escribió hermosos cuentos para niños y la novela *El retrato de Dorian Gray* (1891), historia de un libertino eternamente bello y joven, cuya maldad se transfiere a un cuadro que se afea progresivamente. En la cárcel escribió su emotiva carta *De profundis* y el poema *Balada de la Cárcel de Reading*.

El irlandés **Oscar Wilde** (1854-1900) estudió en Oxford. Tras sus éxitos literarios se convirtió en el ídolo de los salones mundanos por su brillante ingenio y viajó por el mundo dando conferencias. En 1895, un escandaloso proceso por homosexualidad le supuso dos años de cárcel, y a la salida, arruinado y abandonado por todos, se refugió en Francia, donde murió.

La novela en lengua alemana de principios del siglo XX

El desarrollo de las vanguardias a partir de la Primera Guerra Mundial (ver t35) supondrá una radical revolución en el arte y en la literatura. La narrativa abandonará las convenciones de la novela realista para buscar nuevos modos de reflejar la angustia del hombre contemporáneo. Los escritores de lengua alemana fueron de los primeros en lanzarse a esta tarea de renovación literaria.

Las grandes novelas de Mann

La montaña mágica (1924) narra cómo en un sanatorio para tuberculosos varios personajes confrontan sus distintas visiones del mundo. En *Doctor Faustus* (1947) se reflexiona sobre la trágica historia de Alemania a través de un personaje que vende su alma al diablo a cambio de la creatividad artística.

La novela filosófica alemana

El influjo de la tradición filosófica alemana y en especial del irracionalismo de Nietzsche, hace surgir una **novela intelectual** y reflexiva. El *bildungsroman,* o novela de formación relata una trayectoria espiritual que lleva hacia una visión del mundo.

■ **Thomas Mann** (1875-1969) es el mejor representante de esta narrativa de ideas en sus gruesas novelas.

Su primera obra fue *Los Buddenbrook* (1901), historia de la decadencia de una familia a través de cuatro generaciones, que permitía retratar la sociedad burguesa y la vida espiritual de finales del XIX. Escribió además numerosos ensayos, cuentos *(Tonio Kröger,* 1903) y novelas cortas *(Muerte en Venecia,* 1912). Obtuvo el premio Nobel de Literatura en 1929.

■ **Hermann Hesse** (1877-1962) reflejó la crisis espiritual de su época en *El lobo estepario* (1927). La necesaria búsqueda de la sabiduría interior *(Demian,* 1919) le acercó al pensamiento oriental *(Siddharta,* 1922). Su última y más ambiciosa obra, *El juego de los abalorios* (1943), plantea una utópica comunidad espiritual futura.

La vasta obra del novelista alemán Thomas Mann está dominada por el conflicto entre el arte y la vida, por la imposibilidad de la cultura para explicar el mundo, que es su tema central.

Kafka

Franz Kafka (1883-1924) era hijo de un comerciante con quien siempre mantuvo una difícil relación, como testimonia *Carta al padre*. Estudió Derecho y trabajó para una compañía de seguros como inspector de accidentes laborales. Tras algunos amores fracasados, murió muy joven de tuberculosis. Antes, intentó quemar sus obras, que fueron publicadas póstumas.

Kafka y el expresionismo

Expresionismo es un término derivado de la pintura para indicar un estilo que reproduce de manera deforme y agitada la realidad, como reflejo de las inquietudes subjetivas del artista.

■ **Franz Kafka,** judío pragués de lengua alemana, creó una de las obras más originales del siglo. Sus alucinantes novelas y cuentos presentan alegóricamente un mundo angustioso, casi de pesadilla, en el que el individuo se ve oprimido sin explicación lógica alguna.

En *La metamorfosis* (1916) un hombre se transforma en un enorme insecto. *El proceso* narra cómo el protagonista, K, es acusado, juzgado y ajusticiado sin llegar a saber por qué. En *El castillo,* un agrimensor no consigue entrar en el castillo ni conocer al amo.

■ **Alfred Döblin** (1878-1957) escribió *Berlin Alexanderplatz* (1929), compleja visión colectiva de la ciudad con técnicas vanguardistas.

Narradores austriacos

En el brillante ambiente cultural de «la joven Viena» anterior a 1914, **Arthur Schnitzler** (1862-1931) incorporó con gran escándalo a la literatura lo onírico, la sexualidad y el psicoanálisis de su amigo Freud. Fue innovador tanto en su teatro (*Anatol*, 1893; *La ronda*, 1897; *El papagayo verde*, 1899) como en sus novelas cortas, como *La señorita Elsa, Doble sueño,* y sobre todo, *El teniente Augustito* (1901), en la que usa ya el monólogo interior.

Después de la Primera Guerra Mundial destacan tres nombres:

■ **Robert Musil** (1880-1942), ingeniero y filósofo, obtuvo un gran éxito con *Las tribulaciones del estudiante Törless* (1906), terrible retrato de la crueldad juvenil en un internado. Su obra maestra es *El hombre sin atributos* (1930-1942), ejemplo de novela intelectual, cuyo entretenido argumento es un pretexto para una visión paródica del difunto Imperio y para numerosas reflexiones ético-filosóficas.

■ **Hermann Broch** (1886-1951) practica también la novela de ideas en su trilogía *Los sonámbulos* (1931-1932), alegórica visión de la pérdida de valores espirituales del hombre moderno. *La muerte de Virgilio* (1945) relata el final de la vida del poeta latino con la técnica del monólogo interior.

■ **Joseph Roth** (1894-1939) novela con técnica más tradicional; nos relata la historia de su país en *La marcha de Radetzky* (1932).

Diferencias entre la novela realista y la novela moderna

Novela realista	Novela moderna
•Narrador omnisciente, que todo lo sabe sobre la trama en 1ª o 3ª persona.	•Narrador no omnisciente, en 1ª o 3ª persona, pero también en 2ª, o mezcladas.
•Punto de vista único.	•Múltiples puntos de vista.
•Respeto de la pureza génerica de la novela.	•Mezcla de géneros: narración, ensayo, teatro, etc.
•Desarrollo completo y compacto de la acción, incluyendo antecedentes y consecuencias.	•Desintegración de la trama, que se vuelve confusa y abierta, sin pasado ni futuro.
•Cronología lineal de los acontecimientos.	•Juegos temporales.
•Descripciones completas de lugares y personajes.	•Falta de datos, personajes esbozados, simbolismo o deformación de los lugares.
•Expresión de los personajes a través del diálogo.	•Expresión de los personajes a través del monólogo interior.
•Papel pasivo del lector.	•Papel activo del lector.

«La joven Viena»

La decadente etapa final del Imperio austro-húngaro fue sin embargo una edad de oro para la cultura, con una importante contribución judía. Figuras del pensamiento (Freud, el filósofo Wittgenstein); historiadores del arte (Panofsky, Gombrich); músicos (Mahler, Schönberg); pintores (Klimt, Kokoschka, Schiele) y, naturalmente, literatos (Hoffmannsthal, Kraus) coincidieron a caballo de los siglos XIX y XX.

La novela en lengua francesa de principios del siglo XX

París fue durante la primera mitad del siglo la capital de la cultura mundial. La herencia renovadora del simbolismo se prolonga a principios de siglo en la gran obra de Proust. En el periodo de entreguerras, Francia se convierte en el escenario privilegiado de la revolución que las vanguardias llevan a cabo en las artes.

Marcel Proust (1871-1922) nació en una rica familia de la alta burguesía. Inició pronto su carrera literaria, que le permitió introducirse en los círculos aristocráticos. Enfermo crónico de asma, tras la muerte de sus padres se recluyó en 1906 en una casa de paredes revestidas para aislarse del ruido y poder consagrarse a la composición de su gran obra hasta su muerte.

Proust y otros narradores de entresiglos

La cultura francesa se caracterizará hasta la Segunda Guerra Mundial por su división entre el conservadurismo espiritualista y católico y el progresismo. Los novelistas de transición desde el XIX lo muestran claramente: al primer grupo pertenecen **Paul Bourget** (1852-1935) y **Maurice Barrès** (1862-1923); al segundo, **Anatole France** (1844-1924) y **Romain Rolland** (1866-1944), autor de la extensa novela *Jean-Chistophe.*

La renovación narrativa viene de dos grandes autores:

■ **André Gide** (1869-1951) simboliza con su propia vida la confusión espiritual de su época: calvinista convertido al catolicismo, casado y homosexual, comunista y crítico del estalinismo. Obtuvo el premio Nobel de Literatura en 1947.

En sus densas obras (*El inmoralista,* 1902; *Los sótanos del Vaticano,* 1914; *Los monederos falsos,* 1925) analiza todos sus conflictos espirituales, pero vistos con gran ironía. Además, aplica técnicas modernas, como la novela dentro de la novela.

■ **Marcel Proust** es uno de los escritores más importantes del siglo. El primero de los siete tomos de su gran obra *En busca del tiempo perdido* apareció en 1913 y el último, póstumo, en 1927.

Se trata fundamentalmente de la reconstrucción de una vida inspirada en la del propio autor, que es a la vez un amplio retrato de la sociedad de la época. Su compleja estructura, subjetiva y muy poco tradicional, y tiene su origen en la memoria: la acción avanza a saltos, basándose en sensaciones y en las evocaciones que éstas despiertan.

Con un estilo complejo y elaborado, Marcel Proust alterna minuciosas descripciones de ambientes y finos análisis psicológicos.

La narrativa vanguardista

La gran revolución vanguardista supone la ruptura de las formas artísticas tradicionales con sus distintos movimientos (ver t34). Su objetivo es alcanzar el arte por el arte, pero también profundizar en la verdadera realidad que late por debajo de su apariencia.

Uno de los surrealistas más destacadas, **Louis Aragon** (1897-1982), escribió numerosas novelas, curiosamente de un realismo tradicional, de ideología comunista.

Jean Cocteau (1889-1963) fue poeta, dramaturgo y cineasta. Sus novelas reflejan la evocación autobiográfica de la infancia (*Thomas el impostor*, 1923), su experiencia con las drogas (*Opium*, 1929) y la desesperación moderna (*Los niños terribles*, 1929).

Otros autores son: **Raymond Roussel** (1877-1933), con sus *Impresiones de África* (1910); **Georges Bataille** (1897-1962), muy importante como pensador y autor de unas extrañas novelas eróticas (*Historia del ojo*, 1928; *El azul del cielo*, 1957); **Raymond Queneau** (1903-1976), incansable experimentador del lenguaje (*Ejercicios de estilo*, 1947; *Zazie en el metro*, 1959).

Los difíciles años treinta

Los terribles hechos históricos (guerra, crisis económica) y los cambios artísticos marcan profundamente las conciencias en el primer tercio del siglo, época que R. Martin du Gard (1881-1958) se replantea en su serie novelística *Los Thibault* (1922-1940).

Surge una narrativa católica, formalmente tradicional, que se plantea hondos problemas morales (mal, pecado, misterio) mediante personajes de psicología compleja en ambientes de provincia:

El Principito.

- **François Mauriac** (1885-1970): *Nudo de víboras* (1932).

- **George Bernanos** (1888-1948): *Bajo el sol de Satán* (1926), *Diario de un cura rural* (1936).

- **Julien Green** (1900): *Medianoche* (1936), *Moira* (1950).

Los acontecimientos políticos (fascismo, revoluciones) estimulan una narrativa comprometida de uno y otro signo:

- **André Malraux** plasma su inquieta vida en *La condición humana* (1933), extraordinaria reflexión sobre el idealismo político, y en *La esperanza* (1938), sobre la guerra civil española. Escribió también ensayos y sus recuerdos, *Antimemorias* (1971).

- **Antoine de Saint-Exupéry** (1900-1944) fue aviador, actividad que refleja en *Vuelo nocturno* (1931) y *Tierra de hombres* (1939). Su fama se debe a *El principito* (1943), cuento infantil moralizante.

- **L.-F. Destouches, «Celine»** (1894-1961) fue un anarquista radical que simpatizó con los nazis. Su rebeldía se manifiesta en *Viaje al fin de la noche* (1932) y *Muerte a crédito* (1936), de agresiva innovación verbal y estructura muy libre.

- **Pierre Drieu La Rochelle** (1893-1945) fue otra personalidad turbulenta que pasó por el surrealismo y las drogas. Se unió al fascismo en la época de la Segunda Guerra Mundial. Su mejor obra es *Memorias de Dirk Raspe* (1966).

La renovación de la novela en lengua inglesa

La calidad y los logros de los escritores que emprendieron la renovación de la literatura en inglés durante el periodo de entreguerras a ambas orillas del Atlántico son impresionantes. Si por parte inglesa sobresalen Joyce y su Ulises, *la obra más emblemática de la renovación vanguardista, el influjo de los prestigiosos novelistas americanos resulta indiscutible.*

El experimentalismo de Joyce

Junto al chiste verbal, la técnica preferida de Joyce es el **monólogo interior.** Consiste en reproducir sin puntuación la conciencia del personaje que fluye libremente: pensamientos, sensaciones y asociaciones mentales se suceden sin interrupción ni nexos. El afán de experimentación lingüística de Joyce le llevó a escribir su ultimo libro (*Finnegans wake,* 1939) en una lengua artificial inventada por él.

Grandes novelistas ingleses modernos

James Joyce nació en Dublín (Irlanda), pero, huyendo de la mediocridad cultural de su país natal, pasó la mayor parte de su vida en diversas ciudades europeas, como París, Roma, Trieste y Zurich, donde murió.

- **James Joyce** (1882-1941) es uno de los novelistas fundamentales del siglo XX por su profunda renovación de la narrativa. Toda su obra gira alrededor de su amada-odiada Irlanda. Sus primeros libros son *Dublineses* (1914), cuentos todavía tradicionales entre los que sobresale el extraordinario *Los muertos,* y *Retrato de artista adolescente* (1917), autobiográfico y de técnica más moderna.

Ulises (1922), su obra maestra, es una novela capital en la historia de la literatura. El autor traza un retrato de mediocre hombre contemporáneo, al narrar un día en la vida de varios dublineses, parodiando la *Odisea.* Lo más notable son los novedosos recursos formales empleados: monólogo interior, saltos temporales constante experimentación lingüística, etcétera.

- **Virginia Woolf** (1882-1941) expresa la conciencia de la pérdida de valores a través de su obsesión por el tiempo, que posibilita la vida a la vez que la va destruyendo. La estructura de sus novelas, como *Mrs. Dalloway* (1925), *Al faro* (1927) o *Las olas* (1931), se basa en juegos temporales y monólogos interiores.

- **David H. Lawrence** (1885-1930), de estilo menos renovador, destaca por una temática que insiste en la exaltación de la vida instintiva, cifrada en la naturaleza y la sexualidad. Sus mejores obras son *Hijos y amantes* (1913), que recrea su compleja relación con su madre; *Mujeres enamoradas* (1920) y *El amante de Lady Chatterley* (1928), novela muchos años prohibida, que narra el pasional amor entre una aristócrata casada y su guardabosques.

- **Aldous Huxley** (1894-1963) es autor de *Contrapunto* (1928), novela basada en la técnica de alternar historias y puntos de vista. Su obra más famosa es *Un mundo feliz* (1932), sobre una sociedad futura dominada por la tecnología y sin sentimientos.

Otros escritores británicos

- **G. K. Chesterton** (1874-1936) es, además del creador del detective Padre Brown, autor de novelas entre humorísticas y ensayísticas, como *El hombre que fue Jueves* (1908).

- **E. M. Foster** (1879-1970) hace gala de su refinado estilo en novelas como *Pasaje a la India* (1924).

- **K. Mansfield** (1888-1923) demuestra en sus cuentos una fina observación psicológica.

La generación perdida

Con este nombre se conoce a los escritores americanos que reflejaron el clima de pesimismo y desconcierto que siguió a la Primera Guerra Mundial. Refugiados en Europa, describieron la inutilidad y la crueldad de la guerra, los felices años veinte y la era del jazz, la depresión económica y la sociedad americana en general.

■ **Francis Scott Fitzgerald** (1896-1940) fue un escritor de éxito y pudo disfrutar de la vida de los ricos, que describe críticamente en sus novelas. Sus últimos años se vieron amargados por los problemas económicos, su inseguridad en su propia obra y la locura de su mujer. Alcoholizado, trabajó en Hollywood antes de morir.

Retrató el clima moral de la generación perdida en *A este lado del paraíso* (1920). La vana vida brillante de los ricos y el mito del sueño americano es el tema de *El gran Gatsby* (1926), su obra maestra. Otros títulos son *Tierna es la noche* (1934) y la incompleta *El último magnate* (1941), que refleja el mundo del cine.

■ Las obras de **Ernest Hemingway** (1899-1961), con un estilo sobrio y directo que fue muy imitado, tienen como tema principal la búsqueda de nuevos valores en el amor, la aventura, la acción y otras emociones directas. Fue periodista y autor de excelentes cuentos. Su constante coqueteo con la muerte acabó en suicidio.

En sus novelas aparecen sus obsesiones y su inquieta vida: fue herido en la Primera Guerra Mundial (*Adiós a las armas*, 1929), vivió en París (*Fiesta*, 1926) y amó mucho España, especialmente los toros (*Muerte en la tarde*, 1932). Su afición a la caza se refleja en *Las verdes colinas de África* (1935). Obras posteriores son *Por quién doblan las campanas* (1940), sobre la guerra civil española, y *El viejo y el mar* (1950), que le valió el premio Nobel.

■ **William Faulkner** (1897-1962) es la culminación del vanguardismo americano. Sus difíciles obras se ambientan en la imaginaria región de Yoknapatawpha, que simboliza el sur de Estados Unidos.

Faulkner utiliza un rico lenguaje y todo tipo de técnicas modernas. En sus primeras novelas, *El ruido y la furia* (1929) y *Mientras agonizo* (1930), se alternan los monólogos interiores de varios personajes, incluyendo subnormales.

Otros libros reflejan la miseria y la brutalidad del ser humano con saltos temporales, puntos de vista múltiples, huecos en el relato, etcétera. *Santuario* (1931) narra un brutal secuestro, *Luz de agosto* (1936) se centra en el racismo, mientras que *Absalom, Absalom!* (1936) analiza el pasado sureño.

William Faulkner.

Dos americanos precursores

Winesburg, Ohio (1919) de **Sherwood Anderson** (1876-1941), que retrató una pequeña comunidad rural americana, sirvió de modelo narrativo a escritores posteriores. **Gertrude Stein** (1847-1946), autora de *Autobiografía de Alice Toklas* (1933), que es su propia vida fingidamente contada por su compañera sentimental, fue anfitriona y animadora de los escritores americanos en París, donde vivía desde 1903.

Otros escritores norteamericanos

John Dos Passos (1896-1970) describe con técnicas vanguardistas la ciudad de Nueva York en la novela colectiva *Manhattan Transfer* (1925) y la sociedad americana en su trilogía *U.S.A.* (1930-36). **Sinclair Lewis** (1885-1951) retrató una pequeña ciudad provinciana en *Calle mayor* (1920) y el mundo de los negocios en *Babbitt* (1922). **John Steinbeck** (1902-1968) refleja críticamente la pobreza y las duras condiciones de vida del sur en *De ratones y hombres* (1937) y *Las uvas de la ira* (1939).

Novela europea contemporánea.

La vitalidad de la literatura francesa de posguerra se demuestra por el influjo que ha ejercido sobre el resto del mundo, primero con el existencialismo y, más tarde, con el nouveau roman. *Por otro lado, la globalización de la cultura con los modernos medios de comunicación ha permitido que se conozca a grandes escritores de otros países.*

Sartre

Jean-Paul Sartre (1905-1980) estudió psicología y filosofía en París y Alemania. Durante la Segunda Guerra Mundial fue hecho prisionero y tomó parte en la Resistencia. Se hizo muy popular por encarnar el prototipo de intelectual «comprometido»: fundó la influyente revista *Les Temps Modernes*, y se manifestó siempre públicamente sobre las grandes cuestiones culturales, políticas y sociales. Obtuvo el Premio Nobel en 1964, pero rechazó el galardón.

El existencialismo de posguerra

El **existencialismo** es un vasto movimiento filosófico y cultural que, ante la Europa destruida y la amenaza de la guerra fría, se plantea el sentido o el absurdo de la vida y de la muerte.

■ El gran filósofo **Jean-Paul Sartre** se valió también de la literatura para divulgar sus ideas. En su novela *La náusea* (1938), escrita en forma de diario, se expone la angustia vital derivada de que el hombre esté «condenado a ser libre». En sus piezas teatrales, como *A puerta cerrada* (1945) o *Las manos sucias* (1947), se ofrece una visión pesimista de las relaciones entre los seres humanos.

■ **Simone de Beauvoir** (1908-1986), compañera de Sartre y teórica del feminismo (*El segundo sexo*, 1949), es una notable novelista (*Los mandarines*, 1954), autora además de una excelente autobiografía.

■ **Albert Camus,** quizá el mejor de los escritores de esta época, explora el absurdo de la condición humana en las novelas *El extranjero* (1942) o *La peste* (1947), los dramas *Calígula* (1938) o *Los justos* (1950), o el ensayo *El mito de Sísifo* (1942).

Otros autores destacados son **Jean Genet** (1910-1986), con un pasado de delincuente y pederasta, que escribió *Diario de un ladrón* (1949) y violentas piezas teatrales, el novelista y poeta **Boris Vian** (1920-1959), símbolo del París existencialista y de la cultura francesa de posguerra, y **Julien Gracq** (1910), autor de *El mar de las Sirtes* (1951).

Otros escritores franceses

Bélgica ha dado dos grandes novelistas en lengua francesa: **G. Simenon** (1903-1989), creador del comisario *Maigret* e indagador del lado oscuro del hombre, y **M. Yourcenar** (1903-1987), de sólida cultura como demuestra en sus novelas históricas *Memorias de Adriano* (1951) y *Opus nigrum* (1968). También **J. Giono** (1895-1970) cultivó la novela histórica (*El húsar en el tejado*, 1951), Uno de los mayores éxitos de la posguerra fue *Buenos días, tristeza* (1954), de **F. Sagan** (1935).

Albert Camus (1913-1960), en una foto de H. Cartier-Bresson. De humilde familia, nació en Argelia y fue casi autodidacta. Protagonizó una sonora polémica con Sartre y recibió el premio Nobel en 1957, poco antes de morir en accidente de automóvil.

Del *nouveau roman* hasta hoy

En los años cincuenta surge un nuevo grupo, el *nouveau roman,* cuya narrativa experimental elimina todos los rasgos de la novela tradicional (realismo, acción, personajes, mensaje), para centrarse en un punto de vista, con notable influjo cinematográfico.

- **Alain Robbe-Grillet** (1922), teórico del movimiento, construye sus claustrofóbicas anti-novelas (*El mirón,* 1955; *La celosía,* 1957) sobre puras descripciones.

- Otros miembros son **N. Sarraute** (1902), **M. Butor** (1926; *La modificación,* 1957), **C. Simon** (1913; *La ruta de Flandes,* 1960), o **M. Duras** (1914-1985; *Hiroshima, mon amour,* 1959; *El amante,* 1984).

La narrativa más reciente, dentro de su variedad, ha tendido a recuperar el gusto por el relato. Citemos a **M. Tournier** (1924), **G. Perec** (1936-1982), **P. Mondiano** (1945) y a dos escritores árabes de lengua francesa **T. Ben Jelloun** (1944) y **Amin Maalouf** (1950).

Grandes novelistas europeos del siglo XX

- **Rusia:** **Máximo Gorki** (1868-1926) combina romanticismo y propaganda revolucionaria en *La madre* (1907). **Isaak Babel** (1894-1941), autor de *Cuentos de Odessa,* relata la guerra civil rusa en *Caballería roja* (1923-25), tema también de la extensa novela *El don apacible* (1928-1940), de **M. Sholojov** (1905-1984). Ya posteriores son **M. Bulgakov** (1891-1940), que despliega humor y fantasía en *El maestro y Margarita* (1966), **Boris Pasternak** (1890-1960), gran poeta y autor de la famosa novela *El doctor Zhivago* (1957) y el disidente **A. Solzhenitsin** (1918; *Un día en la vida de Ivan Denisovich,* 1962).

Alexander Solzhenitsin.

- **Países escandinavos:** a principios de siglo destacan el noruego **Knut Hamsun** (1859-1952; *Hambre,* 1890; *Bendición de la tierra,* 1917) y la sueca **Selma Lagerlöf** (1858-1940; *La leyenda de Gösta Berling,* 1891; **Nils Holgersson,** 1901-2). De la posguerra son los suecos **P. Lagerkvist** (1891-1974) y **L. Gustafsson** (1931), el finlandés **M. Waltari** (1902-1979; *Sinuhé el egipcio,* 1945) y, sobre todo, la danesa **K. Blixen** (1885-1962), autora de extraordinarios relatos.

- **Polonia:** la vitalidad de la literatura de entreguerras queda demostrada en los llamados «tres jinetes»: **Bruno Schulz** (1892-1942) y sus relatos expresionistas, **S. Witkiewicz** (1885-1939), también dramaturgo, y **W. Gombrowicz** (1904-1969: *Ferdydurke,* 1938; *Pornografía,* 1960). Ya en la posguerra destacan **J. Andrzejewsji** (1909-1983; *Cenizas y diamantes,* 1948) y el escritor de ciencia-ficción **S. Lem** (1921).

- **Checoslovaquia:** antes de la Segunda Guerra Mundial sobresalen: **J. Hasek** (1883-1923), con su divertida sátira antibélica *Las aventuras del buen soldado Svejk* (1921) y **K. Capek** (1890-1938), de inquietantes visiones futuristas. En la posguerra destacan: el humorismo crítico de **B. Hrabal** (1914-1997); *Trenes rigurosamente vigilados,* (1965) y, sobre todo, **M. Kundera** (1929), uno de los más importantes escritores actuales (*La broma,* 1967; *La insoportable levedad del ser,* 1984).

- Otros novelistas destacados son: el serbio **I. Andric** (1892-1975; *El puente sobre el Drina,* 1945), el rumano **Mircea Eliade** (1907-1986), el holandés **H. Mulisch** (1927), el belga flamenco **H. Claus** (1929) y el griego **N. Kazantzakis** (1885-1979; *Zorba el griego,* 1946).

Novelistas no europeos del siglo XX

El escritor turco **Yashar Kemal** (1923) refleja en su novela histórica *El halcón* (1953) la opresión del pueblo kurdo. La mayor figura de las letras árabes modernas es el egipcio **Naghib Mahfuz** (1912), premio Nobel en 1988 y autor de una trilogía novelesca sobre las calles de El Cairo. El nigeriano **Wole Soyinka** (1934), premio Nobel en 1986, escribe poesía en yoruba y novelas (*Los intérpretes,* 1965; *La estación del caos,* 1973) en inglés. Entre los narradores hebreos actuales sobresalen **Abraham Yehoshua** (1936) y **Amos Oz** (1939).

Novela inglesa y norteamericana contemporáneas

La influencia de la lengua inglesa en muchos países hace que su literatura no se limite a Inglaterra y se enriquezca con variadas aportaciones culturales. La literatura norteamericana abandona su vinculación a Europa (ver t76) para concentrarse en su propia realidad y profundizar en la heterogeneidad de su población.

Literatura y racismo

Dos escritoras inglesas nacidas en África plantean en sus obras el problema del **apartheid**.
Doris Lessing (1919) tuvo que abandonar Rhodesia por su antirracismo, tema que ocupa en sus novelas, como en *Canta la hierba* (1952). La trayectoria de la surafricana **Nadime Gordimer** (1923) es paralela, incluyendo el exilio. Entre sus obras destacan *Un difunto mundo burgués* (1966) y *La gente de July* (1981).

Narradores de otros países

También utilizan el inglés escritores de variada nacionalidad, como el veterano irlandés **Liam O'Flaherty** (1897-1984; *Insurrección*, 1950), el canadiense **Michael Ondaatje** (1943; *El paciente inglés*, 1992) o el australiano **Patrick White** (1924; *El explorador*, 1957). De los novelistas indios, el más conocido es **Salman Rushdie** (1947), que despliega una extraordinaria fantasía en *Hijos de la medianoche* (1981). De origen indio, aunque nacido en Trinidad, es **V. S. Naipaul** (1932).

Narrativa británica de posguerra

■ Dos escritoras tradicionales son **Ivy Crompton-Burnett** (1884-1969), exploradora de infiernos domésticos (*Criados y doncellas*, 1947), y **Jean Rhys** (1894-1979), que en *Ancho mar de los sargazos* (1966) recrea unos personajes de Ch. Brönte. Otro novelista conservador en forma y fondo es **Evelyn Waugh** (1903-1966) en sus numerosas obras, como *Retorno a Brideshead* (1945).

■ **George Orwell** (1903-50) utiliza la novela para criticar el totalitarismo estalinista en *Rebelión en la granja* (1945), protagonizada por animales, y en la terrible visión del futuro *1984* (1948). Otra novela de denuncia del estalinismo es *El cero y el infinito* (1940), de **Arthur Koestler** (1905-1983).

■ **Grahan Greene** (1904-1991) es uno de los más importantes autores de posguerra por habilidad narrativa y problemática ético-religiosa (*El poder y la gloria*, 1940; *El americano tranquilo*, 1955).

■ **Malcom Lowry** (1909-1957) trazó en su famosa novela *Bajo el volcán* (1947) el retrato de un alcohólico, de resonancias autobiográficas.

■ **Lawrence Durrell** (1912-1990) es autor del *Cuarteto de Alejandría* (1957-1960), conjunto de novelas ambientadas en la ciudad egipcia cuyas tramas se van cruzando.

■ **William Golding** (1911-1993) analizó en *El señor de las moscas* (1954) el salvajismo que late bajo la racionalidad humana. También la lucha entre el bien y el mal centra en clave de fantasía *El señor de los anillos,* gran éxito de **J. R. Tolkien** (1892-1973).

Más adelante surgen algunos novelistas próximos al tono de protesta de los «jóvenes airados» (ver t82), como **Kingsley Adams** (1922), que con *Jim, el afortunado* (1954) satiriza el mundo universitario, y **Alan Sillitoe** (1928), que analiza la toma de conciencia de obreros y marginados en *Sábado por la noche y domingo por la mañana* (1958) y *La soledad del corredor de fondo* (1959).

Un éxito tardío han tenido **Anthony Burgess** (1917) con *La naranja mecánica* (1962) y **John le Carré** (1931) con sus novelas de espionaje, como *El espía que surgió del frío.*

Entre los autores más jóvenes destacan **J. Barnes** (1946), **I. McEwan** (1948), **G. Swift** (1949) y **K. Ishiguro** (1954).

Escena de la película *1984,* basada en la novela de Orwell..

Narrativa norteamericana de posguerra

Algunos novelistas de posguerra recogen la herencia de crítica social de sus antecesores, como **James Agee** (1909-1955), con *Una muerte en la familia* (1957), o **Robert Warren** (1905-1989) con *Todos los hombres del rey* (1946), sobre el auge y la caída de un político.

En la misma línea se sitúa el subgénero de la **novela negra,** con **James Cain, Dashiell Hammett** y **Raymond Chandler,** cuyas tramas detectivescas revelan el lado oscuro de la sociedad americana.

La **narrativa judía** cuenta con grandes figuras: el emigrado **Isaac B. Singer** (1904-1991) y los ya autóctonos **Saul Bellow** (1915), autor de *Carpe diem* (1956); **B. Malamaud** (1914-1986); **P. Roth** (1933), con *El lamento de Portnoy* (1969), caricatura de una típica familia judía americana; **J. Heller** (1923) y su sátira militar *Catch-22* (1961).

Entre los **escritores negros** predomina la problemática racial. **R. Ellison** (1914) cuenta en *El hombre invisible* (1952) el progresivo desencanto de un negro. Otros autores destacables son **James Baldwin** (1924) y **Toni Morrison** (1931).

Los novelistas **sureños** reflejan la falta de esperanza de la provincia americana, como **Carson McCullers** (1917-1967) en *La balada del café triste* (1951), o la esclavitud, como **William Styron** (1925) en *Las confesiones de Nat Turner* (1967). **Truman Capote** (1924-1984) pasó del tema sureño a dar testimonio de la cara amable (*Desayuno con diamantes,* 1958) y oscura (*A sangre fría,* 1966) de la juventud.

La **generación *beat*** de los años cincuenta, anticonformista y rebelde, tuvo como maestro a **Henry Miller** (1891-1980) y su temática sexual (*Sexus,* 1949; *Nexus,* 1960). Su manifiesto fue *En el camino* (1957), de **Jack Kerouac** (1922-1969), crónica de una vida itinerante. Las drogas son el tema central de *El almuerzo desnudo* (1969), de **William Burroughs** (1914).

En los últimos años ha dominado una corriente experimental, con autores como **J. Purdy** (1923), **W. Kennedy** (1928), **John Barth** (1930), **Robert Coover** (1932), **Thomas Pynchon** (1937) o **Paul Auster** (1947).

Otros novelistas americanos

Algunos excelentes autores resultan inclasificables. El genial ruso **Vladimir Nabokov** (1899-1977) adoptó el inglés para escribir *Lolita* y *Ada* o *el ardor.*
Paul Bowles (1910), exiliado en Tánger, proclama su desdén por la civilización en *El cielo protector* (1949).
J. D. Salinger (1919) trazó en *El guardián entre el centeno* (1951) un inolvidable retrato de la pérdida de la inocencia juvenil.
John Updike (1932) es el cronista del consumismo americano en la serie que abre *Corre, Conejo* (1960).
Por último, hay que recordar los extraordinarios cuentos de **Ray Bradbury** (1920), que no son sólo de ciencia-ficción.

Norman Mailer (1923) se reveló como gran narrador realista con *Los desnudos y los muertos* (1948), sobre la guerra en el Pacífico. Más tarde cultivó el nuevo periodismo, reportajes de tono literario e intención crítica, como *Los ejércitos de la noche* (1968).

Novela alemana e italiana contemporáneas

Alemania e Italia, países derrotados en la Segunda Guerra Mundial, tienen una trayectoria similar. Sus literaturas reflejarán las heridas del fascismo, la reconstrucción económica y la sociedad desarrollada. No hay que olvidar a Suiza o Austria, otras naciones de lengua alemana, ni el coetáneo neorrealismo portugués.

Dos importantes escritores suizos

Max Frisch (1911) analiza con frío distanciamiento el problema de la alienación social y de la identidad humana en sus dramas (*Andorra*, 1961) y novelas (*No soy Stiller*, 1954; *Homo faber*, 1957). **Friedrich Dürrenmatt** (1921) adopta en cambio un tono sarcástico al presentar un mundo dominado por el azar y el mal. Es también dramaturgo (*La visita de la vieja dama*, 1956; *Los físicos*, 1962) y narrador, con divertidas parodias policiacas (*La promesa*, 1958; *Justicia*, 1985).

La novela portuguesa contemporánea

La narrativa neorrealista de crítica social aparece con **J. Ferreira do Castro** (1898-1974; *Emigrantes*, 1926) o **Fernando Namora** (1919; *Las siete partidas del mundo*, 1938). Los autores más modernos combinan la temática social con técnicas nuevas: **Agustina Bessa Luís** (1922; *La sibila* (1954), **José Saramago** (1923; *Memorial del convento*, 1983; *El año de la muerte de Ricardo Reis*, 1985), **José Cardoso Pires** (1925-1998), gran crítico del salazarismo en *El delfín* (1968) y *Balada de la playa de los perros* (1982).

Narradores alemanes de posguerra

- **Elias Canetti** (1905-1994), de origen hebreo sefardí, su lengua literaria fue el alemán, y constituye una de las mayores figuras de este siglo. Escribió teatro, diarios, unas memorias en varios tomos y la gran novela *Auto de fe* (1935). Obtuvo el premio Nobel en 1981.

- **Ernst Jünger** (1895-1998), escritor de compleja personalidad, pasó por todas las ideologías, incuyendo el nazismo (*En los acantilados de mármol*, 1939, *El nudo gordiano*, 1953).

- **Heinrich Böll** (1917-1985) fue un eterno rebelde. Analizó la guerra (*El tren llegó puntual*, 1949), el fracaso del inconformismo (*Opiniones de un payaso*, 1963) y la hipocresía de la sociedad alemana (*Retrato de grupo con señora*, 1971). En 1972 obtuvo el premio Nobel.

En los años sesenta, el problema de la Alemania dividida se hace patente con **Uwe Johnson** (1934-1984) y su *Conjeturas sobre Jakob* (1959). Además, muchos autores combinan el vanguardismo formal con el compromiso político, como **M. Walser** (1927).

- **Günter Grass** (1927) es el representante más significativo de esta tendencia. En sus novelas (*El tambor de hojalata*, 1959; *Años de perro*, 1963), de complejo estilo expresionista, repasa la historia reciente de Alemania y el nazismo.

Literatura alemana reciente

De Alemania oriental son las escritoras **Anna Seghers** (1900-1983; *La decisión*, 1959) y **Christa Wolf** (1929; *El cielo dividido*, 1963).

El austríaco **Thomas Bernhard** (1931-1988) es autor de varias obras autobiográficas que son también un retrato poco amable de su país. Sus novelas expresan la incomunicación y la angustia del hombre contemporáneo (*Trastorno*, 1967; *La calera*, 1970).

Peter Handke (1942), austríaco, conserva de su experimentalismo inicial una gran preocupación por el lenguaje (*El miedo del portero ante el penalty*, 1970; *Carta breve para un largo adiós*, 1972).

En los últimos años sobresalen dos novelas de éxito, la fantástica *La historia interminable* (1979), de **Michael Ende** (1929-1995) y la novela histórica *El perfume* (1985), de **Patrick Süskind** (1949).

El neorrealismo italiano

La inmediata posguerra italiana está dominada por la estética neorrealista, que pretende ser fiel reflejo de la conflictividad social con un lenguaje accesible a un público amplio.

Sus principales temas son: el atraso del Sur (*Fontamara*, 1930, de I. Silone; *Señora Ava*, 1942, de F. Jovine), los años del fascismo (*El viejo con botas*, 1945, de V. Brancati; *Cristo se detuvo en Éboli*, 1945, de C. Levi), la resistencia (*La mala hora*, 1954, de B. Fenoglio), la vida urbana popular (*Crónica de pobres amantes*, 1947, de V. Pratolini), la persecución de los judíos (*Si esto es un hombre*, 1947, de P. Levi), etcétera.

Italo Calvino.

Italo Calvino (1923-1985) es uno de los escritores italianos más importantes de la posguerra. Neorrealista en sus inicios, cultivará después el realismo grotesco (*La especulación inmobiliaria*, 1957), la narrativa «ilustrada» filosófica (la trilogía *Nuestros antepasados*, 1960) y la novela experimental (*Si una noche de invierno un viajero*, 1979; *Cosmicómicas*, 1984).

■ **Cesare Pavese** (1908-1950), poeta, editor, traductor, es una de las figuras más importantes de la época. Sus novelas (*De tu tierra*, 1941; *La luna y las fogatas*, 1950) se caracterizan por un realismo mítico-lírico y el tema de la oposición entre soledad y solidaridad.

Semejante tono entre real y existencial, de ambientes cerrados, es el de *Conversación en Sicilia* (1941), de Elio Vittorini (1908-1966).

■ **Alberto Moravia** (1907-1990) es otro de los grandes novelistas de posguerra. Su amplia producción nos proporciona una visión completa de la sociedad italiana a través del tiempo, desde *Los indiferentes* (1929) a *La vida interior* (1978), pasando por *La romana* (1947).

Últimas tendencias en Italia

La narrativa realista está representada por dos escritores sicilianos. *El gatopardo* (1958), de G. T. de Lampedusa (1896-1957), es una evocación de la historia de la isla. **Leonardo Sciascia** (1921-1989) analiza en sus novelas la mafia (*El día de la lechuza*, 1961) y la vida política italiana (*El contexto*, 1971).

■ **Pier Paolo Pasolini** (1922-1975), poeta, director de cine y agudo ensayista, dejó en sus novelas un testimonio vital y lingüístico de los barrios pobres romanos (*Muchachos de la vida*, 1955).

Un tono intimista, centrado en atmósferas y personajes, caracteriza las novelas de **Giorgio Bassani** (1916), ambientadas en la ciudad de Ferrara (*El jardín de los Finzi-Contini*, 1962), así como las de **Natalia Ginzburg** (1916-1991), evocadoras de la familia y del paso del tiempo (*Léxico familiar*, 1963).

El experimentalismo es la nota dominante de G. Manganelli (1922-1990) y, sobre todo, de **Carlo E. Gadda** (1893-1973), creador de universos grotescos (*El zafarrancho aquel de via Merulana*, 1957).

Autores más recientes son **Umberto Eco** (1932; *El nombre de la rosa*, 1980), G. Bufalino (1920-1996), C. Magris (1939) y Antonio Tabucchi (1943).

Narrativa italiana anterior a 1945

En la transición desde el siglo XIX destaca un heredero del realismo, A. Fogazzaro (1842-1911; *Pequeño mundo antiguo*, 1895). La aparatosa figura modernista de Gabriele d'Annunzio (1863-1938), poeta, dramaturgo y narrador (*El placer*, 1889) domina el primer tercio del siglo. Giovanni Papini (1881-1956) vuelca en sus libros sus reflexiones morales (*El libro negro*, 1951). Desconocido en su época, pero sin duda el narrador más importante es Italo Svevo (1861-1928), amigo de Joyce y autor de *La conciencia de Zeno* (1923).

Poesía europea del siglo XX (I)

La herencia del simbolismo francés de la segunda mitad del XIX (ver t70) fructifica inmediatamente alimentando la gran poesía europea que abre el nuevo siglo. El paso sucesivo será la gran revolución vanguardista (ver t34), que consuma la ruptura con la poesía tradicional y abre insospechados caminos para el futuro.

Características de la poesía moderna

Como ocurre con la novela, la poesía del siglo XX se caracteriza por su ruptura con las reglas tradicionales:

- El **verso libre** reemplaza a las formas métricas clásicas, aunque éstas puedan utilizarse de vez en cuando.

- Se sustitye de la rima por el ritmo **interior del poema,** es decir, los efectos musicales alcanzados con la construcción de las frases.

- Se da mayor importancia a los **aspectos visuales** del poema: mayúsculas, espacios en blanco, disposición de los versos imitando dibujos.

- El **símbolo** y la **metáfora** se convierten en recursos fundamentales.

El objetivo será lograr un universo poético de belleza y armonía, pero la poesía se convierte también en un instrumento para conocer el lado oculto y misterioso del mundo real.

La poesía de principios de siglo

Perviven naturalmente el esteticismo y decadentismo del siglo anterior, por ejemplo, con el italiano **Gabrielle d'Annunzio** (1863-1938), pero son más interesantes otras tendencias.

- En **Francia** los discípulos de Mallarmé desarrollan la **poesía pura,** que busca llegar hasta la esencia de las cosas, despojándolas de su apariencia. El más importante es **Paul Valéry** (1871-1945), autor de *La joven Parca* (1917) y *El cementerio marino* (1922). Da gran importancia a la exactitud y a la precisión de la palabra.

También busca este clasicismo moderno la poesía cristiana de **Paul Claudel** (1868-1955) y de **Charles Péguy** (1873-1914).

- En **Alemania,** la superación del realismo es obra del *Jugendstil,* un esteticismo simbolista e impresionista capitaneado por **Stefan George** (1868-1933). El gran poeta alemán de la época es **Rainer Maria Rilke** (1875-1926), autor de *Libro de horas* y *Elegías de Duino,* de gran riqueza metafórica en su búsqueda de la precisión.

El francés **Paul Valéry** cultivó una poesía intelectual, pero también sensible, sensual y de enorme musicalidad, que tendrá gran influencia en la literatura posterior, por ejemplo, en la generación del 27 (ver t36).

■ La **poesía inglesa** pasa del realismo de **Thomas Hardy** (1840-1928) al irlandés **William B. Yeats,** autor de poemas patrióticos y de un enigmático misticismo, con un lenguaje directo y simbólico a la vez.

■ El griego **Constantin Cavafis** (1863-1933), centra sus refinados poemas en dos temas: la angustia personal de su condición homosexual y del paso del tiempo, y la recreación de la Antigüedad.

El surrealismo en Francia

El precursor de las vanguardias literarias y artísticas de comienzo del siglo XX es **Guillaume Apollinaire** (1880-1918) con sus libertades formales y sus «ideogramas líricos», que reunirá en *Caligramas* (1918).

El movimiento más importante será el **surrealismo,** fusión entre el dadaísmo de Tzara y el mundo del inconsciente y los sueños de Freud. Su fundador y principal dirigente fue **André Breton** (1896-1966), autor del *Manifiesto* de 1924.

El nuevo lenguaje poético cultiva la escritura automática y el juego del «cadáver exquisito», en el que cada palabra del verso es escrita por una persona distinta, con chocantes resultados.

Los hombres no saben nada, Max Ernst, 1891

La conflictiva evolución del grupo, con peleas y rupturas, que acaba con la polémica de su acercamiento al comunismo, está representada por **Louis Aragon** (1897-1982). El tercer gran lírico, **Paul Éluard** (1895-1952), poeta del amor que combina romanticismo y vanguardia.

Aislado queda **Saint-John Perse** (1887-1975), clasicista, refinado y hermético autor de *Anábasis* (1924).

La vanguardia en otros países

Un temprano vanguardista es el italiano **Filippo T. Marinetti** (1876-1944), autor del *Manifiesto futurista* (1909) y defensor de un estilo onomatopéyico, de la sintaxis libre y anticlásica.

El ruso **Vladimir Maiakovski** (1893-1930), renovador poeta, cartelista y dramaturgo, muerto por suicidio, unió compromiso y vanguardia. Fue un activo propagandista de la revolución soviética y el principal animador del futurismo en su país.

El portugués **Fernando Pessoa** (1888-1935) es una de las grandes figuras del siglo. Obsesionado por el problema de la identidad, creó los heterónimos, un grupo de poetas ficticios, cada uno con su propio estilo y personalidad, y todos de extraordinario valor.

El expresionismo alemán se manifiesta en poesía con **Georg Trakl** (1887-1912) y, sobre todo, con **Gottfried Benn** (1886-1956), que pasa de su pesimismo inicial a un realismo irónico y metafísico.

William Yeats

El irlandés William B. Yeats (1865-1939), premio Nobel en 1923, es uno de los mayores poetas en lengua inglesa del siglo XX. Mostró toda su vida interés hacia los estudios teosóficos y las antiguas tradiciones célticas de su tierra. Fundó el Abbey Theatre y fue un activo dramaturgo, apoyando la causa de la independencia irlandesa.

Poetas americanos anteriores a 1945

Edgar Lee Masters (1869-1950) escribió *Antología de Spoon River,* conjunto de epitafios poéticos en los que traza con lenguaje sencillo una radiografía de la América profunda. **Ezra Pound** (1885-1972), que vivió sobre todo en Europa, fue un gran animador cultural de las vanguardias. Como poeta, pasa del uso artístico de la lengua coloquial al hermetismo erudito de los *Cantos pisanos* (1949), con elementos orientales y simbolistas. Otros autores destacables son el poeta puro W. Stevens (1879-1955) y el vanguardista E. E. Cummings (1894-1962).

Poesía europea del siglo XX (II)

La poesía continúa su camino desde la Segunda Guerra Mundial hasta la actualidad. La herencia vanguardista se manifiesta en la absoluta libertad de formas y en la incorporación de todo tipo de temas al poema. Además de las literaturas tradicionales, hay que considerar a otras grandes figuras poéticas de lenguas minoritarias.

Varias voces, varios ámbitos

« *Abril es el mes más cruel, genera*

Lilas de la tierra muerta, confundiendo

Memoria y deseo, despertando

Las raíces dormidas con la lluvia de primavera (...)

Leer la mayor parte de la noche y en el invierno viajar al Sur ».

T. S. Eliot

« *He bajado de tu brazo al menos un millón de escaleras*

y ahora que no estás siento vacíos todos los escalones (...)

Las bajé contigo porque sabía que de nosotros dos

las únicas verdaderas pupilas, aunque muy ofuscadas,

eran las tuyas. »

Eugenio Montale

« *(...) El joven Alejandro conquistó la India.*

¿Él solo?

César derrotó a los galos.

¿Es que no le acompañaba ni un cocinero?

Felipe de España lloró, cuando la flota

fue hundida. ¿No lloró nadie más? (...)

Tantos hechos.

Tantas preguntas ».

Bertolt Brecht

Poesía inglesa

Las vanguardias llegan también a Inglaterra, con movimientos como el **imaginismo,** que defiende la supremacía de la metáfora sobre otros recursos, o el **vorticismo,** que preconizaba la abstracción y el geometrismo, sin representación de la naturaleza o de las emociones. En ambas corrientes tendrá un importante papel el americano E. Pound.

También es americano de origen el que será la gran figura de la poesía inglesa de la época, **Thomas S. Eliot** (1888-1965). Su poesía expresa la pérdida de valores del hombre moderno, con un lenguaje coloquial y un notable sentido del ritmo. De la desolación de *La tierra baldía* (1922) se pasa al simbolismo espiritual de *Cuatro cuartetos* (1942).

Fotografía de **T. S. Eliot** tomada en 1964, un año antes de su muerte. En 1948 le había sido otorgado el premio Nobel. Además de poeta, fue dramaturgo (*Asesinato en la catedral,* 1935) y un importante crítico literario.

El mismo ambiente de vacío moral lleva a varios poetas al compromiso con la República en la Guerra Civil española. En cabeza del «grupo de Oxford» está **Wistan H. Auden** (1907-1973), que busca con su poesía culturalista compensar la desolación espiritual.

Ya en la posguerra destacan el vitalismo de **Dylan Thomas** (1914-1953), el intimismo cotidiano de **Philip Larkin** (1922-1985) y el romanticismo apasionado de **Ted Hughes** (1930-1998).

Los grandes poetas italianos

En el periodo de entreguerras se desarrolla en Italia el **hermetismo:** breves poemas descriptivos o reflexivos, en presente, de lenguaje sobrio, cuya conclusión se deja entrever o se sugiere. Junto al afán de esencialidad típicamente vanguardista, hay en esta estética un rechazo a la ampulosa retórica del fascismo italiano.

Su primer cultivador es **Umberto Saba** (1883-1971) con su lírica subjetiva, sencilla, humorística y musical (*Cancionero,* 1921), pero el estilo se haría famoso con **Giuseppe Ungaretti** (1888-1970) prototipo de condensación y laconismo en poemas que son como fugaces destellos (*Alegría de náufragos,* 1919).

Salvatore Quasimodo (1901-1968) pasa de un hermetismo descriptivo de su Sicilia natal (*Y cae la noche de repente,* 1942) al compromiso.

Eugenio Montale (1896-1981), quizá el mejor poeta de todos, pasea su mirada, de un sobrio romanticismo, por la vida y el hombre, con emoción contenida, ironía y musicalidad (*Huesos de jibia,* 1925).

Francia

En la Francia de la posguerra quizá el poeta de mayor relieve sea **Francis Ponge** (1899) cultivador de una poesía materialista centrada en un universo de objetos, a los que el poeta aplica su mirada impersonal.

Herederos del surrealismo son **René Char**(1907- 1998), que pasa de un estilo aforísti-co a un enigmático simbolismo, y **Henri Michaux** (1899-1984) también pintor, que refleja en su poesía sus viajes, sus experiencias con drogas y el lado oscuro de nuestro incons-ciente.

Alemania

La poesía alemana está dominada en el segundo tercio del siglo por la figura de **Bertolt Brecht** (1898-1956), también importante dramaturgo (ver t81). Con un estilo distan-ciado y de emoción contenida y un lenguaje rico, pero accesible expone las preocupa-ciones existenciales y político-sociales de su militancia comunista.

Más jóvenes son otros importantes poetas, como **Paul Celan** (1920-1970) y la austríaca **Ingeborg Bachmann** (1926-1973) que se muestran obsesionados por la impotencia comunicativa del lenguaje, mientras **Hans M. Enzensberger** (1929) representa el espíritu crítico de los setenta en *El hundimiento del Titanic* (1978).

Otros poetas europeos

Polonia

En la literatura polaca hubo una activa vanguardia en los años veinte. El poeta más conocido es **Czeslaw Milosz** (1911), premio Nobel en 1980, que pasa de revisar la catastrófica historia de su país (*Tres inviernos*, 1936) a una lírica más filosófica y evocativa.

Checoslovaquia

Dos importantes figuras de la poesía checoslovaca son el reflexivo **Vladimir Holan** (1905-1980) y Jaroslav Seifert (1901-1986), premio Nobel en 1984, cantor de la revo-lución y del amor.

Hungría

El más notable poeta húngaro es **Attila József** (1905-1937), se suicidó tras una difícil vida, cuyas poesías expresan su espíritu revolucionario.

Grecia

La literatura griega contemporánea ha dado dos señalados poetas: **Georgios Seferis** (1900-1971), de un clasicismo desesperanzado, y **Odysseus Elitis** (1911), de lírica comprometida con su pueblo.

Otros poetas del mundo

Rabindranath Tagore (1861-1941) fue filósofo, pedagogo y patriota indio. Escribió narrativa, teatro y una importante obra poética en bengalí e inglés.

El libanés **Kalil Ghibran** (1883-1931) se hizo famoso por su obra en inglés *El profeta*, pero cultivó la poesía en árabe.

En lengua francesa expresan la conciencia de la raza negra el martiniqués **Aimé Cesai-re** (1913) y el senegalés **Léopold Sédar Senghor** (1906), político, ensayista y premio Nobel.

Poesía norteamericana posterior a 1945

El grupo más conocido son los *beat* de San Francisco: **Allan Ginsberg** (1929-1997), que expresó su rebeldía con su escandaloso *Aullido* (1956), y **Gregory Corso** (1930). Destacan también **Robert Lowell** (1917-1977), poeta depresivo e intelectual; **W. D. Snodgrass** (1926), de irónico tono confesional, **Silvia Plath** (1932-1963), cuya angustia la llevaría al suicidio, y **Le Roi Jones** (1934), reivindicativo poeta negro.

El teatro europeo entre los siglos XIX y XX

La irrupción del teatro naturalista a finales del siglo XIX supone el primer paso para la renovación de la escena. La obra de algunos dramaturgos escandinavos coincidió con los primeros grupos teatrales independientes y la aparición de los primeros directores escénicos, y todo ello comienza a revolucionar el género dramático.

Del teatro realista al naturalista

Hauptmann

El narrador y dramaturgo alemán **Gerhart Hauptmann** (1862-1946) es otra gran figura del teatro naturalista. Sus terribles dramas, centrados en las lacras de los oprimidos trabajadores (*Antes de la aurora*, 1889; *Los tejedores*, 1892, obra colectiva sobre una huelga, o *El cochero Henschel*, 1898), representadas en teatros independientes, causaron gran escándalo.

El género teatral será el de más lenta evolución hacia la modernidad, debido a su doble condición de obra literaria y de espectáculo. Los empresarios que costean las representaciones y el público en general suelen ser reacios a cambios y experimentos.

En la segunda mitad del XIX dominaba el **drama realista,** que había acabado con el exotismo y el historicismo del teatro romántico para implantar la ambientación contemporánea. Ahora bien, su «realismo» era muy limitado, pues se trataba de piezas moralizantes, que reflejaban un mundo burgués convencional, sin profundizar en las personas ni en los verdaderos problemas de la vida.

El **teatro naturalista** tratará de reproducir la realidad tal y como es, analizando el comportamiento humano y sus causas personales y sociales, a través del retrato de los personajes en su intimidad. Con ello entran en escena la infelicidad, los bajos instintos y los ambientes de pobreza, lo que causó gran escándalo.

Los dramaturgos escandinavos

El noruego **Henrik Ibsen** (1828-1906) empezó su carrera con dramas románticos como *Peer Gynt* (1867), pero pronto elaboró a un teatro de ideas en prosa, de radical inconformismo y gran profundidad psicológica. Sus protagonistas son personajes corrientes con un lenguaje natural y sencillo que imita el habla normal.

Sus principales obras son *Casa de muñecas* (1880), crítica de los prejuicios burgueses en nombre de la autenticidad individual con una óptica feminista; *Un enemigo del pueblo* (1882), sobre la lucha de un médico honesto contra una sociedad corrompida, y los densos dramas naturalistas *Espectros* (1881) y *El pato salvaje* (1884).

El sueco **August Strinberg** (1849-1912) tuvo una agitada vida, de infancia pobre y con varias caídas en la demencia. Narrador destacado, fue el introductor del naturalismo en su país con su novela *El cuarto rojo* (1879)

El dramaturgo noruego Henrik Ibsen trata en sus piezas dramáticas de los prejuicios y la hipocresía, de las dificultades económicas, de la sinceridad y la responsabilidad en las relaciones humanas.

Sus piezas dramáticas, breves y densas, suelen centrarse en feroces choques de caracteres, generalmente hombre y mujer, en los que se despliega la crueldad humana y el poder de las imposiciones sociales. Destacan: *El padre* (1888), *La más fuerte* (1891) y, sobre todo, *La señorita Julia* (1888), cuya protagonista acaba suicidándose por culpa de una frívola aventura amorosa interclasista.

Los «teatros libres»

La difusión de este nuevo estilo dramático, mal visto por los empresarios y el público burgueses, corrió a cargo de una serie de pequeños grupos independientes, formados por aficionados que representaban para un público reducido y selecto. Al frente del grupo había un director escénico, figura que empieza a adquirir importancia.

El primero y más famoso fue el Teatro Libre de París (1887-94) fundado por **André Antoine,** que representó obras de Ibsen, Strindberg y Tolstoi. Pronto le imitaron **G. Brahm** en Berlín (1891-2) y el «Teatro Independiente de Londres» (1891-2) de **J. Grein.**

Comentario especial merece el Teatro de Arte de Moscú (1898-1917), el más duradero e influyente, gracias a las teorías interpretativas de su director **K. Stanislavski** (1863-1938).

Otros dramaturgos renovadores

La carrera como dramaturgo del ruso **Anton Chejov** está ligada precisamente al Teatro de Arte de Moscú, que estrenó sus principales piezas. Además, fue un maestro del relato corto.

Su teatro, sugerente y casi sin acción, se caracteriza por su minucioso estudio de caracteres a través del diálogo y por la creación de atmósferas. Su visión pesimista del hombre y de la sociedad queda atenuado por su ironía y su sentido del humor.

Sus principales obras son *La gaviota* (1895), *Tio Vania* (1899) y *El jardín de los cerezos* (1904).

El irlandés **George Bernard Shaw** (1856-1950), premio Nobel en 1925, fue un periodista polémico y crítico antes de dedicarse al teatro. Sus piezas, de marcado carácter intelectual, le sirven para discutir problemas ideológicos o para criticar costumbres sociales.

Destaca por su sentido del humor, por la aguda caracterización de los personajes y por la agilidad del diálogo en comedias como *La profesión de la Sra. Warren* (1894), sobre la prostitución, *Pigmalión* (1914), su obra más popular, o *Santa Juana* (1923).

Escena de *El jardín de los cerezos.*

El método Stanislavski

La novedosa técnica de actuación propuesta por el director ruso se oponía totalmente al énfasis declamatorio de la época. Se basaba en la profundización psicológica en el personaje, con el que el actor debía identificarse, mediante ejercicios previos de concentración. Tuvo un enorme éxito e influyó mucho en el teatro americano posterior a 1945 a través del Actor's Studio de L. Strasberg.

Chejov

Anton Chejov (1860-1904) se acercó a la escritura casi por casualidad. De familia humilde, empezó a mandar relatos a un periódico donde trabajaba su hermano para financiar sus estudios. Su profesión de médico le permitió conocer la miseria de la gente. El éxito de sus obras le llevó a dedicarse exclusivamente a la literatura. Murió, aún joven, de tuberculosis.

La renovación teatral en el siglo XX

El teatro de principios del siglo XX se inclina hacia el simbolismo hasta que la revolucionaria aparición de las vanguardias determina un cambio radical en la esencia misma de la representación.
La otra corriente dramática fundamental de nuestra época, el teatro comprometido, tendrá su mayor representante en Brecht.

Teatro poético francés

Cercano al impresionismo está el teatro del gran poeta **Paul Claudel** (1868-1955). Sus extensas piezas de ambientación histórica o exótica (*Separación al mediodía,* 1905; *El anuncio hecho a María,* 1912; *El zapato de raso,* 1930) reflejan simbólicamente las preocupaciones religiosas del autor. **Edmond Rostad** (1868-1918) es autor del romántico drama en verso *Cyrano de Bergerac* (1897).

Teatro simbolista y poético

El propio afán del teatro naturalista por reflejar la auténtica realidad acaba provocando la aparición de elementos simbolistas, como ocurre con las últimas obras de Ibsen o Strindberg. La «verdad interior» de los personajes no puede ser representada, ha de ser evocada o sugerida a través de la luz o de la música, como la poesía simbolista había enseñado (ver t70).

Precisamente en Francia surge el principal grupo teatral del simbolismo, el Teatro de Arte de P. Fort. Otras figuras que contribuyen a esta estilización espiritual son el escenógrafo A. Appia y el teórico **Gordon Craig,** autor de *El arte del teatro* (1905).

Autores representativos son el belga **Maurice Maeterlinck** (1862-1949), autor de *Pelleas y Melisenda* (1892), ballet con música de Debussy, y *El pájaro azul* (1909), y el italiano **Gabrielle d'Annunzio** (1863-1938; *Francesca de Rimini,* 1901; *La hija de Iorio,* 1904).

Teatro de vanguardia

Un auténtico predecesor es **Alfred Jarry** (1873-1907), autor de *Ubu, rey* (1896), obra guiñolesca totalmente antirrealista, repleta de furia y de insultos, que tendrá gran influjo en el teatro dadaísta y surrealista y en Artaud.

El **expresionismo** (ver t72) tendrá su mejor expresión teatral en Alemania tras la Primera Guerra Mundial. Estas piezas se caracterizan por la mezcla de subjetivismo y denuncia social, por su estructura episódica y por los personajes arquetípicos y grotescos.

Entre sus cultivadores destacan el pintor **O. Kokoschka** (1886-1980), el politizado **Walter Hasenclever** (1890-1940; *El hijo,* 1914; *Los hombres,* 1918) y, sobre todo **Georg Kaiser** (1878-1954; *Los burgueses de Calais,* 1917; *Gas I y II,* 1918-20).

Hay que recordar también a director escénico **Max Reinhardt,** que empleó todo tipo de técnicas futuristas (luces, maquinarias) e inauguró la participación del público en las obras.

El siciliano **Luigi Pirandello** (1867-1936) pasó por grandes dificultades en la primera etapa de su vida (ruina de su familia, enfermedad mental de su mujer), que suscitaron en él un profundo pesimismo. Fue un notable narrador (*El difunto Matías Pascal,* 1904), pero alcanzó gran éxito sobre todo como dramaturgo. Llegó a tener su propia compañía y recibió el premio Nobel en 1934.

Luigi Pirandello

Las novedades aportadas por el italiano **Luigi Pirandello** afectan sobre todo al texto dramático. Su trayectoria comienza con piezas naturalistas de denuncia de los prejuicios burgueses.

A partir de 1918 planteará un teatro basado en la oposición realidad/apariencias, pero no expresado mediante los diálogos, sino por la propia estructura de la obra. Así, en *Seis personajes en busca de autor* (1921), el dramaturgo discute con los seres que ha creado, que intentan rebelarse contra él.

Otras obras se ambientan también en el mundo del teatro, símbolo de la inautenticidad de nuestras vidas. Como personajes enmascarados, no sabemos distinguir entre lo que somos y lo que aparentamos (*Así es si así os parece,* 1918). Ante ello, la locura puede ser la única solución (*Enrique IV,* 1922).

Teatro comprometido: Brecht

En la Rusia soviética, la sólida tradición teatral se puso al servicio del proletariado, con los grandes montajes de masas de **Meyerhold**, como *Asalto al palacio de invierno* (1920). En Occidente, destacan las figuras de **Piscator** y **Brecht**.

Las primeras obras del alemán **Bertolt Brecht** (1898-1956), que trabajó con **Piscator**, se encuadran en el expresionismo. Más tarde desarrolla su **teatro épico**, cuyo único tema es despertar las conciencias ante la injusticia social.

Para que el espectador no se deje arrastrar por la obra, sino que reflexione sobre ella, utiliza el método del **distanciamiento**. La acción se articula en breves escenas interrumpidas por eslóganes, canciones, poesías, bailes, elementos del *music-hall,* que remarcan los problemas planteados y fuerzan al espectador a tomar partido.

Fiel a este propósito didáctico, sus obras, ambientadas en el pasado (*Madre Coraje y sus hijos,* 1937; *Vida de Galileo,* 1939), en el presente (*El señor Puntila y su criado Matti,* 1940) o en lugares exóticos (*La buena persona de Sezuán,* 1940), carecen de solución.

El gran dramaturgo Bertolt Brecht (en la imagen junto al compositor ruso Dimitri Shostakovich), notable narrador y poeta también, tuvo que abandonar Alemania tras el triunfo nazi por sus ideas comunistas. Vivió en Europa y Estados Unidos, y llegó a trabajar en Hollywood. A su regreso, se instaló en Alemania Oriental y fundó su propia compañía, el *Berliner Ensemble,* en 1949.

Teatro proletario

Grupo teatral de agitación fundado en 1919 por **Erwin Piscator** (1893-1966) en Berlín. Con intención claramente política y propagandística, este director utilizaba distintos recursos (rótulos, películas) para lograr el mayor efecto sobre el público en sus montajes de obras clásicas o modernas retocadas en los barrios obreros.

Dos diversas concepciones teatrales

Concepción dramática	Concepción épica
• La escena encarna unos hechos.	• La escena narra unos hechos.
• El espectador interviene inmenso en la acción, que absorbe su actividad.	• El espectador se sitúa frente a la acción, que despierta su actividad como observador
• Se le hace experimentar sentimientos y emociones.	• Se le obliga a tomar decisiones.
• Se opera mediante la sugestión.	• Se opera mediante argumentos.
• El hombre no cambia.	• El hombre es cambiado, y cambia lo que le rodea.
• Cada escena pasa a la siguiente.	• Cada escena en sí misma.
• Sucesión lineal sin saltos.	• Sucesión curva con saltos.
• Instintos del hombre.	• Motivos del hombre.
• Pensar determina el ser.	• El ser social determina el pensar.

El teatro del absurdo y el teatro de la crueldad

La renovación del género dramático continúa con renovado vigor tras 1945. Es más, la última guerra, que se viene a añadir a la ya catastrófica historia del siglo XX, estimula la búsqueda de nuevas formas teatrales que puedan expresar todas las sensaciones de la angustia y la desesperación de los europeos a mediados de siglo.

Teatro existencialista

El **existencialismo** (ver t75) es la respuesta inmediata al sentimiento de vivir en un mundo sin sentido, y la consiguiente angustia, que se experimenta tras la Segunda Guerra Mundial. Sus desoladoras conclusiones son que cualquier acción humana es absurda e inútil, incluidos el sacrificio y el sufrimiento.

- **Jean-Paul Sartre** (1905-1980), filósofo y novelista, escribió también numerosas obras teatrales:

A puerta cerrada (1945): tres personajes que se odian están condenados a atormentarse mutuamente para descubrir que el infierno es precisamente, la convivencia con los demás.

Las manos sucias (1947): plantea el dilema moral del fin y los medios en un partido político de izquierdas.

- El novelista y ensayista **Albert Camus** (1913-1960) cultivó asimismo el género dramático:

Calígula (1938): el emperador romano, tras su aparente locura es consciente del absurdo de la existencia, pero los demás prefieren vivir engañados y le matan.

Los justos (1950): unos terroristas rusos debaten la licitud de los medios inhumanos aunque sea para una buena causa.

Teatro del absurdo

Los existencialistas expresan el absurdo de la vida mediante un estilo dramático tradicional y un lenguaje lógico. El siguiente paso será extender el absurdo a la forma, haciendo absurdos los diálogos, el escenario, el vestuario, etc. La propia acción se basará en situaciones sin explicación y preguntas que quedan sin respuesta.

Los dos grandes dramaturgos de esta tendencia son dos extranjeros que escriben en francés:

- **Samuel Beckett** (1906-1989), irlandés, es autor de *Esperando a Godot* (1953), en la que dos protagonistas, dialogando sin sentido, esperan inútilmente a otro, del que nada se sabe. En otras obras los personajes aparecen metidos en cubos de basura (*Final de partida,* 1957) o enterrados en la arena (*¡Oh, qué días más hermosos!,* 1961).

Samuel Becket, hacia 1965.

■ **Eugène Ionesco** (1912- 1994), rumano, se hizo famoso con *La cantante calva* (1950), disparatada farsa en la
que se destroza el lenguaje, convertido en instrumento
de incomunicación.

En *Las sillas* (1951) estos muebles se van acumulan-
do en escena en torno a una pareja de viejos sin
saber por qué. En *Rinoceronte* (1958), los hombres
se van transformando en estos animales como símbolo de la deshumanización de las sociedades urbanas modernas.

Teatro de la crueldad

El francés **Antonin Artaud** (1896-1948) estuvo activo antes de la guerra, cuando colaboró con los
surrealistas y estrenó su obra *Les Cenci* (1935). Su
importancia para la historia del teatro reside en su
texto teórico *El teatro y su doble* (1938), que sólo
alcanzó éxito y difusión a partir los años sesenta,
cuando se convierte en referencia fundamental para
las corrientes vanguardistas.

Eugène Ionesco creó un teatro en que
lo cómico del lenguaje y de las situaciones iba acompañado por lo trágico
de la existencia de personajes disminui-
dos o tarados.

El **teatro de la crueldad** pretende que el espectador sea consciente de la violencia
que domina las fuerzas naturales y su propio interior. Para ello, propone un teatro
basado en el gesto, la danza y el movimiento, y no en la palabra o en la acción. Basándose en lo irracional y mágico, busca el trance del espectador, cuyo inconsciente quiere liberar sumergiéndolo en chocantes imágenes físicas. Se inspira en el teatro ritual
oriental.

Con estas teorías, el texto pierde casi todo su valor y la figura clave del montaje y la
representación no será ya el dramaturgo, sino el director escénico.

Teatro total

Como consecuencia de estas teorías empiezan a surgir grupos independientes que
aspiran al «teatro total», mediante **montajes colectivos** en los que el texto es a veces
mero pretexto.

El teatro se mezcla con otras formas de espectáculo (canto, baile, cine, música, etc.). Se
ensayan escenarios diferentes a los tradicionales, para promover la **participación del
público** en la representación. La luz, el vestuario, la escenografía se vuelven elementos
fundamentales con enorme carga significativa.

El Living Theather

Es el más antiguo grupo de
teatro *undergroud*, fundado
en 1946 por J. **Beck** y
J. **Malina,** que sirve de
modelo al resto. El teatro
se concibe casi como una
forma de vida y los actores
viven en comuna.
Sus espectáculos colectivos
dejan mucho espacio
a la improvisación y se
representan en lugares
insólitos (garajes, naves
industriales) o en la calle,
en *happenings* que
persiguen sobre todo
la respuesta inmediata
del público. Algunos
montajes famosos son
*Frankenstein, Paraíso ahora
y El legado de Caín.*

El teatro contemporáneo en Europa y en Estados Unidos

La vitalidad del teatro contemporáneo no decrece pasada la primera posguerra. Junto a dramaturgos que reflejan las contradicciones de las sociedades desarrolladas, surgen teóricos y directores que contribuyen a enriquecer el espectáculo. Estados Unidos, por otro lado, cuenta con una sólida tradición teatral.

Grandes directores de nuestros días

El italiano **Giorgio Strehler** (1921-1997), fundador del *Piccolo Teatro* de Milán, renovó la escena de su país y creó escuela, seguido, por ejemplo, por **Luca Ronconi**. El polaco **Jerzy Grotowski** (1933-1999) defendió una estética de pobreza escénica de gran influencia. Otros nombres destacados son los franceses **Jean Vilar**, director del prestigioso Festival de Avignon, y **Ariane Mnouchkine**, con su *Théâtre du Soleil*, y el inglés **Peter Brook**, célebre por sus novedosos montajes de Shakespeare.

Teatro europeo reciente

Gran Bretaña

Los **jóvenes airados** reflejan el inconformismo de la juventud inglesa de posguerra. Sus mejores representantes son **John Osborne** (1929-1994), con la pieza inaugural del movimiento *Mirando hacia atrás con ira* (1956), y **Arnold Wesler** (1932), de temática social y política en *La cocina* (1957) y *Sopa de pollo con cebada* (1958).

Una línea más vanguardista caracteriza a otros autores:

■ **Harold Pinter** (1930) es el dramaturgo de la incomunicación y el silencio, con influjo del teatro del absurdo (*La fiesta de cumpleaños,* 1958; *Paisaje,* 1967).

■ **Tom Stoppard** (1937): *El verdadero inspector Hound* (1969) y *Acróbatas* (1972) funden parodia policíaca y técnicas modernas.

■ **Peter Barnes** (1931): *La clase dominante* (1969), grotesco y feroz ataque a la sociedad inglesa mediante el famoso Jack el Destripador.

Francia

■ **Jean Cocteau** (1889-1963), activo escritor surrealista (ver t73) actualiza los mitos clásicos en sus dramas de preguerra, convertidas a veces en películas (*Orfeo,* 1950; *La voz humana*).

■ **Jacques Audiberti** (1899-1965), poeta y novelista, debe su fama a sus piezas teatrales, que combinan divertidas situaciones excéntricas con la reflexión filosófica.

■ El «teatro pánico» del español bilingüe **Fernando Arrabal** (1932) propone alborotadores espectáculos centrados en lo irracional, el sadismo, la muerte y la profanación, herederos del surrealismo y el teatro de la crueldad.

Escena de *La muerte de un viajante,* de Arthur Miller, interpretada por el actor español José Luis López Vázquez. Este drama narra con saltos espacio-temporales la historia de un hombre fracasado que recuerda su vida, poco antes de suicidarse.

Otros países

▪ El teatro en alemán ha sido cultivado, aparte de los suizos Frisch y Dürrenmatt, por otros narradores (ver t77):

▪ **Peter Weiss** (1916-1982) triunfó con *Marat/Sade* (1964), llamativo ejemplo de teatro en el teatro con una representación en un manicomio. Ha escrito otras piezas en verso libre de tema político.

Los miembros de la compañía la Fura dels Baus, presentaron el espetáculo *Manes* embutidos en toneles en las populares Ramblas de Barcelona.

▪ **Thomas Bernhard** (1931-1988) escribió curiosas piezas en verso, entre simbólicas y absurdas (*El ignorante y el loco,* 1972).

▪ **Peter Handke** (1942) pretende, en cambio, con *Insultos al público* (1966), destruir el lenguaje y el propio teatro.

▪ En **Italia, Dario Fo** (1926), actor, director y escenógrafo, cultiva un teatro de agitación política, grotesco y humorístico (*Misterio bufo,* 1969; *Muerte accidental de un anarquista,* 1971).

El teatro estadounidense contemporáneo

En las obras anteriores a 1945 dominan las preocupaciones filosóficas (relaciones hombre/Dios, conciencia moral, conflicto espíritu/materia), mientras que después de la guerra los dramaturgos reflejan más la realidad social y acusan el influjo del cine.

▪ **Eugene O'Neill** (1888-1953) es el gran renovador de la escena norteamericana, divulgando los nuevos recursos europeos. El influjo naturalista se aprecia en *El emperador Jones* (1920), *El mono velludo* (1921) y el violento drama rural *Deseo bajo los olmos* (1925).

En obras posteriores recurre al simbolismo y a los juegos escénicos, como en el *El gran dios Brown* (1925), pieza expresionista y pirandelliana en su juego de máscaras, o en *Extraño interludio* (1927), cuyos personajes alternan lo que dicen y lo que piensan.

▪ **Tennesse Williams** (1911-1983) refleja la mentalidad rural sureña a través de personajes frustrados y marginados de las clases más bajas. A menudo le añade alguna patología, como en *El zoo de cristal* (1944), que simboliza la fragilidad de sus protagonistas, o *Un tranvía llamado deseo* (1947).

Su tema fundamental es la falta de comunicación entre los seres humanos, que produce incomprensión y hasta tragedias, como en *La gata sobre el tejado de zinc caliente* (1955).

▪ **Arthur Miller** (1915) es el dramaturgo de los típicos ambientes urbanos estadounidenses, donde el individuo es vencido por fuerzas que le sobrepasan. Su obra más famosa, *La muerte de un viajante* (1949), refleja la cara oscura de la obsesión por el triunfo del «sueño americano».

Las brujas de Salem (1953) simboliza críticamente la represión contra los progresistas a través de una historia de intolerancia ambientada en el siglo XVIII. *Panorama desde el puente* (1955) es la trágica historia de un inmigrante. Ha escrito también guiones radiofónicos y cinematográficos.

Otros dramaturgos americanos

En los años treinta se desarrolló un teatro de fuerte crítica social, representado por **Thornton Wilder** (1897-1975), autor de *Nuestra ciudad* (1938), descripción de la vida corriente de un pueblo sin apenas acción. En nuestros días hay que destacar *Blues para Mr. Charlie* (1964), de **James Baldwin,** sobre la opresión negra, así como una tendencia experimental con **Edward Albee** (1928; *¿Quién teme a Virginia Woolf?,* 1962), **Arthur Kopit** (1937; *Oh, papá, pobre papá, mamá te ha colgado en el armario y a mí me da mucha pena,* 1962) y **Sam Shepard** (1943; *El diente del delito,* 1973).

El modernismo hispanoamericano. Poesía hispanoamericana femenina de principios del siglo XX

Puede decirse que el modernismo representa la mayoría de edad de la literatura hispanoamericana. Por vez primera se desarrolla en el subcontinente un movimiento literario autóctono que influirá en España y no al revés, como había sucedido hasta ahora. Además, se abre la puerta a la gran poesía del siglo XX.

Narrativa modernista

Las novelas modernistas se caracterizan por la preocupación formal, el impresionismo, el léxico arcaizante y los temas exóticos o históricos.
Sus principales cultivadores son el uruguayo **C. Reyles** (1868-1938; *El embrujo de Sevilla*, 1927), el venezolano **M. Díaz Rodríguez** (1871-1927; *Sangre patricia*, 1902) y, sobre todo, el argentino **E. Larreta** (1875-1961; *La gloria de don Ramiro*, 1908).

Raíces del modernismo

La transición entre los siglos XIX y XX viene marcada en Hispanoamérica por el **modernismo,** movimiento literario fundamentalmente poético, que surge del deseo de superación del realismo.

Influido por el simbolismo francés (ver t70), el modernismo pretende desligarse de la tutela literaria española. Así, se sientan las bases de lo que será la gran literatura hispanoamericana del siglo XX y su perpetua búsqueda de formas nuevas para expresar la compleja realidad de los distintos países del continente.

Se produce una profunda renovación del lenguaje literario, cuyo objetivo será la belleza absoluta (para sus características formales, véase t28). Algunas notas temáticas distintivas son

- Subjetivismo, intimismo, angustia existencial y sensualidad.
- Evasión de una realidad materialista rechazada hacia el exotismo.
- Cosmopolitismo y conciencia nacional frente a España y Estados Unidos.

Precursores e iniciadores

- **José Enrique Rodó** (1871-1917), uruguayo, fue el ideólogo del modernismo en su prólogo (1899) a *Prosas profanas* de Rubén Darío y en otros ensayos de estética, como *Ariel* (1900).

- **Manuel González de Prada** (1848-1918), polémico ensayista político-social peruano y defensor de los indios, fue también poeta innovador y preciosista en *Minúsculas* (1901) y *Exóticas* (1911).

- **Salvador Díaz Mirón** (1853-1928), político y poeta mexicano, pasó de un optimismo romántico a un tono sombrío y una búsqueda de perfección formal en *Lascas* (1901).

- **Manuel Gutiérrez Nájera** (1859-95), mexicano, muestra en sus versos y en sus cuentos riqueza melódica y plástica y una honda preocupación por la brevedad de la vida.

Portada de *Azul*, de Rubén Darío.

Los grandes poetas modernistas

- **Rubén Darío** (1867-1916) (ver t28) es la mayor figura modernista.

- **José Martí,** gran prosista en su *Diario*, escribió varios libros de poesía: *Ismaelillo* (1882), *Versos libres* (1882), *Versos sencillos* (1891). A veces con tono visionario a lo Whitman (ver t66), a veces en verso libre y con expresión sencilla, canta a la naturaleza y al hombre con imágenes de gran originalidad.

- **Amado Nervo** (1870-1919), mexicano, evoluciona desde el panteísmo al sentimentalismo, con el amor como tema fundamental.

- **Leopoldo Lugones** (1874-1938), argentino, anticipa en *Lunario sentimental* (1909) el humorismo y las metáforas surrealistas. En obras posteriores canta en versos descriptivos la vida campesina.

- **Julio Herrera y Reising** (1875-1910), uruguayo, crea con un humorismo muy personal unos paisajes barrocos, idealizados y grotescos en *Las pascuas del tiempo* (1900) o *Clepsidras* (1910).

Poesía femenina de principios de siglo

Con la obra de cuatro grandes poetisas comienza la etapa de superación del modernismo.

- **Delmira Agustini** (1886-1914), uruguaya, fue asesinada por su esposo. Sus versos destacan por sus imágenes eróticas en libros como *Los cálices vacíos* (1913) o el póstumo *Los astros del abismo* (1924).

- **Gabriela Mistral** (1889-1957) es el seudónimo de la chilena Lucía Godoy. Sus libros de poesía, de expresión sencilla y coloquial (*Desolación*, 1922; *Tala*, 1924; *Lagar*, 1954) le valieron el premio Nobel en 1945. Sus temas principales son el canto a la naturaleza americana, la religiosidad y el amor y la maternidad frustrados (dedicó al suicidio de su amado unos emocionados sonetos).

- **Alfonsina Storni** (1892-1938), apasionada y rebelde poetisa argentina que murió por suicidio, evoluciona desde un sencillo tono modernista (*El dulce daño*, 1918) hacia una poesía más simbólica e intelectual, influida por las vanguardias (*Mundo de siete pozos*, 1934). Su principal tema es el amor y anticipa rasgos feministas.

- **Juana de Ibarbourou** (1895-1979), uruguaya conocida como *Juana de América*, hereda del modernismo un marcado erotismo y un encendido panteísmo (*Raíz salvaje*, 1920), y evoluciona hacia una poesía más intimista y melancólica (*Oro y tormenta*, 1956).

Delmira Agustini y Gabriela Mistral, dos figuras que acreditan la gran significación de la poesía femenina hispanoamericana.

Martí

El cubano **José Martí** (1853-95) fue condenado a trabajos forzados con apenas dieciséis años y pasó parte de su vida exiliado por sus actividades de patriota a favor de la independencia de su isla. Desarrolló una intensa labor como periodista y ensayista político, y volvió a Cuba para participar en la lucha armada contra los españoles, en la que murió.

Otros poetas modernistas

El cubano **J. del Casal** (1863-93) oscila entre la nostalgia y el sensualismo en versos de cuidado lenguaje. **José Asunción Silva** (1865-96), colombiano, escribe poemas entre románticos y modernistas sobre la infancia, la noche y la muerte. **R. Jaimes Freyre** (1868-1933), político boliviano, muestra en sus versos predilección por la mitología nórdica. El peruano **J. Santos Chocano** (1875-1934) canta al paisaje tropical.

Poesía hispanoamericana del siglo XX (I). Vanguardismo

Tras un periodo posmodernista, la poesía hispanoamericana abraza con decisión el vanguardismo. Incluso se llega a crear una importante corriente autóctona, el creacionismo, que se exportará a España.
Tres grandes figuras descuellan en estos años: César Vallejo, Vicente Huidobro y Jorge Luis Borges.

El grupo Contemporáneos

En torno a la revista *Contemporáneos* (1928-32) se reunió un importante grupo de poetas vanguardistas mexicanos: **C. Pellicer** (1899-1977), poeta sensual y colorista (*Piedra de sacrificio*, 1924); **J. Gorostiza** (1901-1973) es autor del importante poema filosófico *Muerte sin fin* (1939); **X. Villaurrutia** (1903-1950) es también un poeta intelectual (*Nocturnos*, 1933); **S. Novo** (1904-1974) se caracteriza por su tono irónico (*XX poemas*, 1925).

Del posmodernismo a las vanguardias

El agotamiento de la vertiente formalista y evasiva del modernismo, muy clara tras la muerte de Rubén Darío (1916), se resume en los versos del mexicano **Enrique González Martínez** (1871-1952):

> *«Tuércele el cuello al cisne de engañoso plumaje (...)*
> *él pasea su gracia no más, pero no siente*
> *el alma de las cosas ni la voz del paisaje.»*

Predomina un ansia de autenticidad que lleva a los poetas a describir la realidad cotidiana y a refugiarse en el intimismo. Esto se aprecia claramente en las grandes poetisas ya vistas en el t84.

Junto a ellas hay que situar el tono sencillo del argentino **Baldomero Fernández Moreno** (1886-1950), el erotismo e intimismo irónico del mexicano **Ramón López Velarde** (1888-1921) y el alucinado sentimentalismo del colombiano **Porfirio Barba Jacob** (1880-1942).

En los años veinte se deja notar el influjo vanguardista, con su ruptura del realismo tradicional y su búsqueda de nuevas formas. El mexicano **Juan José Tablada** (1871-1945) experimenta con poemas ideográficos, al estilo de los caligramas (ver t78) o los haikus japoneses (ver t54). Otro mexicano, **Manuel Maplés Arce** (1898-1981), encabeza el **estridentismo**. En Uruguay surge el **criollismo**, impulsado por la tendencia a valorar lo autóctono de la nueva estética.

Especial relevancia adquieren las corrientes de vanguardia en Argentina con revistas como *Proa* o *Martín Fierro*. **Oliverio Girondo** (1861-1897) describe con audaces metáforas la realidad urbana en *Veinte poemas para ser leídos en el tranvía* (1922). El **surrealismo** es cultivado por **A. Pellegrini** (1903-1973) y **E. Molina** (1910).

Autorretrato en la frontera de México y Estados Unidos, Frida Kahlo, 1932.

Vallejo, el poeta del dolor

El peruano **César Vallejo** (1892-1938), de familia mestiza, se licenció en letras. Encarcelado por razones políticas, se trasladó a París, donde vivió muy pobremente y casi olvidado hasta su muerte. Antes, combatió por la República en la Guerra Civil española.

Escribió una novela de tema social, *Tungsteno* (1931), pero destaca por su importantísima obra poética:

- *Los heraldos negros* (1919) conserva ecos del modernismo, pero muchos de sus poemas, centrados en el sufrimiento y la angustia, presentan ya una métrica irregular y un tono coloquial.

- *Trilce* (1922): audazmente vanguardista, sus innovaciones formales sirven para expresar un hondo desarraigo existencial.

- *Poemas humanos* (1929): recopilación póstuma de poesía social que incluye *España, aparta de mí este cáliz,* poemas de la Guerra Civil.

Huidobro y el creacionismo

El chileno **Vicente Huidobro** (1893-1948) es el máximo representante del vanguardismo poético hispanoamericano, aunque cultivó también la novela y el teatro. Conoció en París a los principales vanguardistas y estuvo también en España, donde influyó en **J. Larrea** y **Gerardo Diego** (ver t34 y 36).

El **creacionismo,** divulgado en 1914 con el manifiesto *Non serviam,* niega que el arte deba imitar a la naturaleza y sostiene que ha de crear nuevas realidades a través de la palabra, suprimiendo lo anecdótico y basándose en la metáfora.

Su obra fundamental es *Altazor* (1931), un largo poema en siete cantos con continuas visiones filosóficas, teológicas y literarias. Lo más destacado son sus sugerentes imágenes oscuras e ilógicas y la constante tarea de destrucción lingüística.

Vicente Huidobro residió largas temporadas en París y gran parte de su obra está escrita en francés.

La poesía de Borges

El argentino **Jorge Luis Borges** (1899-1986) es una de las más destacadas figuras literarias mundiales del siglo XX. Aparte de una obra narrativa muy importante (ver t88) cultivó la poesía en dos etapas separadas por treinta años.

Durante su permanencia en España, entre 1918 y 1921, el joven Borges se adhirió al **ultraísmo** (ver t34), que difundió en Argentina a su regreso. Con el deseo de lograr una expresión pura, la fuerza poética se cifra en la metáfora, en libros como *Fervor de Buenos Aires* (1923), *Luna de enfrente* (1925) y *Cuaderno San Martín* (1929).

En su vejez retomaría la poesía, ya con un estilo sencillo y culto muy distinto, para indagar en los misterios del hombre y en general en los mismos temas de su narrativa. Hay que destacar *El hacedor* (1960), *El oro de los tigres* (1972) y *Los conjurados* (1985).

Dos estilos líricos

«Arte poética

Por qué cantáis la rosa, ¡oh, poetas!,

hacedla florecer en el poema.

Sólo para nosotros

viven todas las cosas bajo el sol.

El poeta es un pequeño Dios.»

Vicente Huidobro

«Me moriré en París con aguacero,

un día del cual tengo ya el recuerdo.

Me moriré en París –y no me corro,

tal vez un jueves, como es hoy, de otoño.»

César Vallejo

Jorge Luis Borges (1899-1986), nacido en Buenos Aires, pasó su infancia y juventud en varios países europeos, incluida España. Lector voraz desde niño, dominó varios idiomas y adquirió casi de manera autodidacta una amplísima cultura. Fue director de la Biblioteca Nacional argentina, cargo que perdió por su oposición al peronismo. Gracias a su tardío éxito pasó sus últimos años, aquejado por la ceguera, viajando por todo el mundo.

Poesía hispanoamericana del siglo XX (II). Compromiso y posvanguardia

Los años treinta vivieron una gran conflictividad político-social en todo el mundo, que favoreció la toma de conciencia de los escritores. La poesía hispanoamericana, sin renunciar a los logros formales vanguardistas, acentuó su compromiso con la realidad, pero en su evolución hasta nuestros días ha tomado caminos muy diversos.

La Poesía pura

Corriente poética de los años treinta, derivada del vanguardismo, que busca la belleza evitando el sentimiento y centrándose en la propia creación lírica. En Colombia, destaca el grupo *Piedra y Cielo*, con el clasicismo de **Eduardo Carranza** (1913). También tuvo un notable desarrollo en Cuba, con la poesía introspectiva y abstracta de **Dulce María Loynaz** (1903-1987) y, sobre todo, la inclasificable obra de **José Lezama Lima** (1912-1976), también narrador, que construye complejos mundos poéticos, casi indescifrables.

Poesía brasileña del siglo XX

Entre los poetas de vanguardia descuellan **Manuel Bandeira** (1886-1969) y **Mario de Andrade** (1893-1945). Posteriores son **Jorge de Lima** (1895-1953), que pasó de expresar el espíritu de su tierra a una poesía religiosa; **Carlos Drummond de Andrade** (1902-1987), poeta social y cantor de la cotidianidad, sin perder jamás la ironía, y el popular **Vinicius de Moraes** (1913-1980), poeta del amor.

Guillén y la poesía negra

La tendencia general de principios de siglo hacia la búsqueda de lo autóctono llevó a la revalorización de la cultura de la población negra, despreciada hasta entonces. Los estudios folclóricos demostraron sobre todo la riqueza de la poesía popular.

La fusión entre vanguardismo y folclore negro desembocó en la llamada **poesía negra o afroamericana,** semejante al neopopularismo de la generación del 27 (ver t37). Entre sus cultivadores pueden citarse al puertorriqueño **Luis Palés Matos** (1898-1959) y al cubano **Emilio Ballagas** (1910-1954).

■ **Nicolás Guillén** (1902-1989), cubano y mulato, es el principal representante de esta tendencia. En sus primeras obras (*Motivos de son,* 1930; *Sóngoro Cosongo,* 1931) describe el mundo de la población de color: estampas típicas, ritos, supersticiones, etcétera.

Pasa después a denunciar la marginación del negro y, más en general, las injusticias sociales de Hispanoamérica (*El son entero,* 1947; *La paloma del vuelo popular,* 1958), al tiempo que su oposición a Batista le obliga a exiliarse. Tras el triunfo de Castro, su obra se orienta hacia lo revolucionario (*Antología mayor,* 1964).

Su poesía se basa en recursos rítmicos (paralelismo, repetición), así como en onomatopeyas, metáforas y la reproducción del lenguaje popular (léxico, alteraciones fonético-gramaticales).

Nicolás Guillén.

Pablo Neruda

Con una amplísima obra, Pablo Neruda es uno de los poetas más importantes del siglo XX. Escribió también teatro y prosa, especialmente sus memorias, *Confieso que he vivido* (1977).

Su primer libro importante, *Veinte poemas de amor y una canción desesperada* (1924) se ha convertido en un clásico por su madurez y emotividad. Con estilo sencillo, combina el canto al amor, la angustia adolescente y la añoranza de la naturaleza de su infancia.

Residencia en la tierra (1933-35) nace de una profunda crisis existencial. Adopta el estilo surrealista para expresar en metáforas deslumbrantes y herméticas su desolación y oscuridad interior.

Saldrá de esta situación volcándose en el compromiso político y social, que culmina con *Canto general* (1950), extenso poemario que repasa la historia de América. En sus últimas obras, el compromiso se alterna con la temática amorosa (*Los versos del capitán*, 1952) y el canto a los objetos cotidianos (*Odas elementales*, 1954-197).

Octavio Paz

El mexicano **Octavio Paz** (1914-1998) también combatió en la Guerra Civil con el bando republicano. Como diplomático, vivió en distintos continentes. Fue autor de importantes ensayos sobre México, filosofía y estética (*El laberinto de la soledad*, 1950; *El arco y la lira*, 1956). Recibió el premio Nobel en 1990.

Su producción poética inicial, recogida en *Libertad bajo palabra* (1960) combina la poesía comprometida con la estética surrealista para plantear problemas existenciales (soledad, comunicación, tiempo, amor) con un lenguaje libre y hermético.

Sus siguientes obras (*Salamandra*, 1962) acusan el influjo de la cultura oriental, tanto en la forma (haikus), como en los temas (lo esotérico y misterioso, la identidad, el doble). En sus últimos años siguió insistiendo en su esencial preocupación por el lenguaje y hasta recuperó el experimentalismo vanguardista, con obras de lectura múltiple (*Blanco*, 1967) o poemas visuales (*Topoemas*, 1968).

Otros poetas posvanguardistas

- **Nicanor Parra** (1914), chileno, compone una poesía entre popular e irónico-crítica sobre la realidad que le rodea. En sus «antipoemas» o «artefactos» abundan el humor negro y sarcástico, los juegos lingüísticos, lo intelectual, etcétera. Sus obras principales son *La cueca larga* (1958), *Canciones rusas* (1967), etcétera.

- **Ernesto Cardenal** (1925), sacerdote y político nicaragüense, expresa en su poesía su compromiso social (*Hora cero*, 1960; *Homenaje a los indios americanos*, 1969) y su religiosidad (*Salmos*, 1964).

Otros poetas destacados de los últimos años son el mexicano **T. Segovia** (1927), el cubano **R. Fernández Retamar** (1930), el peruano **J. E. Eielson** (1921), el ecuatoriano **J. Adoum** (1926) y los argentinos **M. Benedetti** (1920), también narrador, y **J. Gelman** (1930).

Ricardo Neftalí Reyes, Pablo Neruda (1904-1973) pasó su infancia en el sur de Chile y se dio a conocer muy joven como poeta. Aunque al final lo oficializara, Pablo Neruda es en realidad un seudónimo que el gran poeta chileno adoptó en homenaje al escritor checo **Jan Neruda** (ver t68) y para ocultar a su padre su dedicación literaria. Fue diplomático en Asia y en España, donde hizo amistad con la generación del 27 y luchó por la República. A causa de su militancia comunista debió exiliarse de su país. Recibió el premio Nobel en 1971 y murió pocos días después del golpe que derrocó a su amigo Salvador Allende.

Narrativa hispanoamericana del siglo XX (1ª generación)

Por si la obra de sus grandes poetas no fue suficiente, el extraordinario desarrollo de la novela hispanoamericana confirma que el siglo XX es la época dorada de las letras del continente. Ya desde principios de siglo hay una intensa actividad narrativa y algunas grandes figuras preparan el posterior boom *de los años sesenta.*

Dos tendencias a principios de siglo

Del modernismo nace una corriente de **relato breve de tema fantástico,** que cultivó el propio Rubén Darío. Sus principales continuadores son el poeta argentino **Leopoldo Lugones** (ver t84) con relatos de temática misteriosa y mítica, y el uruguayo **Horacio Quiroga** (1878-1937) con truculentos cuentos ambientados en la selva.

La otra tendencia, más desarrollada, será la **novela realista** y naturalista de tema autóctono, que aparece con notable retraso respecto a Europa. Presenta varias modalidades:

■ **Novela de la revolución mexicana:** la más importante es *Los de abajo* (1915), de **Mariano Azuela** (1872-1952), que muestra escépticamente la guerra con toda su crudeza.

■ **Novela indigenista:** denuncia la opresión de los indios, como en *El mundo es ancho y ajeno* (1941), de **Ciro Alegría** (1909-1967), que cuenta la destrucción de una comunidad indígena por intereses económicos.

■ **Novela de la tierra:** con el tema de fondo del conflicto entre civilización y barbarie (ver t65) se narra la fuerza destructora de la selva (*La vorágine*, 1924, del colombiano **José Eustasio Rivera**, 1888-1928), el caciquismo latifundista (*Doña Bárbara*, 1929, del venezolano **Rómulo Gallegos**, 1884-1968) y la vida de los gauchos (*Don Segundo Sombra*, 1926, del argentino **Ricardo Güiraldes**, 1886-1927).

La renovación narrativa de 1940-1960

En la década de los cuarenta, Hispanoamérica se beneficia económicamente de la guerra europea y experimenta un crecimiento urbano. La vida cultural se enriquece además con la llegada de numerosos intelectuales españoles republicanos o europeos exiliados.

Comienza entonces la superación del realismo narrativo. Los rasgos innovadores serán la incorporación de la temática urbana, el uso de nuevas técnicas estructurales y el realismo mágico.

El **realismo mágico** consiste en una representación compleja del mundo, que admite al mismo nivel lo racional, lo onírico y lo fantástico. Se plantea como única posibilidad de tratar la realidad suramericana, muy

Ruinas de Machu Picchu.

distinta a la europea por la pervivencia de lo mágico o maravilloso, y por la fuerza telúrica de la naturaleza.

Los cuentos de Borges

■ **Jorge Luis Borges** (1899-1986), cuya biografía y obra poética se han tratado en el t85, es autor de excelentes ensayos muy cuidados literariamente (*Historia de la eternidad*, 1936; *Otras inquisiciones*, 1952), pero destaca ante todo por sus cuentos (*Ficciones*, 1944; *El aleph*, 1949 y *El libro de arena*, 1975).

Su estilo, aparentemente distanciado pero muy emotivo, se caracteriza por la concisión y por la ironía, así como por su carga cultural (auténtica o ficticia). Su compleja temática de carácter filosófico y existencial, presenta varios submotivos:

■ Carácter ilusorio de la realidad, que se confunde con la ficción.

■ Misterio de la identidad: el doble, el sueño, la reencarnación.

■ Mundo como laberinto indescifrable.

■ Concepción circular del tiempo.

El escritor argentino Jorge Luis Borges, ensayista, narrador, poeta, hombre de extraordinaria cultura, es sin duda una de las más destacadas figuras literarias mundiales del siglo XX.

Narradores argentinos

Roberto Arlt (1900-1942) descarga su feroz anarquismo en su novela semipicaresca *El juguete rabioso* (1926) o en los paranoicos personajes de *Los siete locos* (1929). **Leopoldo Marechal** (1900-1970) ofrece una visión vanguardista de la capital de su país en *Adán Buenosayres* (1948). **Eduardo Mallea** (1903-1982) se centra en la problemática existencial contemporánea en *Todo verdor perecerá* (1945).

Asturias y Carpentier

■ **Miguel Ángel Asturias** dedica su novela más importante, *El señor presidente* (1946), a la figura del dictador, tema muy habitual en la narrativa hispanoamericana, pero situándolo en una atmósfera de pesadilla, donde se mezclan lo absurdo y lo grotesco.

Su labor de estudioso de la cultura maya se refleja en *Leyendas de Guatemala* (1930) y *Hombres de maíz* (1949). En su «trilogía bananera» (en la que destaca *El Papa verde*, 1954) se denuncia la injerencia norteamericana en Centroamérica.

■ **Alejo Carpentier** fue el primer teórico del realismo mágico en un prólogo escrito para *El reino de este mundo* (1949), historia de un levantamiento de esclavos en Haití en el siglo XVIII. En la misma época se ambienta *El siglo de las luces* (1962). Ambas novelas trazan un grotesco retrato de la fusión entre los ideales ilustrados y revolucionarios y la cultura africana de las Antillas.

Con parecido estilo barroco se relata en *Los pasos perdidos* (1953) un viaje a través de la selva que acaba atrapando a sus protagonistas. Otras novelas del autor son *Ecué-Yamba-O* (1933), descripción vanguardista del mundo negro cubano, *El acoso* (1956), novela breve de compleja estructura acerca de un traidor, y *El recurso del método* (1974), centrada en una dictadura.

Vidas paralelas

Las biografías del guatemalteco **M. A. Asturias** (1899-1974), estudioso de las culturas precolombinas y premio Nobel en 1967, y del cubano **A. Carpentier** (1904-1980), musicólogo y periodista, presentan notables rasgos en común. Ambos han residido fuera de sus países, exiliados por oponerse a sus respectivos gobiernos dictatoriales, o como diplomáticos. En Francia entraron en contacto con el movimiento surrealista.

El «boom» de la narrativa hispanoamericana (I)

La renovación de la narrativa hispanoamericana de los años cuarenta se prolonga con un extraordinario grupo de novelistas, que a mediados de los sesenta alcanza reconocimiento internacional. El realismo mágico se combina con técnicas de vanguardia para la indagación del mundo: es la llamada «novela total».

Novela brasileña del siglo XX

El vanguardista Mario de Andrade (1893-1945) es autor de *Macunaíma* (1928) novela surrealista y legendaria. João Guimarães Rosa (1908-1967) utiliza técnicas vanguardistas y realismo mágico para describir el espacio mítico del desierto en *Gran sertón: veredas* (1956). Jorge Amado (1912) combina la narrativa de crítica social (*Capitanes de arena*, 1937) con novelas poéticas y fantásticas (*Gabriela, clavo y canela*, 1958; *Tieta do Agreste*, 1977). Más joven es Clarice Lispector (1925-1977).

El triunfo de un nuevo realismo

Muchos de los nuevos narradores se establecieron en Europa, donde en los años sesenta se afirmaba que la novela era un género muerto, tras el agotamiento del realismo social. Un grupo de editores españoles decide lanzar, en cambio, a los jóvenes novelistas hispanoamericanos. El éxito es total y el público descubre unas excelentes novelas, muy complejas en fondo y forma, pero que además recuperan el placer de contar y escuchar historias.

Las nuevas novelas tienen en común el deseo de **profundizar en la realidad,** considerada más compleja que su mera apariencia, y en la que se integran lo irracional, lo fantástico y lo simbólico.

Esta enrevesada realidad se expresará con técnicas narrativas complejas, heredadas de las vanguardias: puntos de vista múltiples, juegos temporales, experimentación lingüística, mezclas genéricas.

Cultivadores del realismo mágico

- **Juan Rulfo** (1918-1986), mexicano, se convierte en uno de los maestros del nuevo estilo con sus cuentos (*El llano en llamas*, 1953) y sobre todo con la novela *Pedro Páramo* (1955), que narra con juegos espacio-temporales constantes el viaje de un hombre al pueblo de su padre, cuya historia reconstruirá dialogando con vivos y muertos.

- El uruguayo **Juan Carlos Onetti** (1909-1994) describe unas vidas frustradas y amargadas en la ficticia ciudad de Santa María. Esta visión pesimista con raíz en el existencialismo se refleja en sus cuentos y novelas (*El astillero*, 1961; *Juntacadáveres*, 1964), en las que la ocultación de datos crea un intenso efecto de suspense.

- **Augusto Roa Bastos** (1918), paraguayo, ha vivido mucho tiempo exiliado. Su principal novela es *Yo el supremo* (1974), centrada en un dictador hispanoamericano. Otras obras suyas son *Hijo de hombre* (1960) y *Vigilia del almirante* (1992).

El escritor brasileño Jorge Amado y su esposa Zelia Gattai.

El europeísmo argentino

La cultura argentina, a la sombra de la gran figura de Borges, se caracteriza por sus raíces europeas y su carácter intelectual.

■ **Ernesto Sábato** ha alcanzado un gran prestigio pese a la brevedad de su obra, de hondas preocupaciones filosóficas y existenciales. *El túnel* (1948) trata de un hombre que recurre al crimen como única salida a su radical incomunicación con los demás.

Sobre héroes y tumbas (1961), novela de compleja estructura que une pasado y presente, narra una terrible historia de amor y soledad que revela la maldad del mundo contemporáneo. Destaca el alucinante y largo episodio *Informe sobre ciegos*, kafkiano y surrealista.

Ha escrito también *Abaddón el exterminador* (1974), de parecida complejidad, y varios ensayos (*El escritor y sus fantasmas*, 1963).

Ernesto Sábato (1911) estudió física en París, donde conoció el surrealismo. Tras una crisis existencial, abandonó la ciencia para dedicarse a la literatura. Su prestigio moral e intelectual le llevó a presidir la comisión que investigó los crímenes de la dictadura militar argentina.

■ **Manuel Mújica Láinez** (1910-1984) cultivó la novela histórica, obsesionado por la idea del tiempo y la decadencia. *Bomarzo* (1962) recrea minuciosamente las intrigas del Renacimiento italiano; *El unicornio* (1965) se ambienta en una Edad Media fantástica.

■ **Adolfo Bioy Casares** (1914-1999), amigo y colaborador de Borges, muestra predilección por lo fantástico en sus cuentos y novelas (*La invención de Morel*, 1940; *Diario de la guerra del cerdo*, 1952).

El realismo fantástico de Cortázar

El argentino **Julio Cortázar** (1914-1984) vivió la mayor parte de su vida en París, aunque siguió los problemas políticos y sociales de Hispanoamérica y defendió las revoluciones cubana y sandinista.

Sus novelas se caracterizan por su radical experimentalismo formal y por su análisis del hombre contemporáneo, con sus preocupaciones existenciales y sociopolíticas. Lo fantástico domina en *Los premios* (1960), mientras que *Libro de Manuel* (1974) es una crítica a las dictaduras con técnica de *collage*.

Su principal novela, *Rayuela* (1963), es una obra clave de la literatura hispanoamericana. Su estructura en secuencias sueltas permite distintas lecturas y, por tanto, diversas interpretaciones. Con ello pretende expresar mejor los temas del caos y el azar de nuestra vida y de la relación entre el artista y lo creado.

Quizá lo mejor de su obra sean sus cuentos (*Bestiario*, 1951; *Final de juego*, 1956; *Todos los fuegos el fuego*, 1966) en los que, con un estilo ambiguo, irónico y tierno a la vez, lo fantástico y lo absurdo surgen en medio de lo cotidiano. También ha escrito libros misceláneos (*Historias de cronopios y de famas*, 1962; *La vuelta al día en ochenta mundos*, 1967), de un peculiar e incisivo humorismo.

Lezama Lima

El cubano **José Lezama Lima** (1912-1977) refleja su poesía densa y hermética (ver t85) en su «novela total» *Paradiso* (1966). Influido por Proust, describe el itinerario espiritual de su protagonista, en busca de su infancia perdida, con un estilo barroco de gran imaginación y abundante uso de metáforas.

Algunos cuentos de Cortázar

Casa tomada narra cómo las habitaciones de una casa van siendo misteriosamente ocupadas hasta expulsar a sus dueños. En *La noche boca arriba* el protagonista vive una doble vida, entre sueño y realidad, en nuestros días y como guerrero azteca a punto de ser sacrificado. En *Continuidad en los parques* el lector de una novela policiaca se ve involucrado en el crimen que se relata.

El «boom» de la narrativa hispanoamericana (II)

Algunos de los más jóvenes protagonistas de la eclosión narrativa hispanoamericana han obtenido grandes reconocimientos, como Gabriel García Márquez, premio Nobel en 1982, o Carlos Fuentes y Mario Vargas Llosa, ambos ganadores del premio Cervantes. Otros novelistas más recientes demuestran la vitalidad de las letras del continente sudamericano.

Mario Benedetti

El uruguayo **Mario Benedetti** (1909) ha cultivado la poesía, el cuento y la novela. *La tregua* (1959) narra el trágico amor tardío de un jubilado. *Gracias por el fuego* (1965) es una denuncia de las dictaduras. *El cumpleaños de Juan Ángel* (1971) es una curiosa novela en verso sobre un guerrillero.

Fuentes, el cronista de México

El mexicano **Carlos Fuentes** (1928) ha residido en varios países del mundo como diplomático. Las constantes de su extensa obra son:

- Gran inventiva verbal e incansable experimentación narrativa.

- Análisis de la problemática social y política de su país, con especial atención a las consecuencias de la revolución mexicana.

Su primera novela (*La región más transparente*, 1958) llamó la atención por su audacia experimental y su ambicioso fresco social de la ciudad de México. Otros títulos destacables son *Cambio de piel* (1967) y *La cabeza de la hidra* (1975).

La muerte de Artemio Cruz (1962), su obra maestra, supuso su consagración. A través de los recuerdos de un dirigente político corrupto que agoniza, se reconstruye la historia mexicana desde la revolución. La novela se estructura mediante tres distintos narradores y con abundantes saltos espacio-temporales.

José Donoso

El chileno **José Donoso** (1925-1996), largo tiempo exiliado, retrata en sus novelas a la decadente clase dominante de su país mediante un estilo grotesco. Sus títulos principales son *El lugar sin límites* (1967), *Casa de campo* (1978) y, sobre todo, *El obsceno pájaro de la noche* (1970), novela rural de lenguaje surrealista.

El *Macondo* de García Márquez

El colombiano **Gabriel García Márquez** (1928) es el más famoso y leído de los grandes narradores hispanoamericanos. Su infancia en la costa caribeña le proporcionó temas e historias para crear el imaginario *Macondo*. Como otros escenarios míticos de la narrativa hispanoamericana, simboliza la conflictiva realidad de todo el continente y del ser humano en general.

Allí ambientará sus primeras obras (*El coronel no tiene quien le escriba*, 1961; *La mala hora*, 1962), de desbordante imaginación.

Su gran éxito es *Cien años de soledad* (1967), novela emblemática del *boom* hispanoamericano. Narra la historia de siete generaciones de una familia perseguida por un destino fatal que resume simbólicamente la evolución sociopolítica del subcontinente. Obra maestra del realismo mágico, lo fantástico y lo insólito se mezclan con lo cotidiano, gracias al don de narrar del autor.

En la obra de Gabriel García Márquez el periodismo y la literatura, sus dos oficios, se han entrecruzado muchas veces, como en el apasionante reportaje *Relato de un náufrago* (1955) o en uno de sus últimos libros, *Noticia de un secuestro* (1996).

De parecido estilo será *El otoño del patriarca* (1975), sobre un dictador. Sus siguientes obras (*Crónica de una muerte anunciada,* 1981; *El amor en los tiempos del cólera,* 1985) con la misma cuidada estructura y calidad literaria, se alejan ya del realismo mágico.

Mario Vargas Llosa

El escritor peruano es otra de las grandes figuras de la narrativa hispanoamericana por su incansable indagación en las técnicas narrativas y por la complejidad de sus mundos novelescos.

Su primera obra, *La ciudad y los perros* (1962), que encabezó el *boom,* expresa, a través de la denuncia del machismo y violencia de un colegio militar limeño, una crítica a la sociedad peruana. *La casa verde* (1966) entremezcla tres historias, ambientadas en tres lugares distintos de la selva, que confluyen en un prostíbulo.

Conversación en la Catedral (1970) es su obra más ambiciosa y lograda. Su compleja estructura, con constantes saltos temporales y cambios de punto de vista, se articula en cuatro historias. Ofrece un desolador fresco de la sociedad peruana bajo una dictadura.

El peruano **Mario Vargas Llosa** (1936) estuvo interno en un colegio militar limeño y cursó estudios universitarios en su país y en Europa, donde reside desde entonces. De sus posiciones izquierdistas juveniles ha evolucionado hacia el liberalismo y llegó a presentarse a las elecciones presidenciales del Perú. Colabora habitualmente en la prensa y es autor de agudos ensayos sobre literatura.

Mario Vargas Llosa.

Otras novelas interesantes son la humorística *Pantaleón y las visitadoras* (1973), la autobiográfica *La tía Julia y el escribidor* (1977) y la monumental *La guerra del fin del mundo* (1981), sobre una utópica rebelión campesina en Brasil. Ha escrito también cuentos, una excepcional novela corta (*Los cachorros,* 1967) y teatro.

Últimas tendencias

Se caracterizan por su experimentalismo el mexicano **Fernando del Paso** (1935; *Palinuro de México,* 1978) y dos narradores cubanos: **Guillermo Cabrera Infante** (1929), que sigue a Joyce en los juegos verbales de *Tres tristes tigres* (1967) y *La Habana para un infante difunto* (1979), y **Severo Sarduy** (1937-1993; *Cobra,* 1972).

Argentinos son **Manuel Puig** (1932-1990), explorador de la cultura popular en *La traición de Rita Hayworth* (1968) y *El beso de la mujer araña* (1974), y **Osvaldo Soriano** (1943-1977), crítico del peronismo en *No habrá más penas y olvido* (1980).

En Perú destacan **Manuel Scorza** (1928-1983), autor de novelas sociales sobre las luchas campesinas, y **Alfredo Bryce Echenique** (1939-1999), de personalísimo estilo humorístico y desencantado (*La vida exagerada de Martín Romaña,* 1981). El guatemalteco **Augusto Monterroso** (1921) es un maestro del relato corto. Últimamente se han hecho populares dos escritoras; la chilena **Isabel Allende** (1942; *La casa de los espíritus,* 1982) y la mexicana **Laura Esquivel** (1950; *Como agua para chocolate,* 1989).

Teatro hispanoamericano del siglo XX

Aunque no alcance la altura de la narrativa y de la poesía, el teatro hispanoamericano comienza su renovación en los años veinte. A partir de entonces la dramaturgia suramericana evoluciona al compás del resto del mundo: pasa por una fase de compromiso político-social, la representación experimenta grandes cambios y en los últimos años se va afianzando la creación colectiva.

La aparición del teatro moderno

A partir de los años veinte el teatro rompe con el realismo costumbrista y con el naturalismo para instaurar nuevas tendencias (teatro poético, psicológico, metafísico, social). Aunque se trata de un fenómeno general, se hace más evidente en tres países:

Argentina

Samuel Eichelbaum (1894-1967) ahonda en los conflictos de conciencia de sus personajes en *La mala sed* (1920), *Cuando tengas un hijo* (1929) o *Pájaro de barro* (1940).

Roberto Arlt (1900-1942), también sobresaliente narrador (ver t87), despliega su anarquismo utópico en *300 millones* (1932), *El fabricante de fantasmas* (1936) o *La fiesta del hierro* (1940).

El principal dramaturgo de la época es **Conrado Nalé-Roxlo** (1898-1971), de lenguaje poético y temática fantástica e irreal: *La cola de la sirena* (1941) trata de un hombre enamorado de una sirena; *El pacto de Cristina* (1945) repropone nuevamente el tema de Fausto; *Judith y las rosas* (1956) es una versión cómica del motivo bíblico.

Chile

Armando Moock (1894-1942) desarrolla su prolífica producción en Argentina. Su tema principal es el enfrentamiento hombre-sociedad en hastiados ambientes burgueses: *Pueblecito* (1918) plantea el conflicto campo-ciudad; *La serpiente* (1920) trata de un escritor destruido por una mujer fatal; *Rigoberto* (1935) es la tragicomedia de la imposible búsqueda de la felicidad.

México

Rodolfo Usigli (1905-1979) fue teórico del teatro y escribió piezas de indagación psicológica, como *El gesticulador* (1937), sobre la revolución mexicana.

Otros tres dramaturgos son también poetas (ver t85):

Xavier Villaurrutia (1903-1950) combina en sus piezas la revisión de los mitos, la reflexión sobre la muerte y el neosicologismo. *La mujer legítima* (1943) y *Juego peligroso* (1949) revelan el influjo de Freud en sus tramas de amor y celos; *Invitación a la muerte* (1943), su obra maestra, es una adaptación moderna de Hamlet.

El análisis de la sociedad corre a cargo de **Celestino Gorostiza** (1904-1967) en *El color de nuestra piel* (1952), sobre el racismo, y de **Salvador Novo** (1904-1974) con *La culta dama* (1951), acerca de la clase alta, y *A ocho columnas* (1956), sobre la corrupción de la prensa.

El teatro más reciente

Con la creación de los grupos universitarios e independientes, la renovación se extiende a los aspectos materiales del espectáculo teatral (vestuario, luces, escenografía, actores). Desde el punto de vista temático dominarán la crítica social y la denuncia política.

El argentino **Osvaldo Dragún** (1929) es el dramaturgo más importante de esta etapa, asociado al prestigioso grupo de los años cincuenta Fray Mocho. Cercano al teatro épico brechtiano, alcanzó la fama con *Historias para ser contadas* (1957).

El colombiano **Enrique Buenaventura** (1925) es director del *TAC* y dramaturgo de orientación política en *La denuncia* (1973), que describe la represión contra unos huelguistas. Pieza de carácter popular es *A la diestra de Dios Padre* (1960).

El cubano **José Triana** (1932) ofrece una visión crítica de la sociedad cubana prerrevolucionaria, como en *La noche de los asesinos* (1965), sobre unas niñas que juegan a representar (teatro dentro del teatro) el asesinato de sus padres.

La importante figura del chileno **Jorge Díaz** (1930) pasa, en su amplia producción, de la vanguardia al teatro social. Se centra en la crítica de la burguesía y el tema de la soledad, con un lenguaje irónico y humor negro, como en *El cepillo de dientes* (1961), *Mata a tu prójimo como a ti mismo* (1976) o *Toda esta larga noche* (1981).

En Perú destacan **Enrique Solari Swayne** (1915), autor de *Collacocha* (1956), sobre la lucha del hombre contra la naturaleza, y **Sebastián Salazar Bondy** (1924-1964).

El puertorriqueño **René Marqués** (1919-1979) refleja la problemática de su pueblo en *La carreta* (1952), sobre la emigración.

El teatro del venezolano **José Ignacio Cabrujas** (1937) se caracteriza por su riqueza de lenguaje y su desmitificación de la historia en *En nombre del rey* (1963) o *El día que me quieras* (1979).

Montaje de *Macunaíma* por el grupo brasileño del mismo nombre en 1981, un ejemplo de la plasticidad y belleza que alcanzan los grupos independientes suramericanos (Instituto Nacional de Artes Escénicas, Río Branco).

Teatro de creación colectiva

Una alternativa a la creación del dramaturgo es la obra colectiva, en el que sobresalen varios grupos de teatro independiente: el Teatro Experimental de Cali (TEC) concede mucho espacio a la improvisación; Ictus, de Chile, adopta un tono sarcástico y humorístico; Galpón, uruguayo, se caracteriza por su compromiso político y su rigor estético; Rajatabla, de Venezuela, se sirve de elementos oníricos, surreales y mágicos.